JN002934

山口雅也

菊地　秀行　　京極　夏彦

HIDEYUKI KIKUCHI　KYOGOKU NATSUHIKO　YAMAGUCHI MASAYA

甘美で痛いキス

吸血鬼コンピレーション

PART I
海外小説編

CONTENTS | DISC1

日本人作家編

CONTENTS | DISC2 ［特典］

このパートは本書の後ろからお読みください。
↲

本書中の吸血鬼、バンパイア、ヴァンパイア等の表記は、基本、翻訳、邦題、著者の意向に従った。

炉辺談話——ゴシックな吸血鬼からポップなヴァンパイアへ

山口雅也

ようこそ、わたしの奇想天外の書斎へ。三方の書棚には万巻の稀覯本が揃い、暖炉が赤々と燃えております、ここは、まさに、あなたのような読書通人にとって理想・夢想の部屋なのです。

——おや、窓を叩く雨風の音が……雷鳴の響きも聞えてまいりました。冬の嵐？　このところ続いている異常気象のせいでしょうか？　一方、街中では謎の疫病が猖獗（しょうけつ）を極めております。こんな夜には、ここ——文学史上有名なバイロン卿のディオダティ荘の部屋に籠って怪奇談義に耽るか読書にいそしむことをお勧めします。

今宵ご紹介する『甘美で痛いキス　吸血鬼コンピレーション』は、このディオダティ荘と同じく奇想天外な構造を持つ書物です。この本には玄関が二つあるのです。今あなたが開いた玄関の扉の奥には、古今東西の吸血鬼小説や絵画、漫画、西洋の吸血鬼対日本の吸血妖怪対談などが陳列された部屋が並んでいます。また、いったん外に出て、裏表紙を見てください。ここも実は本書の表玄関なのです。玄関の扉を開けば、吸血鬼ハンターＫや吸血鬼キラーＭが、古今東西の音楽、映画、アニメ、ゲームの中に潜むヴァンパイアについての怪奇談義に、あなたを誘ってくれることでしょう。こうした多くのメディアを扱っている点から、本書のサブタイトルを小説のみの「アンソロジー」からＣＤなどで使用される「コンピレーション」とすることにしました。

本書（建物）の様式にもご注目ください。各部屋の内装は、ゴシック様式からポップ・アートまで、時空を超えた「ヴァンパイア様式」を体感できるという——それが本書のコンセプトでもあるのです。

——おや、また、窓を叩く音が……今度は雨風でなく、硬質な拳で叩くような音ですね……どうやら、ディオダティ荘の裏手の古い墓地からお客様がいらしたようです。

お客様の蒼ざめた貌が窓ガラスの向こうの暗闇に浮かんでいます……あれは、懐かしいドラキュラ伯爵（サー・クリストファー・リー）のご尊顔ではありませんか。リー生誕九十九周年に当たる「夏なき年」に、本書出版に呼応して、再び甦ってくださったのでしょうか？

さあ、吸血鬼ルールに従って、あなたのほうから「夜を領する王」を招じ入れてあげてください。今宵、ドラキュラ伯爵と共に恐怖と法悦の怪奇談義に耽ろうではありませんか。

二〇二一年　凶日

PART I
海外小説編

ジョン・ポリドリ
ヘンリー・カットナー
ローラン・トポール
レイフ・マグレガー
ジェフ・ゲルブ
ロジャー・ゼラズニイ

絵の中に潜む吸血鬼

エドヴァルド・ムンク
ジョン・テニエル

対談
吸血鬼vs.日本の吸血妖怪

京極夏彦×山口雅也

PART II
日本人作家編

井原西鶴
山口雅也
澤村伊智
新井素子
菊地秀行
丸尾末広

A SWEET AND PAINFUL KISS

VAMPIRE

COMPILATION

PART I
海外小説編

ジョン・ポリドリ
ヘンリー・カットナー
ローラン・トポール
レイフ・マグレガー
ジェフ・ゲルブ
ロジャー・ゼラズニイ

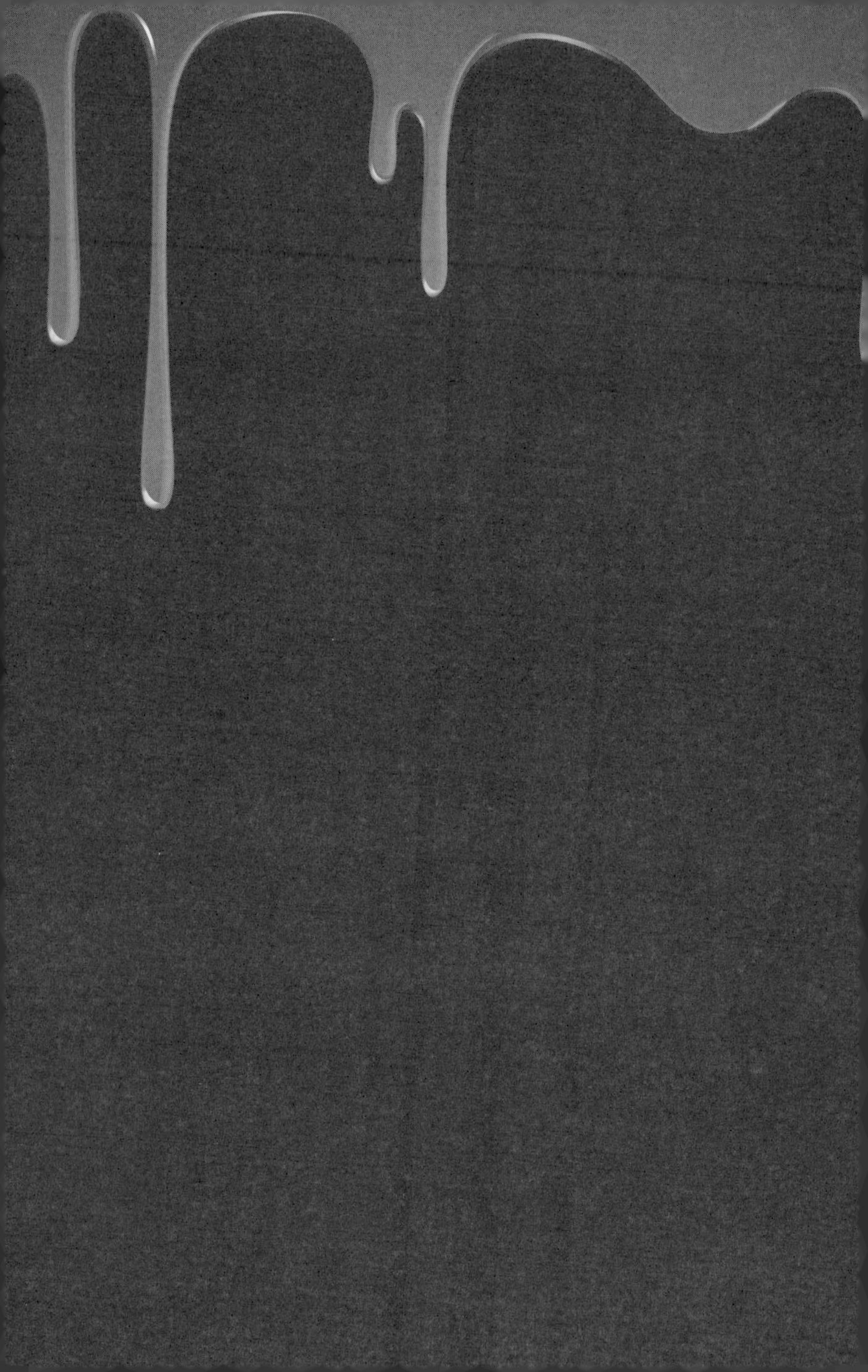

吸血鬼

ジョン・ポリドリ

平井呈一 訳

A SWEET AND PAINFUL KISS
VAMPIRE
COMPILATION

ジョン・ポリドリ

『吸血鬼』

吸血鬼文学の古典中の古典として、ジョン・ポリドリの中篇小説を本書の劈頭に収録することに決めた。理由は次の三点――。

①本作が史上初の首尾一貫した吸血鬼小説として発表されたこと（吸血鬼文学の先駆とされるゲーテの『コリントの花嫁』は詩譚であり、本作のベースになったと言われるバイロン卿の作も未完成小説の『断章』に過ぎない）

②本作に登場するルスヴン卿が、それまでの土俗的な妖怪然とした吸血鬼像を刷新し、近・現代的な吸血鬼のステレオタイプの淵源となっていること（美形であり、高貴な身分を持ち、夜会服を身にまとい、話術に長け、社交界に紛れ込んでも吸血鬼とはわからない）

③吸血鬼の属性を明記していること（それまでの吸血鬼詩譚等では、血を飲むこと、不死者であることなどが、示唆的・暗喩的・寓意的に描かれていたが、本作では、吸血鬼ルスヴン卿が、不死者であり、女性の首筋に噛みつき吸血行為によって死に至らしめることが直截的に描写されている）

本作発表の経緯についても、日本では中略・事実誤認等が見られるので以下に精確に記しておく。

話は文学史上最も著名なメンバーが揃った「ディオダティ荘の怪奇談義」に端を発する。一八一六年（火山の噴火によって北半球が寒冷化した「夏なき年」）五月、スイス、レマン湖畔に英国の詩人ジョージ・ゴードン・バイロン卿が借りていた別荘に、それぞれ醜聞を抱えた五人の男女（詩人シェリー、後にシェリーの妻となるメアリ、バイロン卿の侍医だったポリドリ等）が集まり、「怪奇談義」が繰り広げられた。その内容は、バイロン卿とシェリーの哲学談義に始まり、ガルヴァーニ電気の可能性、死者の蘇生などの科学談義に発展し、バイロン卿によるドイツの怪奇譚の朗読（この前の朗読の際に神経過敏なメアリ・シェリーは昏倒している）によって締めくくられる。そして朗読後「皆で一つずつ怪奇譚を書こう（We will each write a ghost story.）」とバイロン卿が一同に提案した（当時、ホラー小説はゴースト・ストーリーと呼ばれていた)。

この提案により、バイロン卿自身は未完成小説の短い『断章(A fragment of a novel)』(一八一六年)を書き、夭折した詩人シェリーは何も書かず、メアリ・シェリーはゴシック小説の名作『フランケンシュタイン、或いは現代のプロメテウス』(一八一八年)を発表、侍医を解雇されたポリドリは本作『吸血鬼』(一八一九年)を発表した。

——というのが、日本のネット上等で通説となっているが、英文資料等による事実関係は次の二点で異なる。

①詩人シェリーはバイロン卿の提案に応えて『幽霊物語の断片』(A Fragment of a Ghost Story I)の他、五篇の幽霊物語を書き溜めた。

②バイロン卿の提案に応じた時点でポリドリが書いたのは『エルネスタス・バーチルド 或いは現代のオイディプス』という小説で、出来栄えは芳しくなかったらしい(須永朝彦氏の説/『書物の王国 吸血鬼』解題より)。

——とにあれ、ディオダティ荘の怪奇談義の四か月後にバイロン卿の侍医の職を解かれたポリドリは本作『吸血鬼』を書き、作品は彼の許可なしに一八一九年四月号の『ニュー・マンスリー・マガジン』にバイロン卿の新作として掲載されることになる。作者をバイロン卿としたことが、編集者のミスによるものか故意によるものか定かではないが、貴族詩人が通俗的な吸血鬼小説を書いたということで、この作品は大反響を呼び起こすこととなる。既にポリドリを解雇していたバイロン卿は、この一件を不快に思い、滞在先のイタリアから掲載誌への抗議の書簡を送付している。それを受けて掲載誌次号では、『吸血鬼』の真の作者はポリドリであり、バイロン卿の『断章』に基づいた小説であるとする記事を掲載するも、時すでに遅し、『吸血鬼』はバイロン卿の作としてヨーロッパ中に広まり、翻訳、続編、演劇化、歌劇化がなされ、時空を超えて多大な影響を及ぼすことになる。

一方のポリドリは、医師としても作家としても成功することなく、不況とギャンブルの負債が重荷となって、一八二一年、二十五歳の若さで没している。シアン化物による自殺であるという強力な証拠があったにも拘わらず、検視官は自然死の評決を下したという。

最後に、ポリドリがどういう意図を持って『吸血鬼』を書いたのか考えてみる。

バイロン卿の『断章』は、主人公と魅力的だが謎めいた大学の先輩との旅行記の体裁で綴られている。先輩は旅先で衰弱・臨終状態に陥り、主人公に自分の死を誰にも告げるなと誓わせ、最後は「甦り」を暗示するような言葉を残して死んでしまう。

この設定は、ポリドリの『吸血鬼』中盤のエピソードに確かに似ている。しかし、『断章』には、先輩が「不死者（アンデッド）」であることが明確に書かれているわけではないし、吸血行為をなす邪悪な存在であるという可能性も暗示すらされていない。全体の構想はいざ知らず、『断章』として残された文章だけでは、吸血鬼小説のカテゴリに入れていいものか迷うところだ。

一方のポリドリの『吸血鬼』のルスヴン卿の人物像は、バイロン卿にそっくりだ。美形にして高貴な身分、巧みな話術と教養で社交界の寵児となり、不倫、近親相姦、男色（相手の一人がポリドリだったと言われている）と、まるで、吸血鬼のように、周囲の男女の精気を吸い尽くしてきたバイロン卿の放蕩三昧な人物像に――。

故に、ポリドリの『吸血鬼』執筆の動機づけに関しては、次の二点が推測される。

①ディオダティ荘の面々に「低俗でない怪奇譚」を書こうという提案をしておきながら、未完成の『断章』しか書かなかったバイロン卿に、「通俗的」なかたちで小説の完成形を提示してみせた。

②侍医として解雇され、男色相手としても捨てられたバイロン卿に対する復讐心。

――さて、識者の判定や如何に。

（山口雅也解説）

　時はたまたま、ロンドンの冬の恒例の饗宴歓楽いまを酣(たけなわ)のおりから、流行の先達(せんだつ)たちが集まりつどう諸所ほうぼうの宴席に、一人の貴人があらわれた。貴人といっても、この男は爵位身分よりも、いっぷう変わっている点で、人目をひいていた。宴席に列していても、まるで自分はそのなかに参加することができないかのごとく、周囲の歓娯(かんご)をただじっと打ち眺めているばかり。見ていると、さすがに美人の嬌(きょう)笑(しょう)には注意をひかれるらしいが、しかしこの男の顔を見ると、せっかくの笑語の声もたちまちにして消え、無分別ざかりの若い女たちの胸に、なにか恐怖の念を投げこむらしい。

　この畏怖の感じをうけたものは、どこからそれが起こるのか、説明することができなかった。あるものは、この男の死人のような灰色の目のせいだといった。なるほどこの男の目は、人の顔を見るとき、かくべつ鋭い目つきともみえぬのに、なにかひと目で相手の肺腑(はいふ)の奥をふかく突きさすものがある。しかも、チラリと見たとおもうと、すぐにその目をしじゅう鉛のような鈍い色が肌にどんよりよどんでいる頰に伏せてしまうのである。

　こういう一風も二風も変わった変人ぶりのおかげで、この男は到るところの家に招かれた。だれもかれもがこの男を見たがった。強烈な刺激にさんざん慣れっこになり、いまでは退屈(アンニュイ)の重さにあぐねている連中は、とにかく、目のまえに注意をひくものが現れたということで、よろこんだ。顔のかたちや輪郭は美しいのに、なんとしてもその顔の色が、はにかみからも、激情からも、血の気（け）らしいものはついぞのぼったことがない。まったく死人のような色である。にもかかわらず、悪物食い（あくものぐい）にかけてはいずれ劣らぬ海千山千の女どもは、われこそはこの男の気をなびかせて、岡惚れはもとより承知の助、せめて「色」の「い」の字ぐらいはせしめたいものと、鵜（う）の目鷹（たか）の目であった。マーサー夫人などは、嫁（とつ）いでからこのかた、どこの客間にも顔を出す札つき紳士連の笑いものであったが、これがナント、かの男の前にしゃしゃり出て、どうせむだとは知りつつも、派手な一張羅（いっちょうら）のひれ振り袖降り、ピラリシャラリと男の前に立ったとき、あきらかに双方の目と目は合ったというのに、かんじんの男の目は見猿（みざる）も同然だったから、さすが鉄面皮の彼女もガックリきて、すごすご旗を巻いて引き揚げたとやら。もっとも、品下（しなくだ）ったアバズレ女どもは、こんな男の目くばせに乗るようなことはなかったけれども、まず大方の御婦人がたが、この男には無関心ではいられなかったらしい。

　ところが、この男がこれと目をつけて話しかける相手は、貞淑な人妻か、さもなければ無垢（むく）な娘にかぎられていたので、まさかこの変人が自分のほうから名のりをあげて話しかけるとは、だれも知らなかったのある。そのくせ、かれはなかなかの弁達者（べんだっしゃ）だという評判であった。その弁達者、口前のよさが、持ちまえの変人めいた性格のいやらしさをカバーしたものか、あるいは、悪徳・不品行は大きらいらしいその態度にみんなが動かされたのか、そこのところはどっちだかわからないが、いずれにしろかれが、女の家庭的美徳を売り物にしている婦人たちのあいだに、それとはまったく逆の、わが身の不品行ゆえに家庭的美徳を汚している悪女たちのなかにいたと同じくらい、しばしばいたことは事実であった。

　ちょうど同じころ、オーブレーという名前の若い紳士が、ロンドンへやってきた。かれはたった一人の妹とともに、まだいとけない子供の時分に亡くなった両親から、ばく大な財産をのこされた、みなし児であった。いくにんかの後見人がいたけれども、これはもっぱら遺産の管理だけを自分の務めとかんがえている連中で、それよりもだいじな遺児の精神教育は、金でやとった教師どもにまかせっきりで、とんと顧みないでいたあいだに、当のオーブレーは、判断力よりも想像力のほうを多分に身につけるようになった。そこからかれは、廉直と率直の高邁でロマンティックな感情をいだくようになった。じつは、この廉直と率直が、こんにち、多くの婦人帽子屋のお針子たちを日に日に堕落させているのである。

　かれは浮生の万民はことごとく善行美徳に共鳴するものと信じ、悪徳とは小説稗史に出てくるごとく、ただ場面の美しい効果をあげるために、神から投げあたえられたものだと思っていた。茅屋のみじめさは衣服にあり、衣服は暖をとるに足りればいいようなものの、そのふぞろいな襞や色どりの継ぎはっこうのほうが、かえって画家の目にはよく見えるのだと、かれは思っていた。要するにかれは、詩人の夢こそ、この世の現実だと考えていたのである。

　男前はよし、気どったところはなし、それで金持と、こう三拍子そろっているのだから、はなやかな上流社会へ顔を出したりすると、たちまちかれは大ぜいの母親たちにかこまれて見え透いた世辞追従でちやほやされる人気者になり、同時に若い娘たちからは、近くに寄れば輝いた顔で迎えられ、口をひらけばさっそく寄ってたかって、かれの才能長所の誤った理解に、かれをおだてあげるといったぐあいであった。小説稗史は三度の食事よりも好きだったから、ひとりでいるときにはよく読んだものであるが、楽しい挿絵や記述のふんだんにのっているそういう書物から学んだものは、どれもこれも、べつに幽霊が出たせいではなく芯を切らないためにチラチラまたたく蠟燭の灯影のなかにあるだけで、現実の人生にはなんの根拠もないことを知って、かれは唖然とした。もうもう、夢なんか捨ててしまおう、そのかわりに、なに不足ないこの恵まれた浮世に、その埋め合わせを見つけようとした矢先に、前に述べた異様な人物が、これから世の中に出ようというかれの前をよぎったのである。

オーブレーは、かの男に注目した。だが、まるっきり自分一人に凝りかたまっているような人間の性格など、どう考えてみようもない。しかも、おたがいに暗黙のうちに認めあう以外に、相手が外面的な観察のしるしも与えてくれないとなれば、これは交際を避けているものと見なければなるまい。そこでかれは、とかく突飛な考えに走りがちな、得意の想像力をはたらかせて、さっそく相手をロマンスの主人公に仕立て上げ、自分のまえにいる人物よりも、むしろ自分の空想が産んだものを見ることにきめた。そして、いちおう面識を得て、注意をはらっているうちに、先方もだんだんこちらを注目するようになり、オーブレーが顔を出せば、むこうでもすぐにこちらを認めるようになった。

そうこうするうち、だいぶルスヴン卿の手元が不如意な事情などもだんだんわかってきたし、まもなく――街から、目下旅行の準備をしているという手紙をもらって、先方が旅に出ようとしていることを知った。それまでは、ただ好奇心をそそられていたにすぎなかったのだが、このいっぷう変わった奇人に関する知識をもう少し得たくなって、かれは後見人にそれとなく、ぼくもそろそろ旅行に出てもいい時分だろうと、かまをかけてみた。むかしから若いものを一人前のおとなにするには、早いところ悪所通いをさせるにかぎる、とかんがえられている。ただしあまり外聞のよくない情事などは、たとえそれをあやなす手練手管の腕のほどで、そいつはおみごと、豪勢だね、などといいそやされても、事、天に背くようなことは、これは許されない。それを御承知のうえで、ということで、後見人も賛成してくれたので、オーブレーは飛び立つ思いで、さっそくルスヴン卿に自分の意向をのべると、意外にも、先方からその旅行に同道したいという申出を受けたのには、いささか驚いた。世間の凡くらどもとはおよそ類を異にするこの人が、それほどまでに自分のことを買ってくれていたのかとおもうと、悪い気持はしない。よろこんで、オーブレーは先方の申出を容れ、それから日ならずして、一行は海峡を越えたのである。

　これまでかれは、ルスヴン卿の性格を研究する機会が一度もなかったが、こんどこうしていっしょに旅に出てみると、相手の行動は大体自分の目にさらされているけれども、どうも行動の動機とはだいぶ違う結論がでてくるような結果になることがわかった。

　だいいち、この連れは、ずいぶん金づかいが荒かった。――遊び人、浮浪者、乞食などが、ほんの鼻もとの不如意を助けてもらうのに余りある多額の金を、かれの手からもらった。ひと口に貧乏といっても、行ないの正しいものにとかくついて回る不幸から起こる貧乏もある。しかし、ルスヴン卿が恵んでやるのは、そういう正直貧乏ではないと、オーブレーは指摘せざるをえなかった。そういう喜捨は、門口から軽蔑したような嘲笑をもって投げ与えられたが、飲んだくれどもがその日の糧を助けてもらうためではなく、酒代（さかて）をもらうため、つまり、罪の上塗りをさせてもらうために、なにがしかのものをねだりに来るようなときでも、かれは惜しげもなく、たっぷり恵んでやって追っ払った。これはしかし、そういうならず者に罪の上塗りをさせるのは、恵んでやる側にそもそも罪があるので、これはとかく口では堅いことをいって憤慨する人が、よく自分のひっこみ思案、はにかみ性からやることである。ただ、ルスヴン卿の慈善については、いまでもオーブレーの印象にのこっていることが一つある。それは、かれの喜捨にありついたものは、あとでかならず、その喜捨には祟（たた）りのまじないがかけられてあったことに気づいたことであった。それが証拠には、そういう連中は一人のこらず、絞首台にのぼるか、さもなければ、目もあてられないどん底の苦境におちるか、どちらかになったからである。

　もう一つ、オーブレーが意外に思ったことは、一行が通過したブラッセルその他の都市で、ルスヴン卿が今はやりの悪徳の盛り場を、きまって鵜の目鷹の目で捜しまわったことである。賭けトランプをやるテーブルのあるようなところへは、のがさずはいって行く。そして、賭ければかならず大勝ちをした。ただし、こちらの腕を上越す名だたる商売人を向こうにまわすようなときはこれは別で、そういうときには、儲けた以上のものをきれいさっぱりはたかされた。でも、いつもたいてい顔ぶれが同じだったところを見ると、自分のまわりの社会はふだんからちゃんと心して見ていたのであろう。そのかわり、若い無分別なトウシロや、家族を大ぜいかかえた一軒の家のあるじで、あいにくつきの悪いのと顔が会ったりしたようなときは、そうではなかった。そういうときには運命の法則こそがかれの望むところらしく、ポカンとした心は脇へおいて、目が半殺しの鼠をなぶる猫の目よりも烈しい、燃えるような輝きをおびてくるのであった。どこの町へ行っても、かれは以前つきあっていたような裕福な若者や、自分が飾りになっていたような交際圏とはふっつり縁を切って、どこかの地下室の寂しいところへもぐりこんで、この博奕という魔の手のとどくところへ自分を引きずりこんだ運命を呪っていた。その一方には、昔はたんまりあった財産も今は鐚一文もなくなったおやじどもが、空腹をかかえた子供たちのもの言いたげな顔の並んでいるなかで、それだけあれば今のこのひもじさは満たせるはずのなけなしの金を賭けて、さながら半狂乱の体で坐っていた。そのくせ、こういうおやじは、勝ってもテーブルの上の金は一銭もとらない。その金も、たちまちのうちに、多くのおちぶれ者の手にかかってすってんてんになり、あげくの果てには、罪もない子供が震える手に握りしめている、最後の金までもぎりとってしまうのが落ちであった。これなどは、自分よりも場数を多く踏んだ者の巧妙さには、ぜったいに太刀打ちはできないという、ある程度の知識の結果なのだろうが。——オーブレーは、しばしばこのことを友人に言って聞かせ、どうせ喜捨をもらった者がみんな破産するのは目に見えていることなんだし、そのうえいっこうに自分のためにはならない、そんな施しや楽しみは、いいかげんにもう止めてくれといって、頼んでみようかと思ったけれども、けっきょくかれは一寸延ばしにそれを延ばした。というのは、この友人が、なんとかして正直に心をうちあけて話してくれる機会を与えてくれればいいがと、毎日かれはそれを待ち望んでいたからである。

　しかし、ついにそれは起こらなかった。馬車に乗って、野外の豊かな自然の風光のなかにいるときのルスヴン卿は、あいかわらずいつも同じであった。目は口ほどに物を言うというが、かれの目は口よりも物をいうことか少なく、そのためにオーブレーはせっかく自分の好奇心の対象がすぐ身近にいるのに、いつもあの謎を破りたいという空しい望みに、気ばかりあせりながら、より大きな満足を得たためしがなかった。そしてその謎は、ちかごろでは、なにか超自然めいた、怪奇な様相をさえおびるようになってきた。

　まもなく、一行はローマに着いた。すると、ルスヴン卿の姿がときどき見えなくなった。なんでもイタリーのさる伯爵夫人の朝のつどいに出席するのだとかで、毎日、一人で出かけていく。オーブレーのほうは、そのあいだに、荒廃したよその町へ記念物をあさりに出かけた。そんなことをしているうちに、イギリスから手紙が幾通かとどいた。かれは封を切る手もおそしと開封した。まず、いの一番は妹の手紙、これは全文、愛情のことばで埋められていた。あとのは後見人からよこしたもので、それを読んでオーブレーは仰天した。かりにもし、前まえから、自分のつれには悪魔の力が宿っているということが、かれの想像のなかにはいっていたならば、おそらくその手紙の文面は、じゅうぶん信ずるに足る理由をかれに与えたことだったろう。後見人は、即刻その友人から離れるように力説し、その男の性格はたいへん凶悪なもので、とても避けることのできない誘惑力をもっており、その放埒癖は社会に危険なものと目されている云々、と勧告していた。

　手紙によると、問題の男の姦婦に対する侮辱は、姦婦の性格への嫌悪から発したものではなく、手切れ金の増額を姦婦に要求したこと、そして共犯者である犠牲者は、傷つけられた貞操の頂点からおっぽりだされて、汚名と堕落の奈落の底へ落ちた、というのである。要するに、その男が求めた婦人たちは、ことごとく、その貞操のために、かれの出発後、仮面をひんむかれ、犯した悪業の醜い全貌を公衆の目のまえに仮借なく暴露された、と報じていた。

問題の相手の性格は、今もってまだ注目するような鮮明なものを現わしていなかったけれども、オーブレーはこの際、かれときっぱり袂をわかつことに腹をきめた。それには、もうしばらく相手を近くで注視し、別れることはけぶりにも気どられぬようにしながら、相手を見捨てるための格好な口実をかんがえなければならない。そうかんがえて、オーブレーは、ルスヴン卿が出入りしている社交仲間のなかへもはいって行ってみた。

するとまもなく、ルスヴン卿がおもに足しげく出入りをしている家の、まだなにも知らないおぼこ娘に、しきりとかれが働きかけているのを見た。いったい、イタリーでは、上流社会の嫁入り前の娘に会えるなどということは、めったにないことである。してみると、ルスヴン卿はよほどむりをして、極内で計画をはこんだのにちがいない。ところが、かれのうろつくところを虱つぶしに克明に追ったオーブレーの目は、まもなく、その娘とルスヴン卿との密会がすでにとりきめられたことを知った。どうやらこれで、無分別だがまだ罪を知らない潔白な娘が一人、破滅の窮地に追いこまれることになるらしい。そこでオーブレーは、時をうつさず、ルスヴン卿の借りている部屋へ押しかけて行って、いきなりその娘についての当人の意向をただしてみると同時に、じつはきみと同じ晩に、自分も彼女に会うことになっているのだと告げた。するとルスヴン卿は、ぼくの意向といったって、それはまあ、そういうばあいに誰もが考えるようなものさ、と答えた。では、きみはあの娘と結婚するつもりなのか、と押してたずねると、それに対してはただ笑っているだけであった。

オーブレーは辞去すると、すぐに書面をしたため、本日限り、小生は約束の旅行の残りを、卿と行をともにすることをお断わりする、という旨を述べ、下男に命じてさっそくほかの貸し部屋をさがさせ、自分はかの令嬢の母人を訪ね、令嬢に関することのみならず、ルスヴン卿の性格についても、自分の知っているいちぶしじゅうを話した。こうして密会は妨害された。そしてその翌日、ルスヴン卿は先方の下男をよこして、快をわかつことに異存のない旨を知らせてきたが、オーブレーが水をさしたために、自分の計画がお流れになったことについては、ひとことも触れてこなかった。

　ローマを発つと、オーブレーは一路ギリシァに足をのばし、半島を横断して、まもなくアテネについた。アテネでは、さるギリシァ人の家に仮寓することにきめ、やがて、今では色あせた昔の栄えた日の記録を刻んだ、古墳や古跡めぐりに忙殺されだした。そうした記録は、むろん土中に深く埋めかくされ、あるいは麻布でいくえにも巻かれた、むかし奴隷の前だけで勝手放題をふるまった、公民たちの愚行を記録した恥ずべきものであった。

　止宿した家の同じ屋根の下に、一人の美しい楚々たる娘が住んでいた。画家のモデルをしている娘らしく、彼女の望みはキャンバスに、マホメットの天国の忠誠なホープとしての像を描いてもらうことだったが、誰が見てもその娘の目は、とてもこんな信心ぶかい心があるとは見えなかった。よく原っぱを踊り歩いたり、山道をピョンピョン飛び跳ねたりしているのを見ると、彼女のかぼそい美しさに人はカモシカをおもいだした。彼女と目をかわすと、なるほどいかにも生き生きとした目であったが、しかしそれはいかにも漁色家の好みに合いそうな、トロンとした、眠たげな動物の目であった。

　イヤンテというこの娘の軽やかな足どりは、古跡あさりに行くオーブレーとよくいっしょに連れ立った。そして、無邪気で、無自覚で、若い彼女は、よくカシミヤ蝶などを夢中になって追いかけながら、オーブレーが眺めている目のまえで、まるで風にのって舞いでもするかのように、自分の美しいところを丸出しにして見せ、思わず小娘のようなその姿におもい入るオーブレーに、やっと判読しかけた碑面の文字を忘れさせることが、しばしばあった。そうやって、かれのまわりを跳ねまわっているうちに、つかねた髪がハラリと解けて、それが刻々にうつろいゆく夕焼け空の残照のなかで、古くさい古代文字など忘れてしまう口実になるほど、じつに美しく映(は)えるのである。そうなると、以前はポーザニアス（紀元二世紀のギリシアの地質学者）の一行を正解することが、それこそ命をかけての大事と思っていたその碑文さえ、つい頭から逃げ出していってしまう。それにしても、人間というものは、なぜ万人が美しと感ずるものを文字に書こうとするのだろう、だれも味解などできもしないくせに？——これこそは、まさに、人の大ぜい集まる客間や、息のつまる舞踏会などの感化をうけない、ほんとうの無垢と若さと美しさであった。

彼女は、オーブレーがのちの記念のためにと思って、あたりの古墳風景を写生しているそのそばにつっ立って、自分の生まれた土地の景色をながめながら、オーブレーの鉛筆の魔法のような出来ばえに見とれつつ、問わず語りにいろんな話をした。広い野原で踊る輪舞のはなし、そうかとおもうと年若い記憶の鮮烈な色彩をつかって、幼いころに見た、豪華な結婚の行列を描写してみせたりした。そのうちに、話題がもっと大きな感銘をうけた話になると、きまって彼女は、子供のころに乳母からきいた怪談ばなしをもちだした。その話をする彼女の熱の入れかたと、話のなかに出てくることがらをまっこうから信じている、その素朴な信仰が、オーブレーの興味をいたくそそった。彼女はよく、生きている吸血鬼の話を語った。生きている吸血鬼は、友達だの親兄弟や妻子のなかで何年でも暮らしているが、自分の血がだんだん冷えてくるので、毎年何ヵ月かの間は、命を永らえるために、美しい女の生命を食って、栄養をとるのだという。そんな根も葉もない気味の悪い想像を、オーブレーが一笑に付そうとすると、イヤンテは実在の老人たちの名前をあげてみせた。その老人たちは、親戚のものや子供四、五人に、この魔物の貪婪(どんらん)な食欲の熔印を見つけたのち、とうとう、自分たちのなかに生きている吸血鬼のいることを探り当てたのだという。それでもまだオーブレーが信じられない顔つきをしているのを見て、イヤンテは、頼むから自分の言うことを信じてくれ、吸血鬼の存在に最初は疑問をもった人も、動きのとれない証拠を見せれば、みんな否応なく、嘆きと落胆をもって、なるほど本当だと白状しているのだから、後生だからわたしのいうことを信じてくれといって、拝むように頼むのであった。そして彼女は、昔から言い伝えられているこの魔物のすがたや格好を、くわしく並べ立てた。オーブレーの恐怖は、ルスヴン卿にまったくそっくりの描写を聞かされたことによって、まえよりいくらか増したが、それでもかれは、きみの恐怖には真実性がまるでないといって、彼女を説得しようとした。が、そういいながらも、かれは、どうもルスヴン卿の超自然力を信じざるをえない心をそそる偶然の一致が多いような気がした。

　オーブレーは、しだいにこのイヤンテという娘に心をひかれだしてきた。これまで自分が小説稗史のなかにさがし求めてきた女の貞淑さとは、まったく対蹠（たいせき）的な彼女の無心さが、かれの心情を征服したのである。かれは、イギリスの習俗のなかで育った一人の青年として、無学な一ギリシァ人の娘と結婚しようなどという考えを、滑稽におもう心が一方にありながら、しかもなお、目のまえにある仙女にちかい美しい女のすがたに、いよいよ愛着がつのるばかりであった。いっそのこと、この女から自分をひき裂いて、なにか考古学の研究プランでも立て、そしていざ出発したら、目的の達成するまで帰らないことにしようと、心ではそうきめながらも、いざとなると、自分の周囲にいくらでもある廃城旧跡に注意を釘づけにすることができない一方、心のなかには、この女こそ自分の考えを正しくつかんでくれると思われる一つの映像が、いつもデンと控えているのであった。

　しかし、当のイヤンテは、かれの恋ごころには気づいていなかった。彼女は、はじめてかれが知ったときと同じように、あいかわらず飾りけのないあけすけな孩児(ねんねえ)であった。いっしょに野に出て、ひとりで先に帰るようなときには、彼女はいつもかならずいやいやそうにして、別れるのを渋っていたが、それはオーブレーがスケッチに忙殺されていたり、時の破壊の手を免れた断碑の洗いに忙しかったりしたことも、あることはあったけれども、一つには、彼女が近頃、まえにはよく入り浸っていたモデルのおとくい先へぱったり行かなくなっていたからでもあった。

　吸血鬼のことについては、イヤンテは、まえにも両親に問いただしてみたことがあった。そのとき、父も、母も、そこに居合わせた二、三人の人たちといっしょに、たしかに吸血鬼はいると太鼓判を押し、その言葉を口にしただけで、二人ともまっ青になって震えあがっていた。

　それからまもなく、オーブレーは四、五時間行程の遠足に出かけることをもくろんだ。すると、行く先の場所の名をきいた人達が、みな異口(いく)同音に、むこうで日が暮れたら帰って来ないでくれといった。あすこへ行くには、往復に、どうしてもある森のなかを通らなければならない。その森は、ギリシア人なら、どんなよんどころない用事があっても、日が暮れてからは絶対にはいらない、曰(いわ)くつきの場所だというのである。かれらの話によると、吸血鬼というものは、夜、血を吸いに出るものだが、その森道を夜になってから通った人は、かならずえらい目にあっているのだそうだ。オーブレーは人びとの主張を軽視して、一笑に付そうとしたが、その名を聞いただけでも血が凍るほどの凶(まが)まがしい魔物の力を、かれがそんなふうに馬鹿にしたというので、みんながガタガタ震えているのを見て、オーブレーも口をつぐんだ。

　翌朝、オーブレーはただひとり、供もつれずに遠足に出かけた。出がけに、宿のあるじの浮かぬ顔を見て、オーブレーは意外な気がしたが、考えてみると、前夜、恐ろしい魔物の信仰を笑った自分の言葉が、主人の恐怖心をそそったことがわかった。――いざ出発というときに、イヤンテが馬のそばへきて、魔物が活動をはじめる夜にならないうちに、ぜひ帰ってきて下さいとせがむように頼むので、かれは堅く約束した。ところが、調査にわれを忘れていたせいか、よもやこんなに早く日が暮れるとは気がつかず、地平線のかなたに、夏雲がむくむく入道雲をせりだし、雨乞いをしていた村むらに、早くも沛然(はいぜん)たる慈雨を降らしだしたことにも気がつかずにいた。やがて、ようやくのことで馬にまたがり、遅れをとり返すために馬を急がせることにしたときには、時すでに遅かった。

南の国では、たそがれというのがほとんどない。日が沈めば、たちまち夜がはじまる。そして、オーブレーがまだ遠くも行かないうちに、夕立は早くも頭の上にきていた。殷(いん)いんたる遠雷の音は、ほとんど休むひまもなく、そのうちに大粒の雨が天蓋のごとき木の茂みをかきわけて、たたきつけるように降ってきたとおもうと、青い稲妻がさや形に走って、今にも落雷するかとばかり、足もとをピカッと照らした。馬はたちまち棒立ちになると見るまに、オーブレーは、クモ手に枝をさしかわす森のなかを、疾風のごとき早さで運ばれた。やがて馬はついに疲れて立ち止まる。閃々(せんせん)たる電光に、あたりを見れば、いつのまにか自分は雑木林にかこまれてうず高く積もった落葉の山の上の、一軒の木小屋のそばに立っていた。そこで馬から下り、だれか町へ出る道を案内してくれる人でもいるか、さもなければ、にわかの夕立に雨宿りでもさせてもらえばと、一縷(いちる)の望みをかけながら、かれはその木小屋へ近よって行った。

近よっていくと、雷鳴は一時鳴りをしずめたかわりに、耳にきこえたのは、絹を裂くような女の悲鳴であった。そしてそれにまじって、なにやら息を殺して嘲笑(あざわら)うような声もきこえ、その二つが一つになって、きれぎれな音になってつづいている。かれはギョッと驚いたが、おりからまたもや頭の上で鳴りだした雷鳴の音に力づけられて、かれはいきなり小屋の戸を力まかせに押しあけた。中はまっ暗であったが、声をたよりにはいっていくと、どうも様子がおかしい。声をかけたのに、依然として悲鳴と冷笑の声はつづいたままで、人の来たことに気がつかぬらしい。と、そのとたんに誰かにぶつかったので、とっさにそいつに摑みかかると、「また邪魔しやがったな」と叫ぶ声につづいて、大きな笑い声がした。と思ったとき、オーブレーは、なにか超人的な力をもったものにはね飛ばされて、四つん這いに投げだされた。えい、どうせ命を売るなら、できるだけ高く売りつけてやれ！　そう覚悟をきめて、組みついてかかった甲斐もなく、相手は体当りでオーブレーをねじ倒すと、胸の上に馬乗りになり、両手で咽喉をしめあげた。と、その時、おびただしい炬火のあかりが壁の穴からさしこんで、昼間のような明るさをあたえたのに、曲者はひるみ、やにわに立ち上がると、獲物をその場にのこして、入り口から一目散、立木の枝をバリバリへし折り、森をかきわけ破りぬけ、あと白浪と音もなく、――嵐もしずまった。

　オーブレーは身動きもならずにいると、やがて表の数人がけはいを聞きつけて、ドヤドヤ小屋の中へはいってきた。炬火の光が泥壁にさし、見ると、一本一本わらで葺いた屋根裏には、厚い煤がつもっている。オーブレーの頼みで、村の連中は、さきほどかれが悲鳴をききつけた女をさがしに行った。オーブレーはふたたび闇のなかに置き去りにされたが、やがて炬火の光がもう一度あたりを明るく照らしたとき、自分の美しい女案内者イヤンテのあの快活な姿が、命なき死体となって担ぎこまれてきたのを見たときのかれの驚愕は、そもいかばかりであったろう。オーブレーは眼を閉じて、すべてこれは、心みだれたおのれの妄想からおこった、一場のまぼろしであれかしと願ったが、ふたたび眼をひらいてみれば、やはり自分のかたわらに伸びている同じ姿を見た。女の顔には色がなく、唇にも色がなかった。しかもその顔には、かつてそこに宿っていた生命と同じように、いまは静止がはりついていた。――首と胸に血痕がついており、咽喉には血管を食い切った歯形のあとがあった。それを指さして、アッと恐怖に打たれた村びとたちは、口ぐちに、

「吸血鬼だ！　吸血鬼だ！」

と叫んだ。戸板の輿(こし)が手早くしつらわれ、オーブレーはつい今のさっきまで、自分にとってあれほど多くの明るく美しい夢をあたえてくれたのに、いまは命の花を胸に枯らして死んでしまった女のそばに、自分の身を横たえた。なにを考えていたやら、自分にもわからなかった。頭は唖になり、反省を避け、なにもない真空のなかに遁(のが)れかくれてしまったようであった。――いつとも知らぬまに、かれの手には、一振りの変わった細工のしてある、裸身の匕首(あいくち)が握られていた。それは小屋のなかで見つけた品であった。一同は、ほどなくべつの団体の人たちに出会った。それは、娘が帰らないのを母親が案じて捜しにきた人達であった。

町に近づくにつれて、その連中の嘆き悲しむ泣き声は、町じゅうの親たちに、恐ろしい惨事のあったことを知らせた。両親の嘆きは、もとより筆紙につくされないほどであったが、わが子の死因を確認したとき、両親はオーブレーの顔をつくづくと見て、娘の死骸を指さした。――どう慰めるすべもないままに、ほどなく二人の親たちは、傷心のあまり世を去った。

ベッドに寝かされたオーブレーは、高熱がでて、ときどき譫言(うわごと)をいった。そして譫言のあいまには、たぶん、ルスヴン卿とイヤンテに会っていたのであろう。どういう結びつきなのかよくわからぬが、オーブレーはしきりとルスヴン卿に、自分の愛するものから手を引いてくれといって頼んでいるようであった。かと思うとまた、頭にくくった呪いの人形に祈りタこめて、彼女を殺した相手を呪っていることもあるらしかった。

ちょうどこのおりから、ルスヴン卿も偶然アテネの町に着いた。そして、どういうきっかけからか、オーブレーの容態を伝え開くと、さっそく同じ宿に宿をとって、ずっとかれのそばに付き添った。オーブレーは譫言をいう錯乱状態からようやく脱すると、自分の枕元に、その人間の映像を「吸血鬼」の映像に結びつけていた当の人物がいるのを見て、胆(きも)をつぶすほど驚いた。ところが、ルスヴン卿のほうは、例のいんぎんな言葉で、二人が袂をわかつようになった自分の前非を悔いるような口ぶりを洩らし、以前にもまして細心な心づかいと、憂慮と、なにくれとない世話とによって、まもなくオーブレーに面と向かって、自分のほうから和解を乞うた。ルスヴン卿もだいぶ変わったようであった。まえにオーブレーが呆れ返ったような、冷酷無情な人間とは、もはや見えなくなった。

しかし、オーブレーの回復が濡れ紙をはがすように急速になったとたんに、相手はだんだんまたもとの料簡に戻って、オーブレーの見たところでは、以前のかれとなんら違ったところもないように見受けられた。ただ、ときどきルスヴン卿の目が、意地の悪そうな微笑を口のあたりに浮かべながら、じっとこちらを見つめているのに出会うことがあり、なぜか知らぬがこの微笑が、しじゅうオーブレーの心にまつわりついて離れなかった。

病人の回復が最後の段階にはいったころ、どうやらルスヴン卿は、涼しいそよ風に寄せる波なき汐の動きを、——つまり、この宇宙世界でいうならば、動かぬ太陽を中心にした星辰の運行を見まもることに、しきりと心を傾けていたようである。——なるほど、そういえば、いやに人目を避けたがっているふうであった。

こんどのショックで、オーブレーの心はだいぶ弱気になった。まえにはあれほど顕著だった精神の弾力が、いまはまるで永久にどこかへすっ飛んでしまったようであった。近頃のかれは、ルスヴン卿と同じように、多分に孤独と沈黙を愛する人であった。ひとりぼっちになりたい気持は山やまだったが、しかしこのアテネの町の近くでは、かれの心は孤独に浸れそうもなかった。まえによく行った廃墟のなかにそれを求めても、そこへ行けばイヤンテの姿が自分のそばに立っている。森のなかにそれを求めれば、そこでもイヤンテの軽やかな足どりが、スミレの花をさがしながら、森の下草のなかを歩いているのが見えてくる。ふっとうしろをふりかえってみると、イヤンテの青ざめた顔と傷口のある咽喉が、やさしい微笑を唇にうかべながら、狂おしいような想像のなかに現われるのである。かれはもう、自分の心のなかにそういう苦い連想の生まれてくる風景と人の姿から、どこかへ逃げ出してしまおうと決心した。

　病中、なにくれとなくやさしい看護をしてくれたルスヴン卿には、かれも少なからぬ恩義を感じていたので、どこかギリシァのうちで、ふたりがまだ見ていない土地へ行ってみたいがといって、ルスヴン卿に提言してみた。ふたりは諸所ほうぼう、あらゆる方角へ旅をした。そして思い出になるようなところを、くまなく捜し求めて歩いた。だが、そんなふうにそれからそれへと慌しく旅をつづけたけれども、どうやらふたりとも、べつに見るものなどはどうでもいいようなふうであった。追剝（おいはぎ）の出るうわさをあちこちで聞いたが、どうせそういう話は、嘘っぱちの危険にも護衛をたのむような大様（おおよう）な人たちをけしかける、酔狂な、人間のつくり話にすぎないとおもって、そういう報告はしだいに軽視するようになった。そんなことから、しまいには土地の人達のまじめな忠告まで無視するようになって、一度などは、むりに反対を押し切って、ほんの二、三人の護衛者——というより案内者——だけをつれて出かけたまではよかったのだが、さて道がとある狭い峡谷にさしかかり、見下ろす谷の底は急流の川床で、近くの断崖から落ちた巨岩大石が峨々累々（ががるいるい）としているのを見たときには、さすがのふたりも、忠告を無視したことを後悔した。すると、一行が細い谷道にさしかかるかからないうちに、いきなりすぐ頭の上を、鉄砲玉がヒューッと掠（かす）めたのに、一同、胆をつぶした。さっそくこちらも三、四挺の銃で応戦したが、護衛者たちはふたりをそこへ置いたまま、それぞれ岩のかげにかくれ、そこから玉の飛んでくるほうを目がけて、ドンパチ撃ちはじめた。

　ルスヴン卿とオーブレーは、案内人のやったとおりのまねをして、谷間のひっこんだかげにしばらく隠れていたが、考えてみれば、敵は嵩（かさ）にかかって大声でどなりながら進んでくるのに、こっちはこのとおり敵に鑵詰にされ、そのうえ、もしも敵が上へ登って、うしろから攻めてきたら、それこそ手も足も出ない、無抵抗な殺しにさらされてしまう。それが業腹(ごうばら)なので、ふたりは敵を見つけに同時に飛びだすことに覚悟をきめた。ところが、岩のかげから飛び出したとたんに、ルスヴン卿が肩に一発くらって、地べたに倒れた。――オーブレーは急いで助けに駆けつけたが、もうこうなれば、身の危険もなにもあったものではない。そのうちに、賊どもの顔がぐるりとかれを取り巻いたので、びっくりした。護衛の連中は、ルスヴン卿が撃たれたのを見ると、さっさと銃をすてて、ひと足さきに降参してしまった。

　礼金をたんまり出すという約束で、オーブレーはまもなく賊どもに指図をして、怪我をした友人を最寄(もよ)りの小屋まで運ばせることにした。身のしろ金に同意したのだから、もう賊の前にいても安心であった。賊どもは、オーブレーが取りにやった約束の金を、仲間が持って帰ってくるまで、ただ小屋の入り口の張り番をするだけで満足していた。

　――ルスヴン卿の体力は急激に弱り、二日目には傷口から脱疽(だっそ)をおこして、どうやら死は急ぎ足でやってくるかにみえた。そのくせ、そんな危篤の状態になりながら、動作やようすには少しも変わったところがなかった。まるで木か石にでもなったように、苦痛というものを全然感じないようであった。

　でも、最後の晩が終わるころになると、さすがにようやく不安になってきたらしく、しばしばオーブレーの顔をじっと見つめるようになった。オーブレーもふだんに増す熱意をこめてなんでも助力を惜しまないから、言うことがあったら、なんでも言ってくれといった。

「きみ、力になってくれ！　きみなら、ぼくを助けられそうだ。いや、それ以上のことだってできそうだ。――ぼくのいうのは、命のことじゃない。自分の死ぬことなんか、こうして毎日過ぎていく日ほどにも、ぼくは思っちゃいない。きみには、ぼくの名誉を救ってもらいたいんだ。きみの友だちの名誉を救ってほしいんだよ」

「どうやって。――やり方をおしえろよ。ぼくは、なんでもするよ」とオーブレーはいった。――「なに、大したことじゃないんだがね。――ぼくの命は、いまどんどん退いていっている。――全部の説明はいまできないけれども、――きみがね、ぼくのことで知ってることを全部隠していてくれれば、ぼくの名誉は、世間のやつらの口からしみをつけられないですむんだよ――そしてね、もしぼくの死が、しばらくの間、イギリスで知られずにすめば――ぼくは――ぼくは――」

「大丈夫だよ、知らせやしないから」

「誓ってくれー！」と瀕死の男は、勝ち誇ったようにガバとはね起きながら、叫んだ。「金輪際、誓ってくれよ。きみの全霊、きみの全性をかけて、誓ってくれよ。いいかね、一年と一日だぜ。その間きみは、ぼくの犯した罪、ぼくの死についてきみの知っていることを、どんな方法だろうと、相手がどんな人間だろうと、どんなことが起ころうと、どんなことを見ようと、ぜったいに洩らさないことを誓いたまえ」

それをいうルスヴン卿の眼は、眼窩から飛びだすかと見えた。

「よし、誓う！」とオーブレーはいった。ルスヴン卿は笑いながら、枕に身を沈めた。そして、それきり息が絶えた。

オーブレーはすこし休もうと思った。でも、眠りはしなかった。ルスヴン卿と知りあってからのその時どきのさまざまなことが、群がるように心頭に去来した。そして、なぜか知らぬが、今のさっき約束した誓約のことを思い出すと、まるでなにか恐ろしい凶事が自分を待ちもうけている予感のように、全身に寒気が走った。

翌朝早く、かれは死骸をおいてきた小屋へはいろうとすると、中から出てきた賊の一人に出会った。賊のいうには、死骸はここにはない、ゆうべあなたが引き揚げたあと、仲間のものといっしょに、じき近くの山の頂上へ運び上げた。それは、あの旦那が死んだら、死骸はかならず月ののぼる最初の光にあててやると、あの旦那に約束したからだ、という。オーブレーは驚いて、さっそく賊どもを呼びあつめ、とにかく死骸の置いてあるところへ行って、とりあえず死骸をそこへ埋めることにした。ところが、山の頂上へ行ってみると、賊が死骸をおいたのはここだという岩の上には、死骸はおろか、衣類までが影も形もなくなっていた。オーブレーはしばらくの間、狐につままれたような心持でいたが、やがて小屋へ引き返してから、さては賊が衣類を剝いで、死骸はどこかへ埋めたのだなと悟った。

　そんな恐ろしい不幸に会ったうえに、見ること聞くことが、なにか迷信くさい暗い感じをあたえる田舎に厭気（いやけ）がさしたので、オーブレーは早々にそこを去ることにし、そこからまもなくスミルナに着いた。スミルナで、オトラントかナポリへ行く便船を待つあいだに、かれは、現在自分の手もとに預っているルスヴン卿の遺品を、いちおう整理してみることにした。数ある遺品のなかに、どうやら多少とも犠牲者の死をまねくのに用いられたとおぼしい、凶器の入った箱があって、中には幾振りかの短刀とトルコ人の用いる剣がはいっていた。

　そんなものをひっくり返して、珍しい形などを調べているうちに、オーブレーは、自分があわや死ぬところだった例の小屋のなかで見つけた匕首（あいくち）と、同じ飾りのついた鞘（さや）を発見して、おやっと思った。そして、からだがブルブル震えだしてきた。で、いそいで証拠の匕首のほうを捜してみると、その品が出てきた。変わった形の匕首だったが、それが今手に握っている鞘にぴったりはまったときのかれの戦慄は、いかばかりであったか、大体想像されよう。かれの目は、もはやそれ以上の確証を必要としないようであった。まるでその匕首に目が縛りつけられたように、ややしばらくかれはそれを凝視していたが、それでもまだかれは信じたくないと思った。が、形が変わっているし、それに、刀身に塗ってある色と鞘に塗ってある色がみごとな点でも、まったく同じなので、疑う余地はなかった。刀身にも、鞘にも、それぞれ血痕がついていた。

　スミルナを発つと、かれは一路帰国の途についたが、ローマに着いてまず第一に尋ねたことは、ルスヴン卿の誘惑の魔手から、自分がもぎりとろうとしたかの若い婦人のことであった。婦人の両親は、破産寸前の不幸に沈んでいた。そして、かんじんの彼女は、ルスヴン卿が旅に出て以来、杳として消息がしれないというのである。オーブレーの心は度かさねて繰り返されるかずかずの戦慄に、ほとんど壊れたようになってしまった。ひょっとするとあの若い婦人も、イヤンテを襲ったやつの血祭にあげられたのではなかろうかと、かれは心配になった。そして、言葉少なに鬱々とふさぎこみ、今の自分のただ一つの務めは、二頭馬車を全速力で急がせることだとばかり、まるで愛する人の命を助けにでも行くように、ひたすら道を急いだ。

　やがてカレーの港へ着くと、おりから海上は、かれの意志に従うように順風で、まもなくかれはイギリスの海岸に着いた。それから亡き父母の邸に急ぎ、そこで妹と抱きあい、たがいの無事を慰めあうと、しばらくは旅の記憶も忘れたようにみえた。この妹もつい先頃までは、まだ子供らしいあどけなさで、兄の愛情を得ていたのが、いまでは見たところから娘寂びて、一人前の女になり、兄にとっては一人の友として、愛着はなおかつ前よりも増すものになっていた。

　大体、オーブレー嬢は、客間にとぐろを巻いている連中に目をつけられたり、褒めそやされたりするような、そんな人目につくような派手な美しさをもった娘ではない。人のゴヤゴヤ集まった部屋の、瘟気のこもった雰囲気のなかだけに存在するような、そんな軽佻浮薄な輝きなどは、どこに一つなかった。彼女の水色の目は、心の低い人間の軽薄さなどでは、けっして点火することはできなかった。彼女の目には、どことなく憂いをふくんだ美しさがあった。それはしかし不幸から生じたものではなく、より光輝ある世界を知っている魂を示す、ある感情から発する憂いであった。歩き方なども、蝶や花がひきつけるところを浮かれて歩くようなそんな浮いた歩きかたではなく、おちついた、慎重な足どりであった。一人でいるときは、顔が喜びの微笑で明るく輝くようなことは、めったになかったけれども、そのかわり、ひとたび兄が愛情の息吹きを吹きかけると、彼女の顔は、兄の安らぎを乱すような悲しみさえ、妹の前にいればつい忘れさせてしまうほどの和やかな笑顔になる。酒と色とに日を暮らしているような女の誰に、あのような笑顔がかわせるだろう？　そういうときの彼女のあの目、あの顔は、まるでそれが生まれた古里の光のなかで踊っているように見えた。

彼女はまだほんの十八歳で、まだ世間へお目見得には出ていなかった。後見人たちは、どうせ兄が保護者になるのだから、兄が大陸から戻ってくるまで、初のお目見得は延ばすことにしようと考えていた。そんなわけで、兄も帰ってきたことであるし、もうすぐ間近に迫っているこんどの謁見を、いよいよ彼女の「活舞台」にしようという相談が、後見人たちのあいだで、いましがたきまったところであった。

オーブレーはしばらくこの邸に留まるつもりでいたが、どうにもやりきれない憂鬱な思いが、日に日に募るばかりであった。自分が目撃してきた重ね重ねの事件で、気が滅入っているようなとき、見ず知らずの上流社会の連中のおべんちゃらなどに興味を感じることはできなかったけれども、妹の保護者ということになれば、自分の気ままは犠牲にする覚悟でいた。兄と妹は、まもなく、いよいよ明日ときまった謁見の予行準備に、町へ出かけた。

町はたいへんな人出であった。――このところ、だいぶ久しく謁見が行なわれなかったので、陛下のおんにこやかな龍顔を拝したがっている人びとが、みんなその方角へ急いでいた。オーブレーも妹とそこにいた。かれはとある片隅にひとりで立って、あたりの人びとには目もくれずに、ほかでもないこの場所で、ルスヴン卿にはじめて会った時の思い出にふけっていた。――と、ふいに自分の腕をつかまれたのを感じた。同時に、耳もとで、知りすぎるほど知っている声がささやいた。

「誓約を忘れなさんなよ」

ハッと思ったけれども、いずれは自分を殺すにきまっている幽霊を見るのが怖くて、ふり向いて見る勇気が出なかった。とそのとき、すこし離れたところに、かれがはじめて社交界へ出たときに、この場所で注意をひかれた姿とまったく同じ姿を、オーブレーは見た。かれは自分の足が自分のからだの重みに耐えられなくなるまで、茫然としてその姿を眺めていたが、やがてそこを通りかかった顔見知りの友人の腕をむりやりに取ると、人ごみのなかをかきわけ、馬車に転げこむように乗って、家に帰った。家に帰ると、部屋のなかをせかせかした足どりで歩きながら、まるで自分の思考が頭からはちくれ出るのを恐れるかのように、両手でしっかりと頭をかかえこんだ。ルスヴン卿がまたもや自分の前へ。――匕首。――しかも、事は恐ろしい手順ではじまった。――誓約。――かれは居ても立ってもいられなかった。

まさかそんなことが。――とても信じられない。――死んだ者が生きるなんて！――いやいや、これは自分の想像がしじゅう心を離れない幻影をつくりだしたのだ、とかれは思った。あんなことが現実にあるわけがない。そこでかれは社交界へまた顔を出すことにした。というのは、さっきはルスヴン卿のことを人に尋ねようとしても、名前は口まで出かかっているのに、どうしてもそれが、うまく言葉になって口から出なかったからである。

それから二、三日たった夜、かれは近い親戚の集まりへ妹をつれていった。妹の保護を年長の婦人に頼んでおいて、かれは休憩室にはいって、ひとりで考えに耽(ふけ)っていた。やがて大ぜいの人達が部屋を出ていくので、自分も起(た)って別室へ行ってみると、そこに妹が四、五人の人にかこまれて、なにか話に花が咲いているようすであった。で、自分もそのそばへ行こうとした時、だれかにちょっと退いてくれといわれたので、ふり向いてみると、ナント、目の前に自分の最も忌み嫌う顔がヌッと現われた。かれはいきなり前へとび出すと、妹の腕をひっつかむなり、大急ぎで表の通りのほうへグイグイひっぱって行った。玄関のところで、お偉方の着到を待っている召使の群れに押し止められたが、それをふみ切って通り抜けようと揉みあっていると、またもや耳もとで囁く声をきいた。

「誓約を忘れなさんなよ」

　オーブレーはもうふり返る勇気もなく、妹を急がせて、まもなく家にたどりついた。

　オーブレーは気も狂わんばかりになった。たとえ以前、かれがなにか一つのことに夢中になった時があったとしても、まだまだ自制力があった。ところが今は、怪物の生きている確証が、心にのしかかっているのである。妹の注意などかまっていられなかったし、あんな突拍子もない行動をなぜしたのか、そのわけを説明するように妹がしむけてみても無駄であった。妹は兄が二言三言いっただけで、おびえあがってしまった。

　考えれば考えるほど、かれは迷うばかりであった。例の誓約を思い出し、いまさらのように愕然とした。あの時あんなことを誓ったのが、あの怪人物の跳梁(ちょうりょう)をほしいままにしたのだろうか？　あの男が親密になった連中に、やつの囁き一つに破滅を負わせながら、その進展を自分は妨げなかったことになるのか？　だけど、よしんば自分が誓約を破って、自分の考えている懸念(けねん)を人に披露したとしても、一体だれが自分のいうことを信じてくれるか？――かれはあのような卑劣な男の手に世間が被害をこうむらぬよう、なんとか自分の手で食い止めてやることを考えたが、しかし、死はすでに嘲弄の手をのばしているのだ……こんな状態で、それから幾日かの間、かれは部屋に閉じこもったきりで、だれにも会わず、食事も妹がくればするというふうであった。妹は涙を流して、兄のために、なんとかして元気を保ってくれるように、手を合わせて頼んだ。

　そのうちに、とうとうかれは、もうこれ以上ひとりでじっとしているに耐えられなくなって、家をとびだし、自分につきまとって離れないまぼろしの消え去ることを願いながら、町から町をうろつき歩いた。身なりなんかもかまわなくなり、日中帽子もかぶらず、夜は夜露に濡れしょびれたまま、当てもなくうろうろほっつき歩いた。まるで人が変わったように、ちょっと見てもわからないくらい、すっかり見る影がなくなってしまった。はじめのうちは、日が暮れると家に帰ってきたが、しまいには、疲れればどこへでもゴロリと横になるようになった。妹は兄の身を案じて、家の者にあとをつけさせてみたが、当人は、何よりも足早に自分を追いかけてくるもの――思考から逃げて行くのだから、その足の早いことといったらない。追っての連中はすぐに撒かれてしまった。

　ところが、かれの行動がとつぜん変わった。久しく顔を出さないのだから、友人の連中――仇敵をも含めて――が、みんな自分に気がついてくれない。このことに気づいたので、オーブレーはふたたび社交界に出て、敵を身近に監視し、誓約なんかどうでもいいから、ルスヴン卿が馴れ馴れしく近づく相手には、片っぱしから警告を発してやろうと肚をきめた。しかし、そういう部屋へかれがはいっていくと、窶れはてた胡乱なかれの姿に、並みいる人達はみな驚いて、ソワソワと落ちつきのない心の震えを丸出しにするので、しまいには妹までが、兄さんがせっかく御執心の社交界だけれど、どうかわたしのために、ああいうところへ出入りするのは遠慮してくれといって嘆願した。後見人たちも、そういってやるのが当然だと考えた。しかしこの忠告もいっこうに効き目がなかった。それを見て後見人たちはオーブレーの両親から年来受けてきた信頼に酬いるのは、この時をおいてはないと考えたのである。

　毎日出歩く際に、怪我や災難にあわれては困るし、世間さまに馬鹿と思われるようなざまもさらさせたくないところから、家の人達や後見人たちは、医者を一名邸内に住みこませて、若主人の監視と世話を怠らなかった。当人はそんなことにはいっこう無関心なようすであった。かれの頭は、今や一つの恐ろしいことに占められていたのである。オーブレーの支離滅裂は、ついにはなはだしいものになったので、かれは自室に監禁された。その監禁室で、どうかすると幾日も寝たきりで、起きられないことがしばしばあった。しだいに衰弱してきて、目がガラスのような光をおびるようになり、情愛や記憶らしいものは、妹がはいってきた時だけに、おのずから発動するにすぎなかった。そういうときには、どうかすると起ってきて、妹の手をとり、咎めるようなきびしい顔つきをして、自分にさわられるのを厭がった。「兄にさわらないで下さい。わたしを愛していると思ったら、どうか兄に近寄らないで下さい！」と、兄のことを案じてくれる人に妹がそういうと、兄はそばから、「ほんとだ！　ほんとだ！」とうなずいて、そのままた、妹でさえ起こすことのできない深い眠りに落ちてしまうのであった。

そんな状態が幾月もつづいた。すると、年の瀬が近づいたころ、かれの乱心はだいぶ治まって、発作の間が遠くなり、一時のような苦虫を嚙みつぶしたような陰気なところが、拭いて取ったようにきれいになくなったのはいいが、そのかわりに、日に何度となく、自分の手の指の数を一本一本勘定してはニヤニヤしているのを、後見人たちが見るという騒ぎになってきた。

その年も、余すところあと一日となった大つごもりの日、後見人の一人がかれの部屋にきて、オーノレーの憂慮すべき容態について相談をはじめた。ちょうど、妹の婚礼の日が明日に迫っていたのである。すると、オーブレーはとつぜん耳をそばだてて、妹の縁組の相手は誰だといって、案じ顔にたずねた。家の者は、もう水久に剝奪されたものと思っていたかれの知能が、ふたたび戻ってきた印だと喜んで、妹の結婚の相手は「マースデン伯」だといって、名前をおしえた。オーブレーは、妹の結婚の相手が、まえに社交界で自分も面識を得たことのある若い伯爵だと知ると、たいへん喜んで、自分も結婚式にはぜひ出席するから、妹に会わしてくれ、といいだしたので、一同はあいた口がふさがらなかった。

家の者はそれには即答しなかったが、妹はまもなく兄のところへ会いにやってきた。そのときは、どうやら傍目にも、妹の愛らしい笑顔の力で、兄にもふたたび情愛がもどってきたようにみえた。なぜというのに、兄は妹を自分の胸にしっかりと抱きしめて、妹の頬に口づけをしてやったからである。妹の頬は、愛情がもういちど生き返った兄の上を思って流れ落ちる涙に濡れていた。兄は全心の温情をこめて妹にことばをかけ、身分といい教養のほどといい、まことに申し分のないりっぱな人のもとに縁づくことになって、ほんとに目出たいといって、祝いのことばを述べた。

　そのとき、ふとかれは妹が胸にかりている胸飾りに目をとめ、なにげなくそれを開いてみて、アッと驚いた。胸飾りのなかにかれは自分の生命に長いこと影響を与えている、かの怪人物の顔を見たのである。たちまち怒り心頭に発して、狂気のごとくその胸飾りを鷲摑みにしたオーブレーは、あわやそれを足下に踏みつけようとした。あっ、わたくしの未来の夫(つま)の似顔絵を、なぜそのように……といぶかり尋ねる妹の顔を、狂える兄は見定めもつかぬふうにジロジロ眺めていたが、やにわに彼女の両手を握ると、血走った乱心者の目(まな)ざしで妹をハッタと睨みつけ、この化け物とは金輪際(こんりんざい)結婚せぬと、さあ、今ここでこの兄にきっぱりと誓え、といきまいた。それから先は言うことができなかったのは、どうやら例の声が、またしてもかれに誓約を思い出させたからだったらしい。かれはルスヴン卿が自分のそばにいるものと思って、クルリとうしろをふり向いたが、だれもいやしなかった。

　まもなく、様子を聞きつけて、さてはまた逆上したなと思った後見人と医者がドヤドヤはいってきて、むりやり妹から兄を引きはなし、兄上をそのままにしておいてあげてくれといった。オーブレーは、どうか一日だけ式を延ばしてくれと、手を合わせて頼み入った。医者も後見人も、これはまた気が狂って、見境いがつかなくなったものと思って、しきりとなだめすかしながら、部屋を出て行った。

　これよりさき、ルスヴン卿は謁見のあった翌朝、いちどオーブレーの邸を訪ねてきたのであるが、そのときは他の来客といっしょに面会を謝絶された。かれはオーブレーが病気だという噂をきくと、すぐに病気の原因は自分だなとわかったが、その後気がふれたらしいと聞いたときには、その知らせをもたらした人達の前で、明らかに昂奮と喜びをかくしきれなかった。そしてさっそく旧友の家へ駆けつけて、つききりで看護をし、オーブレー嬢の令兄には絶大の愛情をいだいているふりをして、ほんとにふしぎな御縁だなどといって、しだいにオーブレー嬢の耳を言葉たくみに説得した。この男の魔力に、だれが抵抗できるものがあろう？　かれの舌三寸には危険なものがあり、あとで勘定しなおさないとわからないところがあった。自分のことを語るときには、この人間で埋まっている地上で、自分の言い寄った女以外には、自分はだれにも同情をもっていない男だと、うそぶくし、――オーブレー嬢を知ってからは、たとえば彼女のおっとりとした言葉の抑揚を聞くだけでも、自分の存在をどれほど大事にしていかなければならなくなってきたか、などと抜けぬけと言う男であった。――要するに、かれは蛇の妖術をよくこころえた男なのである。あるいは自分が女の愛情をせしめたという、その運命の意志のようなものを、じつによく心得た男なのである。総領の分家ということで、とうとう爵位も自分に落ちて、大使の要職にありつき、一つにはそれが（花嫁の兄の発狂という事情があったにも拘わらず）婚儀を急がせた口実にもなったのであった。晴れの婚儀は、かれが大陸へ鹿島立つ前日に行なわれることになった。

さて、オーブレーは医者と後見人が部屋を出て行ってから、召使を買収しようと試みたが、これはむだに終わった。かれは紙とペンを持ってきてくれと頼み、それをもらうと、妹に手紙を書いた。それは妹に、彼女自身のしあわせと名誉と、それからむかし彼女を腕に抱いてくれ、今は地下に眠っている亡き父母の名誉をよく考えるように、彼女にまじないをかける手紙であった。わが一族の希望は、この呪われた結婚をほんの数時間延期することにある。――そういってまじないをかけたのである。召使はかならずその手紙をお届けすると約束し、それを妹に渡さずに、医者に渡した。医者は気違いの考えた痴言なんぞで、いまさらオーブレー嬢の心をこれ以上悩ますことはないと考えた。その夜は、多忙な邸の人達に休むひまも与えずに、更けて行った。オーブレーは、口に言うより頭で考えるほうが易い不安と、恐怖をもって、忙しい準備の音を聞いていた。

やがて朝になり、馬車の音が耳にひびいてきた。オーブレーはもう半狂乱であった。召使たちの物見高さも徹夜の眠けには勝てないとみえて、オーブレーのことを頼りない婆やに見張りをさせたまま、一人去り、二人去り、みんなコソコソ寝に行ってしまった。オーブレーはこの時とばかり、いきなり監禁室からとび出すと、ほとんどの家人がみんな顔をそろえている客間へはいって行った。最初にかれのことを見つけたのは、ルスヴン卿であった。かれはツカツカとオーブレーに近づくと、いきなり有無を言わせず腕をつかみ、そのまま部屋からひきずり出した。そして階段を下りながら、オーブレーの耳もとでささやいた。

「誓約を忘れるなよ。いいか、きみの妹は、おれの花嫁に今日ならんと、操を汚されるんだぞ。女なんて弱いものさ！」

そういいながら、ルスヴン卿は、ちょうどその時婆やに起こされて、若主人のことを捜しにきた召使のほうへ、オーブレーを力まかせにグイと折しやった。オーブレーはもはや自分で体を支えることすらできなかった。かれの憤恚は、はけ口を見つけることができずに、かれの血管を破った。そして、ベッドに運ばれた。

このことは、かれの妹には知らされなかった。兄が客間へはいってきたときには、医者が興奮させるのを心配して、ちょうど彼女はそこに居合わさなかったのである。婚儀はおごそかにとり行なわれ、新郎新婦はロンドンを発った。

オーブレーの衰弱は刻々に増した。出血は、死が間近に迫っている兆候をあらわした。かれは妹の後見人たちを呼んでくれといった。そして十二時を打つと、さきに読者がかれの手紙で読まれたようなことを、落ちついて述べてから、そのあとまもなく息をひきとった。

妹の後見人たちは、オーブレー嬢の身を守るために急いだが、かれらが先方に着いたときには、時すでに遅かった。ルスヴン卿の姿はすでに見えず、オーブレーの妹は、「吸血鬼」の渇きを満腹させたあとだったのである。

ヘンショーの吸血鬼

ヘンリー・カットナー

浅倉久志 訳

A SWEET AND PAINFUL KISS

VAMPIRE

COMPILATION

ヘンリー・カットナー

『ヘンショーの吸血鬼』（一九四五年『ウィアード・テイルズ』）

本コンピレーションを編纂する際、まず第一に収録したかったのがカットナーのレアな本作（私は学生時代に『ミステリマガジン』の怪奇幻想特集で読んだ）。我が国の吸血鬼小説の泰斗、菊地秀行先生と電話で話した際も、「面白かった吸血鬼小説」として、最初に挙がったのがカットナーの本作だったので、我が意を得たりと収録を決めた次第。

本作の内容については、どう書いてもネタバレになる恐れがあるので、敢えて触れない。

私や菊地さんを感銘させたヘンリー・カットナー（別名義ルイス・パジェット他多数）は過小評価されている作家だと思う。その理由は——

①早く生まれすぎて、SF隆盛の時代に乗り遅れた。

②パルプ雑誌への短編発表が主で、単独名義の決定的な長編名作がない（あれば、敬愛を受けているブラッドベリ、マシスンなどと並び称されていただろう）。

③同じくSF作家C・L・ムーアと結婚（共作）する以前の作品の評価が低い（私はそうは思わないのだが、初期にクトゥルフ神話を書き継いだことを指すのか）。

④SF・怪奇幻想、ユーモアと、多ジャンル混交の作風なので、作家としての全体像の評価がなされなかった。

異色の吸血鬼譚『ヘンショーの吸血鬼』、SFホラーの『幽霊ステーション』、ユーモラスなロボット譚『トオンキイ』、怪奇だか幻想だかわからない『住宅問題』、そして、奇想小説としか言いようのない『著者謹呈』など、代表作を並べてみると、私の頭の中で「奇想天外小説」のカテゴリが思い浮かぶ。最高の奇想天外作家としてカットナーを推奨したい。

「ごらんよ」と、わたしはうんざりした口調でロザモンドに言った。「もし、ぼくがこんな出だしの物語を書いたもんなら、どこの縦集者にも即刻突っ返されること請合い——」

「あらご謙遜だこと、チャーリー」

「——努力は認めますがあまりにも陳腐、てな調子のいんぎんなご託宣がくっついてさ。だが、現実は小説より奇だ。おりしもハネムーンのさなか。一天にわかにかきくもって、轟然たる雷鳴。沛然（はいぜん）たる豪雨。しかも、ぼくたちの向かいつつある家は、どうやらさびれ果てた気違い病院らしい。古風なノッカーを鳴らすと、ひきずるような足音とともに、薄気味わるい老人が顔をのぞかせ、ぼくたちを招じいれる。客のきたことをひどく喜んでいるようすだが、やがてこの近在をさまよう吸血鬼の噂を語りはじめるにつれて、その目があざけるような光を帯びてくる。老人は、その噂を信じているわけではないというが——」

「でも、それにしては、なぜその犬歯がいやにとがっているのだろうか？」ロザモンドはあとをひきとると、のどで捻り声をまねてみせた。ちょうどそこで、わたしたちはこわれかけたポーチにたどりつき、稲妻の照らし出す樫のとびらをノックした。さらにもう一度。

「ノッカーをためしてみたら？　公式をたがえるのはよくないわ」とロザモンド。

古風なノッカーを鳴らすと、はたせるかな、ひきずるような足音。ロザモンドとわたしは、信じられぬように顔を見合わせ、ほほえみあった。妻はすてきにきれいだ。似たもの夫婦というのだろうか、好みの型破りなところまで似ているおかげで、わたしたちはとてもうまが合う。まあ、それはとにかく、とびらがひらき、節くれだった手に石油ランプを提げた薄気味わるい老人が、中から顔をのぞかせた。

向こうはさほど驚いたようすでもなかった。とはいえ、皺に埋まったような顔なので、表情を読むのがかなり骨ではある。偃月刀のようなかぎ鼻が突き出し、金壺眼が薄明りの中で緑色に光っていた。剛い頭髪だけが、不思議にくろぐろとして量も豊富だった。死体に似合いそうな髪の毛だぞ、とわたしは思った。

「泊り客かい」老人はしわがれ声で言った。「客がくるとはまためずらしいの」

「とすると、しょっちゅう空腹をかこっているわけですね」冗談にまぎらせながら、わたしはロザモンドを玄関へ押しいれた。中はかびくさい。老人もかびくさい。戸外の暴風雨をドアで断ち切ると、老人はわたしたちを客間へみちびいた。古風な珠すだれをくぐったそこは、さながらヴィクトリア朝時代に逆行した感じだった。

この爺さんはなかなかユーモアがわかるようだ。

「わしらはお客を取って食うような真似はせんて。ぶっ殺して、有金のこらず巻き上げるだけだわな。しかし、近ごろはさっぱり不景気でいかんわい」そういうと、卵を五つも抱いた誇らしげな牝鶏そっくりに、けたたましく笑い出した。

「わしはジェッド・カータちゅうもんじゃ」

「カーター?」

「カータ。すわって着物を乾かすがええ。いま、火をたいてやるで」

わたしたちは中までびしょ濡れだった。「着替えを貸してくれませんか? 気になるようなら言っときますが、ぼくたちは旧婚ですよ。ただし、まだ慎しみは忘れませんがね。名まえはロザモンドとチャーリー・デナム」

「新婚旅行とちがうんか?」カータは失望したよう

だった。

「二度目のハネムーン。最初のときよりも、いちだんといいもんですよ」わたしは答えてからロザモンドをふりむいて、「これこそロマンスだな、え？」

「あいなあ」と妻は相槌を打った。ふざけた女だ。わたしより利口な女というのは、しゃくにさわるが、彼女だけは別。溺れかかった小猫みたいないまの格好でも、すてきな魅力がある。

カータは暖炉へ火をおこしにかかった。「この家も、そのむかしは大ぜいが住んどったのさ、いやいやながらな。なに、気違いどもじゃよ。だが、いまはもう気違い病院じゃない」

「なら、いいですがね」とわたし。

老人は火を作り終わると、すり足で戸口へ向かった。「着替えを持ってくるとしよう」わたしたちをふり返って、「もっとも、おまえさんらが二人きりになるのはいやだといえば別じゃが」

「あたしたちが夫婦だってこと、信じませんの？」ロザモンドが言った。「お目付け役の要る歳でもございませんわ」

カータはちらと歯をのぞかせて、「いや、わしのいう意味はちがうて。この近在の衆は妙な考えを持っとるんじゃ。たとえば、それ――」と含み笑いして、「吸血鬼の話は知っとろうが？　ちかごろこの近在ではそいつが出るというもっぱらの噂でな」

「努力は認めますがあまりにも陳腐――」とわたし。

「なんじゃと？」

「いや――こっちの話」ロザモンドと顔を見合わせた。

「わしは別にそんなもんを信じとりゃせんがの」カータは言うと、ふたたびニタリと笑い、くちびるをなめ、ドアをばたんと閉めて出ていった。ごていねいに錠までおろして。

「予感的中だよ」とわたし。「彼、緑色の目をしてたぜ。まさしく」

「犬歯は？」

「一本しかない。そいつが歯ぐきまで磨りへってる。吸血鬼によっちゃ、餌食の骨までかじるのがいるんだな。いささか型破りではあるがね」

「吸血鬼がいつも型通りとはかぎらないわ」

　ロザモンドはじっと暖炉の火を見つめた。影法師が部屋の中を踊りくるっている。窓の外では稲妻がひらめいている。

「努力は認めますがあまりにも――」

　うすよごれた何枚かのアフガン（毛糸編みの掛けぶとん）を見つけたわたしは、埃をはたいて使うことにした。

「脱ごうや」わたしたちは暖炉の前へ濡れた衣類を干し、貧乏なインディアンそっくりに身を包んだ。

「ひょっとすると、怪談じゃないのかもしれんぜ。きっと情痴物だ」

「夫婦じゃつや消しね」ロザモンドが切りかえした。

　わたしはニヤリと笑っただけ。しかし、頭の中は疑問でいっぱいだった。カータのことだ。偶然の一致なんて信じられない。それより、吸血鬼のほうがまだしも信じられる。

　ドアがあいた。入ってきたのは、カータではなかった。村の名物バカといった感じ――厚いくちびるからよだれを垂らし、あけはだけた襟のまわりに贅肉(ぜいにく)をだぶつかせた、小山のような巨漢だった。野良着をずり上げてからだをポリポリ掻きながら、にたにた笑っている。

「彼も緑色の目だわ」とロザモンド。

　男は兎唇(みつくち)だった。だが、言葉はいちおう聞きとれる。

「おらんちはみな緑色の目をしてるだ。爺さまはいま手が離せねえ。それで、おらにこれを持たせただ。おらはレム・カータだ」レムは両腕でかかえてきた荷物を、わたしに投げてよこした。古着だ。シャツ、野良着、靴――わりに清潔だが、やはりかびくさい匂いが浸みついている。

　レムはのそのそと火に歩みよると、巨体をうずくまらせた。かぎ鼻は祖父のカータに生き写しだが、ぶよぶよした贅肉になかば埋もれている。かすれた声でくつくっと笑った。

「おらんらはお客が好きだ。じきに、おふくろもあいさつに降りてくるだ。いま、着替えてるとこだでよ」

「よそゆきの経帷子（きょうかたびら）にお召しかえかい、え？」思いきってわたしはいってみた。「さあ、もう出てくれよ、レム。鍵穴なんか、のぞくんじゃないぜ」

　彼はぶつぶつ呟きながらも出ていき、わたしたちはかびくさい衣裳に着替えた。ロザモンドはすごくきれいだった――ヒナマレだと冗談いったわたしは、したたか向う脛をけとばされた。

「エネルギーをむだ使いするもんじゃないぜ。カータ一家に対して温存しとくほうがいい。怪物一家に対してね。たぶん、ここはやつら先祖代々の住処（すみか）なんだ。気違い病院の時代から、下宿人として住みついてたんだろう。ちきしょう、酒を持ってくるんだった」

　妻はわたしをじっと見つめて、「チャーリー、まさかあなた、あの話を信じているわけじゃ――」

「カータ一家が吸血鬼だってかい？　とんでもない！　連中は、一生けんめいぼくたちをこわがらせようとしていないかっぺえにすぎないさ。ハニー、大好きだよ、きみが」

　わたしは肋骨が折れそうなほど妻を抱きしめた。彼女は身震いしている。

「どうした？」

「寒いの。寒いだけよ」

「なるほど」わたしは彼女を火のそばへひきよせた。「寒いだけか。そうだろうそうだろう。じゃあ、そのランプをとってくれ、いまから探検にいく」

「おふくろさんがくるまで、待ったほうがよくない？」

　一羽のコウモリが、バタバタと窓にぶつかってきた。ふつう、コウモリは嵐の最中に飛ばないものだ。さいわい、ロザモンドは気づかなかった。

「いや、待てないね。さあ行こう」

　戸口でまたストップした。妻が床にひざまずいたからだ。といっても、お祈りをしているわけじゃない。床にこぼれていた土くれに目をこらしているのだった。

わたしはあいた片手で妻をひき起した。「むろん、墓場の土。それ以外にないさ。ドラキュラ伯が西部まで出張してきたんだろう。とにかく、この気違い病院を調べるんだ。きっと骸骨の一つや二つ、そこらにうろついてるぜ」

わたしたちは廊下に出た。ロザモンドは玄関のドアに走りよって、開けようとした。それからわたしをふりかえって、

「鍵がかかってるわ。窓には鉄格子」

「さあ、くるんだったら」妻の手をひきよせて廊下へ逆もどりし、薄暗い、埃まみれの森閑とした部屋部屋をのぞいていった。骸骨どころか、なんにもない。長らく人の住んでいない家につきものの、こもったかびくさい匂いだけ、頭のなかがぐるぐると渦巻いた――努力は認めますがあまりにも――

台所まで足をのばすと、戸口からほのかな明かりがさしていた。得体の知れない、シュッツュッという音。ぬっと黒い影が形をとり、カリカック家（ニュージャージ州のある一家の仮名で、低能者犯罪者などが続出したといわれる）の嘱望の的、若きレムの姿に変わった。

シュッシュッという音がやんだ。ジェッド・カータのしわがれ声がきこえた。「砥げたようじゃて」ふいになにかがひゅーっと飛んできて、レムの顔にぶつかった。レムがそれをわしづかみにした。そのわきをすりぬけしなに、彼のかじっているのが生肉の塊であることがわかった。

「うめえ」レムはよだれを垂らしながら、緑に光る目をこちらへそそいだ。「ああうめえ！」

「よい歯は健康のもとさ」捨てゼリフして、わたしたちは薪小屋へ入った。そこでは、ジェッド・カータが砥石で、小刀をといでいた。いや刀といったほうがいいかもしれない。決闘に使えるほどのダンビラだ、老人はちょっとばつの悪そうな表情だった。

「そろそろ、獲物をおそう準備ですか？」とわたしはきいた。

「雑用が多くてかなわんよ。そのランプには気をつけとくれ。ここはほくちみたいに乾ききっとる。火花でも落ちようもんなら、たちまち大火事じゃ」

「焼死とはまたきれいな死にかたですな」つぶやいたわたしの横腹をロザモンドは肱でこづき、甘い声で言った。「カータさん、あたしたちおなかがペコペコですの。もしできたら――」

　老人は地の底からひびくような声で答えた。

「そりゃ奇体じゃ。わしらも腹がへっとる」

「のどの渇きじゃないんですか？」とわたしは口をはさんだ。「ぼくはウイスキーでいい。チェイサーが血なら最高だ」このセリフでまたロザモンドがわたしをこづいた。

「冗談も時と場合によるわ。口はわざわいのもとよ」

「なあに、カムフラージュさ」わたしは答えた。「じつはぼく、総毛立ってるんですよ、カータさん。おたくの話をつい本気にとっちまうんで」

　老人はナイフを置くと、相好を崩した。「おまえさんらはいなか暮らしに馴れとらん、それだけのことだわ」

「それだけのこと、か」台所で生肉を頬ばり、よだれを垂らしているレムの気配に耳をすましながら、わたしは言った。「質実剛健な生活もまたいいもんですな」

「おお、そうだとも」彼は含み笑いしながら、「ヘンショー郡はええ土地じゃで。先祖代々ここに住んどる連中ばかりでな。もっとも、わしらの家へはあまり寄りつかんが――」

「まあ、信じられませんわ」とロザモンド。彼女の警戒もほぐれてきたようだった。

「とにかく、由緒の古い部落じゃよ。えらく古い。独立戦争当時のしきたりが、いまだに残っとる――いや、それどころか、伝説まであってな」老人はそばの吊鉤にぶらさがった牛肉の塊に、ちらと目をやって、「吸血鬼――ヘンショー吸血鬼の言い伝えじゃ。しかし、その話はもうしてやったな？」

「ええ」とわたしはかかとでからだをゆすりながら答えた。「あなたはそれを信じてないと言いましたよ」

「だが、信じとる連中もおるて」老人はニヤリと歯をむきだした。「もっともわしは、黒マントに白い顔の悪魔が割れ目から飛びだしてコウモリに化けるたぐいの話なんぞ、およそ眉唾だと思うとるわい。時代が変わりゃ吸血鬼も変わりおる――そうじゃろうが？　ヘンショーの吸血鬼は、欧州生まれとまた毛色がちがうかもしれん。ひょっとすると、酒落っ気も持ち合わせとるかもしれん」しわがれた笑い声をひびかせて、「わしゃこう思う。もし、やつが人なみの暮らしを真似とれば、だれもやつの正体なんぞ疑わんじゃろう。うまくいけば、その調子でつづけとるかもしれんて――」カータは自分の節くれだった両手をちらとながめた。「――いまもな」

「もし、ぼくたちをこわがらせるつもりなら――」

「なに、冗談さ」カータはいうと、吊鉤の牛肉のほうに向きなおった。「気にせんでええ。おまえさんら、腹ペコといっとったな。ステーキはどうじゃ？」

ロザモンドがあわてて答えた。「気が変わりましたわ。あたし菜食主義ですの」

というのは嘘だったが、わたしも妻の動議をかたわらから支持した。

カータは気味わるい笑い声を立てて、「では、熱い飲み物などこしらえるか？」

「それより――ウイスキーがあれば」

「ああ、ええとも、レムよ！」老人は呼ばわった。「はやく酒を持ってくるんじゃ！　ぐずぐずしとると、歯をへし折るぞ！」

まもなく、ひび割れた二個の茶碗と、クモの巣のはりついた安ウイスキーが一瓶届いた。「では、ごゆっくり。そのへんで、わしの娘と出あうかもしれん。口から生まれてきたような女じゃよ」ひとりでなにごとかをおもしろがりながら、老人は粘りつくような笑い声をひびかせた。

「娘は日記をつけとるんだわ。利口なまねじゃないぞとわしゃ言うんだが、ルーシーのやつ強情でな」

玄関わきの客間にもどり、暖炉の前に腰をおろして、ウイスキーを飲んだ。茶碗はいかにも汚らしいので、瓶からじかにやった。「こんな飲みかたはいつ以来だろうな。おぼえてるかい、よく一瓶持って公園へドライブしたじゃないか――」

ロザモンドはかぶりを振ったが、その微笑はふしぎなほどやさしかった。「あのころのあたしたちって、まるきり子供だったわ、チャーリー。すごく大むかしの出来事みたい」

「二度目のハネムーンだもの。ハニー。ぼくはきみを愛してる」わたしはしずかにいった。「それを忘れちゃいけない。ぼくがときたま悪い洒落を言っても、あんまり気にしないでくれ」妻にウイスキーを回した。「うん、わりといける」

コウモリがまた窓ガラスをたたいた。嵐は全然衰える気配がない。雷鳴と電光が、飽きもせず月並みな背景を提供している。アルコールがほのぼのと体を温めてくれた。「さあ、探検の再開だ。どっちが先に骸骨を見つけるか、賭けようか？」

ロザモンドはわたしを見つめて、「さっき薪小屋にぶら下っていた、あの死体は？」

「あれは牛のわき肉だよ」わたしはしんぼうづよく教えた。「さあ、くるかい、それとも歯をへし折られたいのかい？　ウイスキーを忘れずに。ランプはぼくが持つ。気をつけるんだぜ――落とし戸、隠しとびら、それから背後から伸びてくる手」

「それと、ヘンショーの吸血鬼？」

「いや、第一に落とし戸だ」

いまにも落っこちそうな、ぎいぎい軋む階段を二階まで登った。ドアのいくつかには、鉄格子のはまったのぞき窓がついていた。どれも鍵はかかっていない。ここがむかし脳病院だったのは、たしかなようだ。

「想像してみた？」ロザモンドがウイスキーをあおりながら言った。「むかし、ここに患者がうじゃうじゃしていたところを？　気違いでいっぱいだったところを？」

「ああ」と、わたしはうなずいた。「カータ家から判断するかぎり、その伝統はまだ尾をひいているらしい」はたと足をとめた。のぞき窓のひとつから、人影が見えたのだ。拘束衣を着て、壁に鎖でつながれた女がひとり、ぽつねんと片隅にすわっている。そのすぐそばに、ランプがともっていた。平べったい皿のような顔は、青白くみにくい。目は大きく、緑色で、くちびるにはひしゃげた微笑がうかんでいる。

ドアを押した。難なくひらいた。女は別にふしぎがるでもなく、こちらを見上げた。

「あなたは——患者？」わたしはよわよわしくきいた。

相手は拘束衣を脱ぎ捨て、鎖を振りきって立ち上がった。

「まあ、とんでもないわ」歪み、凍りついた微笑をまだうかべたままで言った。「わたしはルース・カータ。ジェッドから、あなたがたがここへくるだろうってことは聞いていたわ」拘束衣のほうにちらと目をやると、なにか説明が必要だと感じたらしく、「だいぶ以前だけど、何年か精神病院に入れられたことがあったのよ。全快して退院したけれど、ときおりホームシックになってね」

「なるほど、わかりますよ。吸血鬼が毎朝なつかしい墓場にもどりたくなるのといっしょだ」

緑のガラスのような瞳になって、女はからだを凍りつかせた。

「ジェッドはなにを話したの？」

「この土地のちょっとした噂ですよ、ミセス・カータ」わたしはウイスキー瓶をさしだした。「やりませんか？」

「そんなものを飲めですって？」微笑がけわしくなった。「人を見て言ってちょうだい！」

会話は暗礁に乗り上げた。相手は謎めいた緑の目と氷のような微笑で、わたしたちを見つめたまま。かびくさい匂いは息もつまりそうだ。さて、どうする？

ロザモンドがしらけた沈黙を破った。「あなたもカータ姓ですの？　どうしてご主人の苗字を——」

「よせよ」わたしは小声でたしなめた。「ぼくたちが結婚してるからといって、だれもがそうとはかぎらない」

しかし、ルース・カータは気をわるくしたようでもなく、「ジェッドはわたしの父。レムは息子なのよ」と説明した。

「結婚の相手は、いとこのエディ・カータ。でも、夫はずっとまえに亡くなったわ。わたしが精神病院に入れられたのも、そのため」

「ショックから？」とわたしはきいた。

「いいえ、わたしが夫を殺したからよ。目のまえが真っ赤になったのをおぼえているわ」微笑はまえどおりだが、そこに皮肉なあざけりがこもってきたようだった。「まだ、そのての弁護が法廷で笑いものにされなかったころの話よ。でも、わたしの場合、それは文字どおりほんとうだった。常套句を嘘ときめつけるのはまちがいだわ」

「あなたはレムやジェッドより、ずっと教養があるようですね」とわたし。

「若いころ、東部の女学校で教育を受けたのよ。いつまでも向こうにいたかったけれど、ジェッドにそれだけのお金がなくてね。くやしかったわ――ここの灰色の生活に縛られるのが。でも、いまのわたしはもう退屈が気にならない」

　あの微笑はなんとかならないものだろうか。ロザモンドが、ウイスキーに手をのばしながら言った。

「お気持ちはわかりますわ」

　カータ夫人は壁ぎわまで後ずさりし、両の手を壁にべったりつけた。目がぎらぎらと輝き、声が哀れっぽく、ざらついたものになった。

「わかるもんですか、あなたのような小娘に――わかるはずがないわ。華やかなパーティーや、きれいなドレスや紳士たちの世界を見たあとで、こんないなかにもどってきて、床みがきとキャベツ料理に追われて外にも出られず、えて公ぐらいの頭しかないでくのぼうと結婚させられるのが、どんなにつらいものか。いつも台所の窓辺にすわって外をながめながら、あらゆるものを呪い、あらゆる人間を呪ったわ。エディなんて、なにもわかってくれやしない。町へ連れていってとせがんでも、そんな金はないというだけ。やっとのことで、シカゴへの旅行ができるだけのへそくりをためたわ。それが夢だった。でも、向こうへ着いたわたしは、もうむかしの子供じゃなかったわ。道ゆく人々に、じろじろとわたしのドレスをながめられて、大声で泣きたかった」

わたしはウイスキーを一口やって、「なるほど、よくわか——お察ししますよ」

彼女の声はさらにかん高くなった。くちびるに、唾が糸をひいた。

「旅行からもどったある日、エディが女中とキスしている現場を見つけたの。わたしは斧を持ち出して、彼の顔をなぐりつけたわ。ばったり倒れた彼が、魚みたいにからだをビクピクさせる——それを見て、娘の時代にもどった気持ちになったわ。みんながわたしを見て、きれいだ、すばらしい、と言ってくれてるみたいに」

蓄音機のような声だった。単調な訴えがいつまでもつづいた。壁によりかかった彼女はずるずるとしりもちをつき、くちびるに泡が溢れてきた。全身に痙攣(けいれん)が走った。やがて、ヒステリックな悲鳴が始まったが、それが笑い声に変わったときの気味わるさといったらない。

わたしはロザモンドの腕をとって、廊下に連れ出した。

「はやく連中を呼ぼう。彼女が斧を見つけないうちに」

わたしたちは階下へ降りると、台所のレムとジェッドにいきさつを話した。レムはぶよぶよした顔をふるわせて笑いこけ、廊下に出ていった。ジェッドも水差しを持って、そのあとにつづいた。「ルーシーはよく発作を起こすのさ。そう長くはつづかんよ」肩ごしにそう言い捨てると、姿を消した。

ロザモンドはまだランプを握りしめていた。わたしはそれをとりあげてテーブルに置いてから、代りにウイスキーをさしだした。まもなく、瓶はからになった。わたしたちは裏口まで足を運び、ドアをためしてみた。もちろん、錠がおりている。

「好奇心があたしの欠点なの」ロザモンドは壁に隠されたドアを指さした。「あれ、あなたはなんだと思う——?」

「調べよう」ウイスキーが効き目を現わしていた。わたしはランプのはしで羽目板をこじあけ、その向こうに出現した地下室の暗闇を二人して見おろした。

この家のほかのすべてとおなじように、ここもまたかびくさい。

ロザモンドの先に立って、階段をくだった。そこは穴倉のような暗い部屋だった。まったくのがらんどうである。だが、足もとには頑丈な樫の落とし戸があった。ひらいた錠前がかたわらに転がり、掛金もはずしたままだ。

とにかく、梯子をつたって、地底へのたのしい旅をつづけることにした。穴は約十フィートの真下へ伸びていた。やがてわたしたちは、土の壁にかこまれた通路に降り立った。暴風雨の物音も、ここまでくるとまったくきこえない。かたわらの棚に、垢じみた糸で鉛筆がくっつけてある、すりきれたノートがあった。ロザモンドがそれを開くのを、うしろからのぞきこんだ。

「宿帳だわ」

なるほど、ずらりと名まえが記されており、それぞれの下に意味ありげな注釈がほどこしてある。たとえばこんなふうに——

〈トマス・ダーディ。五七ドル五三。金時計。指輪〉

ロザモンドはくすくす笑いながら、名簿のしんがりに〈テナム夫妻〉と書きこんだ。

「きみのユーモアのセンスも相当に悪趣味だな」わたしはひややかに言った。「大好きじゃなかったら、その首をしめてやりたいとこだ」

「冗談の出るうちが花よ」と彼女はささやいた。

わたしたちは前進した。通路の行きどまりに小さな独房があり、一体の骸骨が鎖で壁につながれていた。床には取っ手のついた丸い板のマンホールがある。わたしは蓋を持ち上げ、ランプをかざして暗い穴の奥をのぞいた。シャネルの香水とはほど遠い臭気。

「また骸骨？」とロザモンドがきく。

「よく見えない。下まで降りて調べてみる？」

「あたし、暗いとこ大きらい」息もたえだえなその声を聞いて、わたしはバタンと蓋を閉め、ランプを置き、ロザモンドをしっかりと抱きしめた。暗がりの部屋をこわがる子供のように、妻はひしとすがりついてきた。

「こわがるのはおよし」妻の髪にくちづけして言った。「だいじょうぶだよ」

「だめなの、こんなにおそろしい目を見るなら――もう死んだほうがましよ。おお、チャーリー、好きよ！　あなたが好きよ！」

わたしたちは抱擁をふりほどいた。穴倉に足音がひびいたのだ。レム、ジェッド、そしてルーシーも現われた。向こうはこっちを見つけても、いっこうにおどろかなかった。レムの目は骸骨に吸いつけられており、くちびるをなめなめ、のどの奥で笑い声を立てている。ルーシーは依然としていびつな微笑を貼りつけたまま、虚空に目をこらしている。ジェッド・カータは緑の目で意地わるくこっちをにらみつけ、提げていたランプを下に置いた。

「ほう、また会ったか。ここへくる道がよくわかったのう、ええ？」

「おたくに待避壕があるかどうか気になりましてね。世界情勢があんなふうだし、いちおう念をいれとこうと思って」

老人はからからと笑った。「おまえさん、なかなか度胸があるな。ほれよ、ルーシー」そういうと、彼は壁に吊してあった牛追い用の鞭をとって、自分の娘の手に押しつけた。そのとたん、彼女は電流にうたれたように活動を開始した。鎖でつながれた骸骨に近づいて、それを鞭打ちはじめたのだ。顔をぞっとするような微笑の仮面にして。

「発作が起きたときは、ああせんと静まらんのさ」ジェッドがわたしたちに教えた。「ベスが死んでからは、よけいひどくなってな」と、骸骨に目をやった。

「ベス？」ロザモンドが消えいりそうな声でたずねた。

「むかし、この家におった女中じゃよ。いまなら、あされても別に苦になるまいし、なによりもルーシーの気がそれで静まる」

カータ夫人は鞭をはなした。まだ凍りついた顔だったが、つぎに口をひらいたときは、もうふだんの声にもどっていた。

「上へもどりましょうか？　ここじゃお客も居心地がよくないわ」

「そう、それがいい」とわたし。「もうウイスキーはないでしょうか、ジェッド？」

老人はマンホールにあごをしゃくった。「あの下をのぞいてみたいかな？」

「もう拝見しましたよ」

「レムは力持ちでな」と老人はまた話題を変えた。「ひとつ見せてやれや、レム。ベッシーの鎖を使うがええ。もう、切れたところで逃げはせんわ」カータ一家はこの冗談に腹をかかえた。

のそのそと歩みよったレムが、造作なく鎖をひきちぎってみせた。わたしは言った。

「なるほど、これでわかった。息子は素手。あんたはナイフ。ルーシーはなにを使うんです？　さしずめ斧ですか？」

老人はニタリと笑って、「おいおい、まさかほんとうに思いこんどるんじゃなかろうな？　わしらがここへくる客を片っぱしから殺すとか、その連中の乗ってきた車を裏手の池へ沈めておるとか？」

「おたくらがヘンショーの吸血鬼なら、そうはしないでしょう」とわたし。「流れ水を死ぬほどこわがるという噂だし」

「なに、流れとりゃせん。よどんだ古沼だわ。そんな噂は信用せんこった」

ロザモンドが小声で言った。「表も裏も錠がおりているし、窓には鉄格子。あたしたち、宿帳も見ました。それに深いマンホールも。これだけ証拠が揃えば、信じるのがあたりまえよ」

「忘れたがええ、そんな考えは」老人が言った。「そのほうがよう眠れるて」

「眠気なんてすっとんじゃったわ」とロザモンド。

わたしはランプを拾い上げて、妻の腕をとった。一同の先に立って通路をひきかえし、梯子を登って地下室へ、そして台所へともどった。その片隅の大桶に、水がいっぱい張ってあるのが目についた。

すさまじい嵐の音が耳にとびこんできた。

「おまえさんらのためにベッドをこさえといた。もう休むかね？」とカータがきいた。

わたしはランプを振りながら言った。「こいつにもうすこし石油をくれませんかねえ？　夜中に明かりが消えたりしたら、それこそ家内が気ちがいみたいに騒ぎますよ」

ジェッドはレムにあごをしゃくり、レムはのそのそと立ち去って、どこかから石油カンを捜してきた。そして、ランプへいっぱいに注いだ。

みんなで二階への階段を昇った。黒いかつらの案山子そっくりなジェッドが先頭に立った。わたしの後ろには、粗野なニタニタ笑いのレム、しんがりには凍った微笑と大きな緑の目のルーシーがつづいた。

「ちょっと」と、わたしは声をかけた。「これじゃ、ぼくたちの死体をまた地下室までひきずりおろさなくちゃならない。どうして、よけいな手間をかけるんです？」

「おまえさんらがくたびれると思ってな」ジェッドはほくそえみながら言った。「とにかく、わしはまだ片づけ仕事が残っとる——またあとで会おう」

悲鳴を上げる階段を踏みしめて、悪夢の行列が登っていく。わたしは軽薄にそう口に出した。

ロザモンドがくちびるをきゅっとむすんで、「メロドラマもいいとこだわ」

「数はきっと十三だぜ」けげんそうに後ろをふり向いたジェッドに、わたしは説明した。「凝りに凝ってますな。絞首台までの十三階段」

彼はくっくとのどを鳴らした。「おまえさんは、ありもせんことを勝手にきめこんどるのさ。わしらが人殺しだと思うなら、なぜここを出てゆかん？」

「ドアに錠がおりてるのに？」

「わしらにひと言、あけてくれとたのむ手もあるだろうが」

わたしは答えなかった。相手の声にこもったあざけりが、しゃくにさわったのだ。レムはたのしそうに、あとからついてくる。廊下を抜けて、突きあたりの寝室に入った。ここもかびくさい。立木の枝が、鉄格子のはまった窓を打ちすえている。コウモリが、狂ったように窓ガラスへ体当たりしている。

部屋のなかで、わたしたちはじっと待った。ランプは埃まみれのサイド・テーブルの上に置いた。レムとジェッドとルーシーは、戸口にまだ突っ立っている。緑の目をした狼が三匹、こちらのすきをうかがっているようだ。

「ぼくたちが羊じゃないかもしれないと、考えてはみないんですか？　おたくらは、ぼくたちがどこからきたかも、どうやってここへきたかも、まだたずねてないようだ」

ジェッドは一本きりの犬歯をむきだした。「おまえさん、ヘンショー郡のことにはうといようじゃな。もうだいぶ以前から、この土地には法律がないも同然さ。わしらは用心に用心を重ねたでな——州政府がこっちのことを怪しんどるとは思えん。それに、ヘンショー郡には、保安官を雇う金もない。わしらをおどかそうと思っても、その手には乗らんわい」

わたしは肩をすくめた。「ぼくたちが怖気づいてるように見えますか？」

ジェッドの口調には、しぶしぶながら讃嘆がこもっていた。「おまえさん、なかなか度胸があるわ。とにかく、わしにゃまだ仕事が残っとる——寝るまでに片づける仕事がじゃ。またあとでな」

老人は闇の中に消えた。

ルーシーがさっと手を振った。レムが、くちびるをなめなめ立ち去った。

ルーシーの微笑は氷のような渋面だった。

「あなたがたがどう思っているか、わたしにはわかるわ。なにをこわがっているかもね」と彼女は言った。「その見当はあたっているわ」

ルーシーは後ずさりして、ばたんとドアを閉めた。鍵のかかる音がきこえた。

「ジェッドのやつ、ウイスキーのことを忘れたらしい。これじゃ、いまにしらふになっちまう。飲まずにいられなくなるだろう」わたしの声はどこかふだんと違っているようだった。

「でも、だいじょうぶさ、ハニー。さあ、おいで」

ロザモンドのくちびるは冷たかった。身ぶるいしているのがわかった。

「この部屋、冷蔵庫みたい」彼女はささやいた。「あたし、寒いのはがまんできないわ、チャーリー、寒いのはいや!」

妻をできるだけ強く抱きしめるよりほかに、なすすべがなかった。

「思い出すんだよ」静かに言いきかせた。「いまは夜じゃない。嵐も吹いていない。ぼくたちはここにいないんだ。ぼくたちは公園にいて、あたりは午後。わかるね、ロザモンド?」

彼女はわたしの胸に顔をうずめた。「思い出すのはむずかしいわ。どうしてかしら。お日さまを見たのが、ずっとずっとまえのことみたい。このおそろしい家! おお、あたしたち死んだほうがましだわ!」

わたしは妻のからだを揺さぶった。「ロザモンド!」彼女はごくりとつばをのみこんだ。

「ごめんなさい。でも——なぜあたしたち、こんな目にあわなきゃならないの?」

わたしは肩をすくめた。「めぐり合わせさ。それに、こんな立場になったのは、ぼくたちが最初じゃないだろう。目をつむって思い出してごらん」

「あの人たち、もう——感づいてるかしら?」

「どうして? やつらは自分たちの殺人ゲームで頭がいっぱいさ」

妻が烈しい衝撃に身もだえするのが感じとれる。

「これから起こることはもう変えようがないんだよ」

そう言いきかせるしかない。「ぼくたちには、彼らを変えることはできない——といって、ぼくたちも変えられない」

ゆっくりと、妻のまつ毛の下から涙が溢れてきた。暗闇を怖れる子供のように、ふたりはすがりあった。いつもの軽口も出なかった。ときには、そんなにつらいことだってある。

ランプがふっと消えた。マッチはない。むろん、いまとなってはおなじことだ。こうなってしまっては。

「レムのやつがウイスキーを忘れなきゃよかったの

に」しばらくして、わたしは呟いた。「ウイスキーがあれば、すこしはましだったろう。とにかく、あれだけでも飲んどいてよかった」

風雨はもうやんだようだった。いつのまにか、淡い月明かりが窓からさしこんでいる。わたしはドラキュラの物語と、月光の中に実体化するその姿のことを思い出した。彼らは窓の鉄格子さえ苦もなくすりぬけるのだ。

しかし、とわたしは自分に言いきかせた——カータ一家は吸血鬼じゃない。連中はただの人殺しだ。狂った、冷血な、容赦ない人殺しだ。そうさ、とわたしは心の中で言った——もし、カータ一家が吸血鬼なら、連中はぜったいにそんなふりをしてみせなかったろう。本物の吸血鬼なら、ぜったいにあんな真似はしない——ドラキュラを見るがいい！

ロザモンドを抱きしめて、目を閉じた。どこかで、時計が真夜中を知らせた。

そして——

あれは二時ごろだったろうか、予期したとおり、鍵穴に鍵のさしこまれる音がきこえた。ドアがひらき、ジェッド・カータが戸口に現われた。頭から足先までがわなわなと震え、手に持ったランプも震えている。口をきこうとするのだが、声が出ないらしい。

老人は口でいうのをあきらめた。身ぶりで、ついてくるようにと示した。それがなにごとであるかの見当はついていたが、わたしたちはあとにしたがった。ロザモンドが小声でつぶやいているのがきこえる。「死んでしまいたいわ！　おお、死んだほうがましだわ！」

ジェッドがわたしたちをみちびいたのは、廊下の向かいの寝室だった。ルーシー・カータがその部屋の床に横たわっていた。すでにこときれている。その骨ばったのどには二つの赤い穴がぽつんとあいており、へこんだ溝がからにされた血管を示していた。

開けはなしの戸口からは、隣りの部屋と、そこに身動きもせず横たわっている大男の姿が見えた。レムである。やはり死体になっている。

ジェッド・カータは悲鳴に近い声をしぼりだした。

「だれが――だれがこんなことを――」いびつに震える老人の顔は、さながら恐怖の仮面だった。「そうか、ヘンショーの吸血鬼じゃ！」息もたえだえに彼は叫んだ。

「同族相食むってやつさ」そういうと、わたしはロザモンドの顔をちらとうかがった。妻はショックに身をすくませて、こっちの目を見返した。わたしのもう見慣れたその表情の裏には、だが、なにかおずおずとした渇望もうかがえるのだった。さあ、ここで一発だじゃれでも一言わなくちゃ、とわたしは思った――なんとかして、ロザモンドのあんな目つきだけはとりのぞいてやらなければ。

「血の気のひくような話を教えてあげようかね、ジェッド」言いながら、わたしは老人に歩みよった――顔がふれあうほど近くまで。「あんたがあの噂を信じてないのは知っている。だが、もう信じてくれたまえ、ヘンショーの吸血鬼というのはぼくたちなんだ」

ローラン・トポール

榊原晃三 訳

吸血鬼の歯

A SWEET AND PAINFUL KISS
VAMPIRE
COMPILATION

ローラン・トポール

『吸血鬼の歯』（『ブラック・ユーモア選集第6巻　外国篇』）

ローラン・トポールは、フランスのイラストレーター、ドラフトマン、画家、作家、詩人、歌手、俳優、映画監督――と、多方面で才能を発揮した人物。小説分野ではブラック・ユーモアの作家として知られ、長編『幻の下宿人』は、ロマン・ポランスキー監督によって『テナント／恐怖を借りた男』（一九七六年）として映画（サイコ・ホラー）化されている。

短編の代表作は『スイスにて』だろう。私はこの衝撃的な事件を題材にした作を恐怖小説として読んだ。読んだ後の訳者註により、これが仏語タイトル込みの「ブラック・ユーモア」作品であることを知り、更に衝撃が増したのだった。ブラック・ユーモア作家としての真骨頂は、この短篇にとどめを刺すと思う。

『吸血鬼の歯』は、同じフランスのピエール＝アンリ・カミを彷彿させるコント風の小品。尚、トポールの吸血鬼に対する興味は旺盛だったようで、ヴェルナー・ヘルツォーク監督の『ノスフェラトゥ』（七九年）にも狂気のレンフィールド役で出演している。

風が糸杉のあいだで吠え立てていた。ヴァン・グント教授は、右手に小さな黒いナプキンを持ち、左手で今にも烈風に吹きとばされそうなシルクハットを抑えながら、難儀して歩いていた。どこかで犬が吠え、月が赤くなった。

「吸血鬼が出そうな頃合だ」と教授は呟いた。

教授は黒いナプキンの端をしっかりと握りしめた。吸血鬼などは恐くはなかった。教授はそれまでの生涯のあいだに随分と吸血鬼を抹殺してきたのだから、それほど吸血鬼がたくさん残っているはずはなかった。

と、そのとき、いかめしい建物が教授の眼の前にそそり立った。もしその建物の窓の一つから淡い光が洩れていなかったら、人はきっと廃屋だと思ったことだろう。

とたんに、ヴァン・グント教授は、かぶっている帽子をとって、建物のドアをたたいた。際限のないくらい待たされた挙句に、鎖がぶつかる大きな音がして、ドアが軋りながら動いた。

そして、残忍な顔付をした一人のよぼよぼの老人が、敷居の上に立った。

「道に迷った旅の者に、一夜の宿りを願えませんか?」とヴァン・グント教授はたのんだ。

老人は唸り声を洩らすと、身を引いて、教授を中に通した。

薪が奇怪な光を放って燃えている応接間を通るとき、教授はテーブルの上に切手のカタログがのっていることに気づいた。

「切手を蒐集しておられるのですか?」

　とたんに老人がはっと驚いた。

「切手は、みんながあれこれいわないやつのほうが値打があるもんですな」

　教授が凍りついているように寒いけれども、結構心地よい部屋に落着くまで、二人は一言も口をきかなかった。ヴァン・グント教授はまもなく眠りに落ちた。ところが、恐ろしい声に、教授は眼を覚した。服を着るのもそこそこに、彼は応接間にとびこんだ。

　揺れ動く火影に照らされて、例の老人が床にころがっていた。ヴァン・グント教授は、不幸な男が完全に血を吸いとられていることを震えながら確かめた。頸に残されている二つのしるしが、どんな方法で殺されたかを物語っていた。

「吸血鬼だ」と、教授は咽喉をしめつけられるような声を出した。

　彼はかがんで、一枚の切手をひろい上げた。それは半開きになっているアルバムから落ちたものだった。その切手のぎざぎざの縁は、とがって血にまみれた吸血鬼の二本の歯を彷彿(ほうふつ)とさせていた。そして、そのイメージはまた、けがらわしく残忍な物腰の一人の男を思い浮かばせた。

　ドラキュラ伯爵だった!

　ヴァン・グント教授は、日ごろはていねいに使っていたナプキンを、くしゃくしゃにまるめた。そして、その中から、一本の楊枝を取り出すと、それで切手の中心を突き刺した。

　すると、ドラキュラ伯爵の肖像がぼやけ、それからすっかり消えてしまった。

　教授はそこにある切手のコレクションを奪った。そして、そこにいる限り、彼は銀器のことは、すっかり忘れていた。

疲弊した漂着船船長の事件
——安楽椅子探偵

レイフ・マグレガー
植草昌実 訳

A SWEET AND PAINFUL KISS
VAMPIRE
COMPILATION

レイフ・マグレガー

『疲弊した漂着船船長の事件――安楽椅子探偵』

本作を初めて読んだ時は、これが、ブラックウッドの妖怪博士ジョン・サイレンスやホジスンの幽霊狩人カーナッキに連なる、シャーロック・ホームズの（オカルト）ライヴァルたちの系譜として、ヴィクトリア朝に書かれた作だと思い込んでいた。ところが――。

訳者の牧原勝志（訳者名 植草昌実）氏によると、マグレガーは二十一世紀に活躍する現代作家だという。以下、牧原氏によるマグレガー紹介の弁。

レイフ・マグレガーは、イギリスの犯罪学者。警察官として七年、刑務官として十年の勤務経験を経て、現在は犯罪学博士としてエッジ・ヒル大学で教鞭を執る。哲学、美学、社会学を犯罪学に導入する独自の観点で知られる。文化、とりわけ文学が社会正義に与える影響を犯罪学研究に反映させており、創作は余技というよりは、研究の副産物だろう。

本作"The Tired Captain: An Armchair Detective"は、連作短編集The Adventures of Roderick Langham（Theaker's Paperback Library, 2017） に収録された。今回の訳は、単行本に収録されたものを底本とした新訳。雑誌掲載時の本作を初めて邦訳したのも牧原氏によるが、本国版短編集が出る前に発掘・邦訳掲載というのがいい。さすが、『幻想と怪奇』（新紀元社）を復活させた慧眼の士である。

それにしても、精神科の療養所に監視・拘禁されていながら、推理をめぐらすベッド・デテクティブ、ロデリック・ランガム警部補の何と魅力的なことか。マグレガーは他にも多くの長編、短篇の著作があるが、牧原氏には是非、『拘禁探偵ランガムの事件簿』を訳出してもらいたいものである。

I

あの日のことはよく覚えている。一八九三年八月九日、木曜日の午後、この五年あまり不遇を託ち過ごしてきたベイタウンに、初めて訪問者があったからだ。スカボローの精神科病院での療養がはかばかしくないため、私はロビンフッド湾に面したこの村に転地していた。拘束衣を着たきりの私を相手にするのは、主治医も心苦しかったのだろうが、岬を臨むこの村に移ってからは、私は心身ともに目覚ましく回復した。これほど調子が良いのは、かれこれ二十余年も昔、インド北東部の国境に駐在していた十八歳の頃以来だろう。

もっとも、回復したら退屈でたまらなくなったので、私はありあまる時間を二つのことでやり過ごそうとした。一つはロンドン警視庁での経験を荒唐無稽きわまりない冒険小説に仕立てあげることで、もう一つは身から出た錆ゆえに、私の世話係と監視係を任されている、二人の刑事に憎まれ口を叩くことだった。その一人、ケインはヨークシャー生まれの鼬野郎で、収賄だけならまだしも、受けた賄賂を博奕に注ぎ込んで処分の憂き目と相成った。もう一人のマギンティはマンチェスター出身の大男で、まだ若いというのにアルコール依存症だ。私が物思いにふけっていると、くだらない質問で邪魔をしてくるのは、きまってケインのほうだった。

その日、週末から眠れない夜が続いていたので、療養と拘禁の場を兼ねた〈船首荘〉の小さな庭に出したデッキチェアに、私は体を伸ばしていた。週明けの嵐のあとだけに、空は晴れわたり、海は静まっていた。日差しの下であれこれ思いを巡らせていると、ヨークシャー男が現れた。何歩か離れたところで立ち止まり、私の視野の外にいるつもりなのか、名刺を右手で落ち着きなく弄んでいる。しばらくは気づかないふりをしていたが、ずっと繰り返している「囚人と看守」ごっこをまたやろうというのなら、付き合わないわけにはいかない。

口を開いたのは、いつもどおりにケインからだった。「ミスター・ランガン、ロシアの紳士が面会にいらっしゃいました」

私は目を上げた。ケインは繰り返した。「ロシアの紳士が面会をご希望です」

「会えないと言っておいてくれ」私は海に目を戻した。

「たしかに、相手が誰であれ面会は厳禁です。副総監か警察医の許可がないかぎりは」

「だから、お引き取りいただくように」

ケインは定年退職まで残すところ四年、早々と不名誉な退職をすることなく、その期間をこの居心地のよい土地で私の番をしていられるのは幸運なのだろう。ヨークやダンカスターの競馬開催日前後にはいなくなるが、退職金を減らすような賭け方はしていないようだ。「駐英大使ブルシロフ伯爵の秘書官だそうです。ロシア大使から総監に苦情が行くようなことがあってはなりません」ケインは証拠物件よろしく名刺を差し出した。

今日は拙作『水底の手掛かり』を推敲する気になれないので、まずは囚人役を演じようと、私はしばしケインを待たせてから、おもむろに名刺を受け取った。質の良い紙に金箔で文字を捺した、贅沢な作りの名刺だ。「ブルシロフ伯爵閣下付個人秘書官　ウラジミール・I・ガガーリン大尉」もちろん、どちらの名も初めて目にするが、この月曜の夜、ここから北に約六マイルのホイットビーに、ロシア船籍のスクーナーが漂着したことを思い出した。この訪問は、その事件と関係しているかもしれない。

　私は名刺を返した。「きみが問題ないと思うなら、ガガーリン大尉をお通ししてくれ。ただし、問題が起きた場合、責任を取るのはきみだ」私はケインに背を向け、嵐のあとの静かな海に目を戻した。

　ケインは何かつぶやきながら、急ぎ足で玄関に戻っていった。
　二、三分後にマギンティが、酒場に向かうわけでもないのに早足で現れた。口をきく前から、息が酒くさいのがわかる。「ミスター・ランガム、急用です。外国の紳士の面会です」
　普段と違う状況を楽しみながら、私はわざと溜息をつき、立ち上がった。マギンティについて応接間に行くと、ドアの前で彼がふらつきながらも威儀を正し、敬礼してこう言ったのは、かなり面白い見物(みもの)だった。

「巡査部長、ミスター・ランガムをお連れしました」

　ケインは落ち着きなく両手を擦りあわせていた。

「マギンティ、ご苦労。ガガーリン大尉、ミスター・ランガムをご紹介します。それでは、どうぞごゆっくり」

　ガガーリンが一礼すると、二人の刑事は退出した。大尉は長身の、日焼けした顔に口髭をたくわえた青年で、右頬には長い傷が走っていた。海軍でなく陸軍の将校で、ドイツに留学した経験がある、と私は見てとった。おそらくハイデルベルク大学だろう。

「はじめまして、大尉。どうぞおかけになって、〈デメーテル号〉の事件で私がお役に立てると閣下がお考えになるまでのいきさつを、お話しください」

　大尉は口をわずかに開け、黒い目を大きく見開いた。「ほ……本官は、立ったままで結構であります」バヴァリアあたりの訛りはあるものの、きちんとした英語だ。

「それでお構いなければ」私は暖炉のそばの肘掛け椅子に座り、愛用の陶器のパイプに煙草を詰めた。

「一服いかがですか」

　大尉はかぶりを振った。「すでにそこまでお見通しとは、恐れ入りました。用件をお話しする前に、いくつかお尋ねしてもよろしいでしょうか」

「もちろん」

私が煙草を詰め終えても、大尉は両手を後ろで組み、立ったままでいた。任務を慎重に、だが迅速に遂行しなくてはならないと、緊張しているのだろう。

「ありがとうございます。スコットランドヤード在職中には担当した事件をすべて解決した、名高きロデリック・ランガム元警部補にお目にかかれるのは、光栄であります」

「たしかに私はランガムですが、休職前までは主任警部で、若い頃に二件の事件を逸しました」

私はパイプに火を入れ、深々と煙を吸った。「職権はありませんが今も在職中で、警視庁から給料を貰っています。ただ、あの二人の監視役のどちらか一方がついていなければこの〈船首荘〉から出られませんし、両方が一緒でなければ、ベイタウン村を出ることは許されていません。正気を失うといけないので外泊は厳禁です。半年ごとに警察医が診察することになっていますが、ここ二年は顔も見ていません。医者が忘れるくらいだから、悪化はしていないのでしょう」

「お具合は……快方に向かっておられる、と？」

「まだ寛解はしていないのでしょうが、この五年間は暴力沙汰を起こしていません。もっとも、その間は事件に取り組むこともありませんでしたが。それでも、私の論理的思考力は明晰なままです」

ガガーリンは咳払いをした。「あなたの卓越した思考力は存じております。御入用なものはこちらで調達しますので、あなたがここから出られないことは問題にはなりません。当方の呈示する条件に納得していただけるのでしたら、ブルシロフ伯爵閣下の代理人として、あなたに事件の調査を依頼したいのです」

「大尉、一つお尋ねしたいことがあります」

「どうぞ」

「私がここに拘禁されていることは、警視庁でも上層部のごくわずかな者しか知りません。もちろん、全員がイギリス人です。どうやって私を見つけたのですか」

「内務省警察部(オクラナ)からです」

皇帝(ツァーリ)直属の秘密警察だ。ロンドンにも何人か潜入していたのを知ってはいたが、あえて接触は避けていた。

「伯爵閣下のご依頼が、我が国に不利をなすものでないかぎり、喜んでお受けします」

「本官は軍人ですが、紳士でもあります。本件が大英帝国に不利をなすものではないと、宣誓いたします」

「では、どうぞお掛けください。詳しいお話をお願いします」

　ガガーリンは座ると、いかにも安心した様子で、両手で左右の腿を叩いた。「ああ！　すでに〈デメーテル号〉のことをご存じなら、こんなに慎重にならなくてもよかったようです」

「お気遣いなく。もっとも私は『デイリーグラフ』の派手な記事と、『ホイットビー・ガゼット』のそれよりはやや信憑性のありそうな記事を読み、湾岸警備員のスケルトンから話を聞いたくらいなものです。海で長年働いてきたこの男が言うには、あのスクーナーは嵐がくる二日前にはすでに、帆をいっぱいに張ったまま沖を漂っていたそうです。しかし、月曜の夜に嵐が来て、〈デメーテル号〉は風に押されるか、海流に乗るかしてホイットビー湾に入り、イースト・クリフの下、テート・ヒル埠頭に延びる砂利浜に座礁した。スケルトンは警察と一緒に乗船し、乗組員は一人もなく、ただ船長だけが両手首を舵輪にくくりつけたまま死んでいるのを発見した。船長の死の状況はじめ、いくつもの不審な点があったため、海事裁判所に報告がなされた」

「正確に把握していらっしゃるようですが、犬の件が抜けているようです」

「巨大な黒犬のことなら、新聞で読みましたが、あまり重要なこととは考えていません。船を飛び降りるや否や、イースト・クリフを目指して走っていった、というだけですし」

　ガガーリンは眉をひそめた。「犬は重要ではない、と？」

「断言はできませんが、イングランドのある地方では黒い犬の話をしたら塩を一つまみ投げる、という迷信を、あなたも真に受けはしないでしょう。ヨークシャーのノース・ライディングで語り継がれる〈バージェスト〉は、この国ではもっとも良く知られた地獄の犬で、峡谷地帯からヨーク市内、ケトル・ネスの海岸とを経て、さらに広く伝えられています。ロシアにも似たような伝承はあることでしょう」

「たしかに。もっとも、そのバー……ジェストなるものはいませんが、農民のあいだでは今なお、さまざまな悪い精霊が信じられています。ところで、くだんの犬には実体があって、当の夜にこのあたりの犬を一頭、咬み殺しましたね」

　私はパイプを一服した。「ブルシロフ伯爵がその犬の捕獲をご所望、というお話ではないでしょうね」

「もちろん、ちがいます。閣下がお気になさっているのは、かの船長、ピョートル・イヴァノヴィッチ・ロマノフです。その名からおわかりのとおり、皇帝陛下（ツァーリ）アレクサンドル三世の縁者にあたります。とはいっても遠縁で、何代も前に不運にも落魄した分家ではありますが、閣下はこの高貴な家系を守ろうとしておられるのです」

「伯爵閣下にはご心配なきようお伝えください。スケルトンの話では、ホイットビーでは船長は英雄として称えられているそうですから」

　ガガーリンは船員風の上着の内ポケットから、封蠟した封筒を取り出した。「今朝、船長の検視審問があり、航海日誌も検分されました。日誌はガラス壜に封入されていました。記述は八月四日で終わっていますが、乗員の行方不明が相次ぐ、不穏な航海だったようです。その後、さらに船上から人が消え……と、記録は細微にわたっています。お読みいただけるよう、英訳したものを用意しました。閣下は本日、ロンドンにお帰りになりますが、本官は明朝のロマノフ船長の葬儀に参列し、その後はあなたが本件の謎を解くために必要な情報収集のお手伝いをさせていただきたく考えています」

「船長の名前が本名かどうかの確認は、伯爵はお望みでしょうか」

「結果はどうあれ、閣下は真実が明らかにされることをお望みです。ロマノフ船長の名声に傷がつくようなことはないと信じておりますが、もし犯罪に関わっていた場合は――」

「伯爵がお知りになりたいのは、まずそこからでしょうな」

「真実をお伝えいただきたい」ガガーリンは立ち上がり、封筒を手渡した。「明日、葬儀のあとに参りますので、そのときにご指示を」

II

ガガーリンが去ると、私は二階に上がり、寝室の隣にある書斎に入った。ごく狭い部屋で、小さな窓から見えるのは高台の家々くらいなものだが、書斎に適した部屋はここしかなかった。封筒を開けると、中にはガガーリンの上品な筆跡で書かれた便箋が四枚入っており、私は時間をかけて目を通した。「〈デメーテル号〉航海日誌　ヴァルナ発ホイットビー行」という表題も、ロマノフ船長が書き遺したままを忠実に英訳しているのだろう。記述は出だしから不穏だった。「七月十八日。不審な出来事があまりに多いため、上陸まで詳細に記録する」

航海は七月六日の正午、何の支障もなく始まった。船長の他に乗組員は八名。航海士二名、船員五名と料理人。記録によれば、積荷は珪砂と、土を詰めた箱だ。どうも気になり、スケルトンに訊いておこうと、私はメモを取った。七月十六日、地中海を航行中、船員が一人いなくなった。「船に誰か、あるいは何かが乗っている」と船員たちが言っているのをロマノフ船長は書き留めていた。船乗りはおおむね迷信深いので、彼は気にとめなかった。だが、一等航海士のポペスクが抗議したので、知らない者の姿を見た、と船員の一人が知らせてきたとき、船内をくまなく捜索するようにと船長は命じた。ポペスクはルーマニア人だったせいか、ロシア人の船員たちとは折り合いが良くなかったようだ。結局、何も見つからなかった、と日誌には書かれているが、積荷の中を調べたと書かれてはいない。

七月二十四日、船がビスケー湾に入ると、もう一人が船倉に下りたまま姿を消した。五日後、二等航海士がいなくなり、ロマノフとポペスクは身を守るため武器を手放さなくなった。二人が警戒していたにもかかわらず、同じ夜のあいだに、さらに三人が消えた。ロマノフによると、その時点で残っていたのは彼自身とポペスクのほかには、船員が二人だけだったという。私は日誌を最初から読み返し、人数を書き出した。乗組員は八人、そのうち六人が消えたのであれば、残るはポペスクと、ロシア人の船員が一人になるはずだ。船長はどこかで人数をまちがえている。二十九日にいなくなったのが二人であれば人数は合う。不運な航海に重圧を覚えていたことだろうが、乗組員の命にかかわる問題である、船長が人数をまちがえるのは理解に苦しむ。

三人、もしくは四人でスクーナーを操るばかりか、ドーヴァー海峡に入るとなると、かなり骨を折ることだろう。ロマノフは遭難信号旗を掲げようとしたが、荒天ゆえ断念した。八月二日の深夜、叫び声を聞きつけ甲板に出ると、声の主はポペスクで、またも船員一人が消えたと告げた。二十四時間後、ただ一人残っていた船員に休憩をとらせようと船長が行くと、彼もまたいなくなっていた。七月二十九日に失踪した船員は三人でなく二人で、ロマノフ船長はひどく動揺したうえ、記録するまで間が開いたため、誤記したのだろう、と私は推測し、メモの二ページ目に書き留めた。船長の気力も限界にきていたようだ。

船長が舵輪をとって間もなく、ポペスクが来た。取り乱した様子の彼は、「やつ」――この一連の死をもたらした存在のことだろう――をナイフで一撃したが、手応えがなかった、と言った。そいつは船倉の箱のあいだに潜んでいる、と言う。船長の書きぶりから、ポペスクの最後の行動に、すでに航海士が正気を失っていたことが読み取れる。船倉に下りていった彼は、恐怖に悲鳴をあげながら駆け上がり、叫んだ。「あいつがいる！　たしかに見た！」そして、船長を顧みることなく、船縁から海に身を投げた。翌日、八月四日の日誌には、ロマノフはこう書いている。「それを――あいつを見た！」だが、それについての記述は「悪鬼か、あるいは怪物か」というくらいしかなく、その直後には自身を舵輪に縛りつけ、船を安全に入港させるためだけに最後の力を振り絞ったのだろう。

かくも奇怪きわまる、だが、かくも謎を解きたくなる文書に出合うのは初めてだ。まず、ガガーリンの翻訳は正確だが、彼が細部にどこまで目を配ったかを知りたい。かの秘書官の英語は非の打ち所がないが、失踪した乗組員の人数の食い違いはロマノフの誤記でなく、彼の誤訳ということはないか。また、ロマノフが狂気に駆られていたのであれば、日誌そのものを信じるわけにはいかなくなる。もちろん、悪鬼を見たと書いていても、それは船長が狂気に駆られたことの裏付けにはならない。ビスケー湾を出て以来、荒天に弄ばれ続けていた〈デメーテル号〉を一人で操船していたのだから、八月四日を迎える前に、すでに船長は心身ともに疲弊し、まともに考えることもできなかったにちがいない。

警察官としての経験を積むうちに、私は犯罪捜査の基本にして純粋論理の三大原則である、分析力と演繹的推理力、そして確率計算を身につけていた。さらに細緻をきわめる観察眼と広範な知識を持っているので、ガガーリンがわざわざ私を捜して訪ねてきたのも無理からぬことだ。私の演繹的推理法は、たとえアルコールに浸り放蕩と浪費に溺れているさなかでも、私自身の罪を暴き失脚に至らしめるほど明晰なのだから。酒を断ち正気を取り戻した今、この新たな住み処から、再起への第一歩を踏み出すのは難しいことではない。

昨日の『デイリーグラフ』の記事を読み返し、ロマノフがロザリオで手首を舵輪にくくりつけていたことを確認した。悪霊を信じるのは論理的ではないが、船長は自分を守り、正気を保ちつつ、船を守るべく勇敢な決断をするまで、理性的な判断を重ねていた。平常時のロマノフがどれほど思慮深い人物であったかは知るよしもないが、この地獄さながらの最後の航海で、一人の船乗りとして、この職業の者たちがとらわれがちな迷信に惑わされはしなかった。論理的思考を重ね、乗組員たちの死はロマノフの責任ではない、と確信するに至った。そして、彼は狂気に陥ってはいなかったことにも。ふと閃いた。伯爵が私を雇うことにした真の理由は、私の卓越した捜査能力ではなく「泥棒を捕らえるには泥棒をもってせよ」という発想にあったのだろう。

家政婦のナグス夫人が、今日の『デイリーグラフ』を持ってきてくれたので、私は考えるのを中断した。あからさまに筆名らしい、ケール・ボスタムという記者が、商務省検査官からの取材として、ロマノフ船長の日誌を大げさな記事に仕立てていた。ボスタムはこう書いている。「船長はある種の精神病にかかっており、航海のあいだにその症状があらわれたものと見られる」公平にもこの記者は、船長に対する世間の敬意が高いことも書いていた。ロマノフ船長の葬儀は明朝、イースト・クリフの聖マリア教会で行われることも伝えていた。

このボスタムという記者、検視審問の結果よりも、船から飛び降りてきた犬に記事の重きを置いているのが、どうも気にくわない。犬が現れたのは、日誌の最後の記述から二十四時間後で、ロマノフの死因とは何の関係もないというのに。死因は疲労もしくは極度の緊張による心停止、という評決には納得した。ホイットビー動物保護協会の面々——どうも、揃って暇人らしい——は、炭鉱夫の飼っていたマスチフ犬が、この黒犬に喉と腹を咬み裂かれて死んだことには目をつぶり、保護するため捜しているという。だが、マスチフの話は前振りで、ボスタムはあの犬を〈デメーテル号〉のマスコットだったことにして片付けたいようだ。かの記者は行方の知れない黒い犬の身を案じ、「この町の心ある方に引き取られますように」などと記事を結んでいる。くだらない。

憮然として新聞を放り出し、煙草入れに刻み煙草を足すと、外に出た。デッキチェアは庭先に出したままになっている。書斎にいるあいだに、海はまた荒れだしたか、風が出はじめ、波頭が白く立っている。南の二、三マイル先、崖の上に小屋が見えた。あそこの住人とは、おかしなやつ同士で仲良くできそうだ。七十五年前のジョージ三世のように。私は紫煙を燻らしながら、今現在得ている証拠に基づいて事件の諸要素を整理し、選択肢を絞り込み、解決への道を探った。

日が沈む頃には、ガガーリンに伝えられるだけの、一つの仮説を作りあげていた。だが、そのあいだ波飛沫まじりの風を浴び続けていたので、着ているものがすっかり湿っぽくなってしまった。風が強まれば、海水が雨のように庭を濡らすだろう。デッキチェアを家の中に運び込むと、スケルトンを訪ねるために、湾岸警備隊の詰所に近い酒場まで出向くことにした。

III

ガガーリンは水曜日の午後一時三十分に訪れ、また応接間で顔を合わせた。黒い服を着ているのは、ロマノフの葬儀に出席したその足で来たからだろう。だが、葬儀の話はしなかった。「謎は解けましたか、ミスター・ランガム」

「まだですが、証拠を前に熟考し、謎解きに必要な手掛かりをかなり得ています」

「教えてください」ガガーリンは上着のポケットから手帳と鉛筆を出した。

「乗組員たちを殺害したのは、ロマノフ、ポペスク、そして密航者のうちの一人と考えています」ガガーリンが眉をひそめ、私は言葉を切った。

「七月十六日の捜索はどうお考えですか」

「大尉もすでにお気づきかと思いますが、荷物の中を調べた記録はありません。土を入れた箱のうちの一つが空で、隠れ場所になっていた可能性があります。箱の中は八月三日、ポペスクがはじめて調べましたが、彼はすぐに海に身を投げてしまい、箱をいくつ開けたのかはわかりません。新聞によると、積荷はS・F・ビリントンという事務弁護士が保管しているということです。その箱の中に、人ひとり隠れることができるか調べるために、お力添えをお願いします」

ガガーリンはうなずくと、手帳にしたためた。「承知しました」

「ロマノフ船長は、航海の終わり頃には、心身共に想像を絶するストレスにさらされたことでしょう。日誌からは彼の精神状態を知ることができました。あなたの翻訳のおかげです」私はそう言ってから、人数の相違を説明した。

ガガーリンはまた書き留めた。「申し訳ないことに、日誌は今、私の手元にはありません。海事裁判が終わるまでは警察が保管しています。午後のうちに確認できるよう交渉します。私が誤訳した可能性もありますので」

「どうぞよろしく。ロマノフは不合理きわまりない状況で迎えた最期のときまで、今この平穏な寓居にいる私たち同様、冷静な判断をもって行動した、と確信しています」

ガガーリンは身を乗り出した。「ご説明をお願いします」

「たとえば、悪霊が乗組員の七人を殺し一人を自殺に追い込んだ、とロマノフは信じ、自分と船を守るための手を打った、という結論に到達します」

「ロマノフ船長が合理的な判断をした証拠は、悪霊への対応にあった、ということですか。それはつまり、あなたも悪霊の存在を信じているということでしょうか」

「違います。状況から推理で導き出した結論です。船乗りにとっては――高い教育を受けていても――そういったものを信じることは、非合理ではありません。付け加えれば、ロマノフは〈デメーテル号〉で何が起きたかを知らせるために、日誌に一連の事件を記録しました」

「たしかに、おっしゃるとおりであります」

「疲弊した船長のことは、いったん置いておきましょう。私はスウェールズという元船乗りの老人に会って、話を聞こうと思います。〈デメーテル号〉が漂着したときのことを、詳しく聞かせてもらえるでしょう。彼はイースト・クリフの墓地に、昔の仲間二人といるそうです。いつもいるのは、ジョージ・キャノンなる紳士の墓の、すぐそばにあるベンチだとか」

ガガーリンは居住まいを正し、私をまっすぐ見た。「ご希望どおりにはいかないでしょう」

「何かありましたか」

「そのスウェールズは今朝がた、あなたがおっしゃったベンチで死んでいました。ロマノフ船長の葬儀のあいだに知りました」

「まさか、そんな。死因は?」

「不明ですが、その老人は百歳近かったと聞きました。発見時は座ったままの姿勢で、きわめて怖ろしいものを目のあたりにしたかのような死に顔をしていたそうです。葬儀に行った先で別の不幸を知るというのは珍しいことかと思いますが、犬の件と同様に、重要ではないと思っていました」

答えようにも唸り声しか出せない。「続けてください」

「私が行ったときは、そのベンチには他の老人が、とても綺麗な二人の若い御婦人と座っていました。老人が連れていた犬が落ち着かず、いきなり吠えだしました。あまりにうるさくて司祭の邪魔になりそうだったので、老人は犬を一蹴りすると、近くの墓まで引きずって、そこにつないでしまいました。犬は吠えるのをやめ、鼻を鳴らして震えていました。ロシアだったら、死んだ老人の魂がまだこのあたりをさまよっているのを、犬が感じ取ったのだろう、と農民たちが噂しそうですな」ガガーリンは肩をすくめた。「合理的ではありませんが」

「いえ、そうとも言いきれません。ジョージ・キャノンは一八七三年に自殺していますから」

ガガーリンが笑みを浮かべるのを、私は初めて見た。「いやあ、自殺者の墓ですか。ロシア風に言えば、〈ウピール〉の住み処ということになります」

私は顔を上げた。「ウピールとは？」

「ウピールは邪悪な不死の魔物です。人の生き血を吸い、狼に姿を変えます。興味深い偶然の一致ですな」

ボスタム記者に聞かせたい話だ。「犬の話で思い出しましたが、もう一つお願いしたいことがあります。〈デメーテル号〉の日誌に、あの巨大な犬であれ、他の何であれ、乗組員が動物を乗せたことが書かれてはいないか、調べていただきたい」ガガーリンはそれを書き留めた。「最後にもう一つ、検視審問の記録で確認してほしいことがあります。警察が船を調べたとき、あの黒犬は別にして、船には本当に誰もいなかったのかを確かめたい。ここ数年でも類を見ない大嵐の夜、あの船が漂着したことで、調べる側に混乱があった可能性もあるので」

ガガーリンはうなずいた。「お考えはわかります。しかし警察は、きわめて詳細に調べていました。本官が見たかぎり、そこまで調べなくても良いだろう、というところまで。ご質問が以上であれば、これから関係各所に連絡を取り、回答をとりまとめ、可能なかぎり迅速に報告いたします」

Ⅳ

その日の夕方、ガガーリンの使いの者が報告書を届けに来た。私は書斎にこもり、読みはじめた。

一八九三年八月十日　スニートン館にて

拝啓　ランガム殿

〈デメーテル号〉に関する報告。

一。ポペスクが開封したと思われる積荷の箱は十七箇。いずれも中身は容量の半分強で、それぞれ人ひとり隠れるだけの余裕あり。箱は総数五十、いずれも中に隠れたさいの空気抜きらしく、蓋に小さな穴が空けられていました。ただし内側から蓋を開けることは人力では無理と思われます。
二。日誌での人数の相違は本官の誤訳であることを陳謝いたします。ロマノフ船長が七月二十九日付で記録した失踪者は三名でなく、二名でした。
三。日誌には、船上には生きている動物を載せた記載はありませんでした。
伯爵閣下より至急ロンドンに戻るよう下命あり。今後、協力を要するさいは、ホイットビー、クレセント街七番地の〈ビリントン法律事務所〉のS・F・ビリントン氏に御連絡を。諸事引継済。報告書はチェルシャムのロシア大使館気付、本官宛に郵送をお願いします。

敬具

ウラジミール・ヨシフォヴィッチ・ガガーリン

知りたかった事実はこれですべて揃ったようだ。だが私は、論理的に導き出した結論が論理にそぐわないという、嫌な感覚にとらわれていた。そう、矛盾しているのだ。籐椅子に深く座り、波音に耳を澄ますと、あの嵐の前から当日にかけて、そして翌日の夜にも見たおぼろげな悪夢が、記憶から浮かび上がってきた。打ち寄せ砕ける波のように異様な推理が脳裏をよぎり、私は動揺した。先走ろうとする思考を湾に向け、私は分析的思考力を制御しようと試みた。

ロシア船乗組員連続殺害事件の犯人は誰か？

ロマノフを除外すると、ポペスクか正体不明の密航者か。後者が犯人だとすると、十日ものあいだ箱の中に潜み、なんらかの方法で蓋を開けて、自分の存在に気づき警戒している乗組員たちを一人ずつ手にかけたうえ、スクーナーが漂着するや誰にも気づかれずに逃亡したことになる。それ以前に、犯人は荒れる海を航行する船の上で乗組員たちを殺すという、ほとんど自殺行為に近い犯行をしているのだ。犯人が殺人に異常な快楽を求めたのであれば、乗組員たちを殺しては船の中に身を潜めるという不合理な犯行も、ひずんだ意思が計画したものだと説明はできるだろう。だが、犯人は密航者である、という推理は考えがたいどころか、馬鹿げてさえいる。刑事としての経験からすれば、真相はもっとも単純な事実だ。正体不明の密航者を犯人とするのは根拠に乏しく、ポペスクを容疑から外すだけの説得力がない。

推理の過程をたどり直しても、ポペスクへの嫌疑が濃厚になるばかりだ。私は万年筆をとり、ガガーリンへの報告書を書きはじめようとしたが、ふと手を止めた。

私は笑った。

もっとも容疑が濃いのはたしかにポペスクだが、第四の容疑者として、ガガーリンが語ったロシアの昔話の、狼に姿を変える魔物はどうだ？　ロマノフが正気であったことはすでに証明した。ポペスクも同様だろう。もし彼が、極度の外国人恐怖症（ゼノフォビア）ゆえロシア人を殺したかったなら、なぜ船長を殺さなかったのか。ロマノフはロシア人の中でも、血統のはっきりした者なのだから。ポペスクを犯人として挙げるよりは、悪霊の犯行としたほうがまだ理屈が通る。

私はまたも、今度はとめどなく笑った——止めようにも術（すべ）がなかった。

犯人をポペスクではなく魔物とする推理の、唯一の非論理的な点は、それが超自然の存在であることだ。論理的に考えれば考えるほど、舵輪に両手を縛りつけたロマノフの心情がわかってくる。この仮説から推理を再構築すれば、日誌の記述もすべて説明がつく……〈デメーテル号〉船上のことだけではない。イースト・クリフに消えた巨犬も、そいつに咬み殺された炭鉱夫の飼い犬も、自殺者の墓につながれた犬も、そしておそらく、スウェールズ老人の死も。

その夜、私はあの巨大な黒犬やバージェストや、狼の夢を見た。

V

ロビンフッド湾、一八九三年八月十一日

拝啓

以下に、ロマノフ船長ならびに〈デメーテル号〉乗組員変死事件の調査結果を報告します。

船長は不運にも、自身が航海日誌の最後に記述したように、船内に潜んでいた魔物の類により殺害されたものと確信しております。その魔物の正体は目下調査中ですが、船から去ったときは巨大な犬に姿を変え、おそらく現在は、ホイットビーは聖マリア教会の墓地にある、ジョージ・キャノン氏の墓に隠れていることでしょう。

本件に関する貴官の御尽力と多大な御協力に、心より尊敬と感謝をこめて報告いたします。

敬具

ロデリック・ランガム

ガガーリン大尉

こんな報告ができるものか！

これを読んだらブルシロフは立腹するだろうし、ケインが次に馬券を買いに出かけるより先に、私は再びスカボローで拘束衣を着ることになるだろう。たしかにその措置は順当だが、受け入れるわけにはいかない。報告書を書き直すことにした。

この一連の悲劇的な事件を完全に検証することは、不可能と考えられます。ロマノフ船長の日誌の記述から、ポペスク一等航海士が乗組員たちを殺害し、八月四日早朝に自殺したと、小生は確信しております。

Ⅵ

金曜日、夕暮れ近くに雨はあがり、私はパイプを手に庭に出た。恐るべきジレンマが目の前にある。私はまだ数年前に陥った狂気の中で我を失ったままなのか、それとも内なる正義が私自身を裁こうとしているのか。私はあえて、ポペスクを一連の事件の犯人と名指した。人好きのする柄ではなかったようだが、ロマノフ同様、勇敢にこの事件に立ち向かったことだろうに。邪悪な存在を暴き、その手に落ちるよりは、と船乗りらしい最期を選んだほどの男だ。

○9○

六年前、私は無実の男を死に追いやった。そして今、称えるべき人物の名誉を殺そうとしている。私は罪を重ねなければならないのか。彼の親族が私の嘘に苦しむことがないよう、祈るばかりだ。頭のおかしな卑怯者が疑いを重ねて作った絵空事は笑い飛ばされ、勇敢な航海士の名誉が称えられますように。

パイプを吹かしながら錆の浮いた手すりに寄りかかったとき、手が震えているのに気づいた。

ポペスクは犯人ではない。もし私が正気でないなら、犯人は姿を変える魔物である、という推理は誤っている。だが、そんなものはお伽話か怪奇小説の世界にしかいないし、実在するという結論を出せば、私は正気でないことになる。だが、私とポペスクがともに正気である以上、犯人はその空想上の存在しかいない。ここに至るまでの私の不幸な人生のはじまりには、世界の不合理を一身に背負ったまま狂気におちいってしまいたい、という思いがあった。今の私は一点の曇りもない理性をもって、退くことなく事件に取り組んだが、推理の果てに導き出したのが、考えるのも怖ろしい宇宙の謎だった。私は正気ではない……姿を変える魔物も、バージェストも、悪魔も存在しないのだから。

何者かがすぐそばにいるのに気づいた。

振り向くと、鷲鼻の下になかば白くなった口髭をたくわえた、長身痩軀の男がいた。間近に来ていたのに、気配も感じなかった。冷酷な表情を浮かべた蒼白い顔は、月明かりを受けて肌の下の血管が透けて見えるほどだった。額には一筋の傷があり、厚い唇は赤かったが、目は唇よりもさらに赤く見えた。

驚きのあまり開いた口からパイプが落ち、石に当たって砕けた。しばらくのあいだ、その男から目を離すことができなかった。

私が口を閉じるや、男は口を開いた。小鼻が広がり、獣の牙のように尖った歯が露になる。男が動くのは見えなかったが、氷のように冷たいその片手が、私の喉を摑んだ。二十人の手で締め上げるような力の前には、慈悲を乞うほか術はない。恐怖に身が竦み、びくとも動けなくなっていた。悪鬼の手は私の顎をがっちり捉え、軽々と二フィートも差し上げた。

私は荷物のようにぶら下げられるばかりだった。百八十ポンドはある私を軽々と差し上げたまま、男は手をゆるめたので、止まっていた血が頭に戻ってきた。男の息の臭いに私は顔をしかめた。死臭だ――大昔に死んだものから、今しがた腐敗しだしたものまで、みな集めたような臭気が、鼻と口を直撃した。どれだけ吊されていたのかはわからないが、男はようやく、バルカン地方かオーストリア―ハンガリー帝国の訛りのように聞こえる口調で言った。

「余が誰（たれ）か知っておるか？」

答えられるわけがないが、頷こうとはしてみた。

「余を知る者はみな随（したが）う。犬や痴れ者でさえもな。余のことをイギリス人に知らせたか？　ロシア人には教えたか？」

私はなんとかかぶりを振って、何も知らない、手を離してくれ、と懇願した。

「信じられんな」男は唸るような声で言うと、私を振りまわしはじめた。

海に投げ込むつもりか。必死でその腕にしがみつき、投げられまいとするうちに、庭の敷石に叩きつけられた。痛みと恐怖で立ち上がれなかったが、私はかたかた鳴る歯を食いしばり、男を睨（ね）めつけた。

やつはにかりと笑った。「うぬが誰にどう言おうと、信じられはすまい。まだすることも多いというのに、ちと殺しすぎたか」

男は腕を振り上げたが、自分を殺そうとする一撃を直視する勇気は、私にはなかった。

だが、とどめの一撃はこなかった。

なんとか目を見開いてみると、やつはもういなかった。

私はよろよろと〈船首荘〉に戻り、部屋という部屋を探しまわって、マギンティが隠していたジンのボトルを見つけた。

記憶をなくすまで酒を飲みたくなったのは、この五年のうちで初めてのことだった。

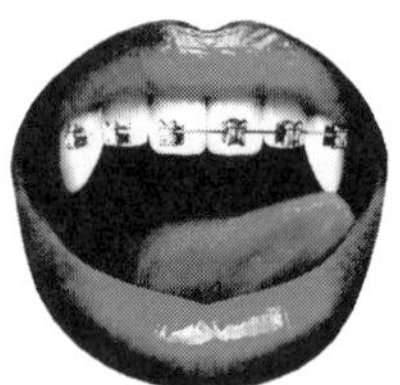

ジェフ・ゲルブ

夏来健次 訳

おしゃぶりスージー

A SWEET AND PAINFUL KISS
VAMPIRE
COMPILATION

ジェフ・ゲルブ

『おしゃぶりスージー』（『震える血』）

ジェフ・ゲルブは、ロックをモチーフにしたホラー・アンソロジーの『ショック・ロック』シリーズを編纂した元ディスクジョッキー、音楽コラムニスト。

アンソロジー『ショック・ロック』には、ロック・ステージにホラー・イメージを導入した（ショック・ロックと呼ばれた）創始者と言われるアリス・クーパーが序文を寄せている。

本作はエロティック・ホラーを編纂した『Hot Blood』の第一巻所収の一篇。マシスン、ブロック、エリスンら著名作家の中に紛れて、ちゃっかり自作を採録していた。だが、憎めない作家・作品である。ロックなどのサブ・カルチャー、アンダーワールドに通じた人らしいFuckin'Loudなヘヴィメタでも聴きながら読んでほしい香ばしき一篇。――ゲルブ先生、『The Vampire Hookers』観てますよね!?

バー〈レッドシーダー〉の薄暗いトイレで、不動産業者マイク・クロフォードはビール瓶四本分の小便をはじきだしていた。出しながらなにげなくあたりを見まわしていると、ふと目にとまったものがあった。壁に掛かった鏡の上のほうに、口紅らしい赤色でなにかの文字が書き殴られている。〈スージーがおしゃぶりしてあげる〉と読めた。すぐ下には電話番号が書き添えられている。マイクはにやりとした。酒場のトイレで自分の名前が知れわたっていることを、この〝スージー〟という女は知っているんだろうか？　そう思ったすぐあと、こんどは驚きのあまりもう少しで靴に小便をひっかけそうになった。書かれている電話番号が、なんとマイク自身の部屋のものだったからだ。

あせってチャックをしめてから、鏡の落書きに駆け寄り、信じられない気持ちでそれを見つめた。なんでこんなところにおれの電話番号が？　しかもこのスージーというのは、たしかにおれがいま同棲している女と同じ名前じゃないか！

マイクはペーパータオルをひったくり、力まかせに口紅を拭き消した。怒りに身震いすら覚えながら、店のほうへもどっていった。一緒に飲んでいた共同経営者のジョーイ・クラークのそばにつかつかと近寄り、その背中をぽんと叩いた。クラークが手にしているグラスから、酒が少しこぼれた。

「おい、おまえ、口紅を隠しているだろ？」とマイクはいきなりつめ寄った。

「口紅？　なんのことだ？」クラークは問い返しな

がら、シャツの襟にこぼれたマルガリータのしみをぬぐっている。

「しらばっくれるなよ。トイレに妙なこと書きやがって」

「おいおい、飲みすぎたんじゃないか、マイク。そろそろカノジョが待ってるねぐらに帰ったほうがいいぞ」クラークは〝カノジョ〟という言葉だけ汚いものでも吐きだすような言いかたをした。

「おまえ、スージーがそんなに気に入らないのか？」

マイクはさらに咬みついた。

「気に入るも入らないもあるかよ、どんな女かもよく知らないってのに。だいたいあの女のことは、おまえだってまだよくわかってないんじゃないのか？ 知りあって一週間もしないうちに、あっちから部屋に転がりこんできたってんだろ？ そんなのは、おまえのカネ目当てに決まってるぜ」

酒のしみで湿った同僚のシャツの襟を、マイクはひっつかんだ。

「好き勝手にほざきやがって」とどなりつけた。「あんなまねは二度とするなよ」荒っぽく相手を押しやってバーカウンターの縁にぶつけ、さっさと店を出た。


郊外に建つマンションに帰ると、ちょうど電話が鳴っているところだった。急いで近寄ろうとしたが、留守録のほうがはやかった。聞こえてきたのは妙な男の声だ。

「スージーかい？ おれはディック・ダウンズってんだ。電話は五五五の四三三〇。口紅で書いたのを見たぜ。近いうちにご一緒したいんだけどな。連絡をたのむよ」

すっかり夕暮れに染まった居間でマイクは立ちつくした。われ知らず両の手を拳にかためていた。

「クラークのやつめ」うなり声を洩らしながら、ドスドスと電話のところへいき、テープを巻きもどして伝言を最初から聞きはじめた。

「やあ、スージー、三十センチもあるおれのいちもつがおまえを待ってるよ。五十ドルでどうだ？ 電話をくれ。名前はビルで、五五五の四五四五番だ」

「もしもし、スージーさん？　レストランのトイレに広告を書いてた人？　ぼくはヘンリー。ちょっと会って話がしたいんですが。電話番号は五五五の二一八七です」

　怒りがたぎり、マイクは大声をあげた。電話機からテープを抜きとり、近くの屑籠（くずかご）に投げ捨てた。

「あの野郎、ぶっ殺してやる」と独りつぶやいた。

「マイク、ちっとも食べてないのね」とスージーがいった。「そのお魚、ちょっと焼きすぎちゃったかしら？」

　スージーの愛くるしい顔をマイクは見やった。いかにも中西部の田舎娘らしい無邪気な表情だ。インディアナ州で農場をやっている両親のもとを離れて西海岸にやってきたばかりの小娘に、飲み仲間がやらかしたあんなたちの悪いいやがらせのことを話してどうなる？

　首を横に振って、「今夜は腹がすいてないんだ」とだけつぶやいた。スージーはじっと見返した。壊れやすそうな顔だちに心配げな色が浮かんだ。先週の教会親睦会でこの娘にひと目惚れしたのも、無理はないと思える。あのときの彼女は、捨てられた子犬みたいに頼りなさそうだった。大きな青い目で、話し相手を探すようにまわりを見ていた。

　マイクが話しかけてみると、とてもシャイな娘だとわかり、それがまた可愛らしかった。話しているうちに彼女も気を許してきたようで、まだ大学を卒業したばかりで職を求めて西海岸にやってきたところだとうちあけた。コンピュータをつくる会社に就職が叶ったという。実家を離れるのは初めてで、家族や友だちが恋しくてならないという。職場の同僚から教会親睦会に誘われ――じつのところは、離婚した独身者たちが新たな出会いを探す場となっている週一度の集まりなのだが――つれられてきたのだという。その同僚というのは髪がぼさぼさで太腿のばかでかい地味な女で、自分にちらとでも目線をくれた男にすぐに駆け寄っては話しかけてまわっていた。いっぽうのスージーはぽつねんとしているところを、マイクに拾われた形となった。もうバスに乗って帰ろうかと思ったところだったと彼に語った。

一緒にコーヒーを飲みドーナツを食べながら、じきにアパートを追い出されるところだとスージーはうちあけた。急にコンドミニアムへの建て替えが決まったのだという。悲しそうな目を見ているうちにマイクは下半身がうずきだし、よかったらしばらくぼくのところに寝泊まりしないかと誘った。別のアパートが借りられるほどお金が貯まるまで、と。

彼女が急に赤くなってうつむいてしまったのを見ると、いや、ぼくのマンションには余分な寝室があるんだと急いでいいわけした。ドアはしっかりロックできるし、ともつけ加えた。

その夜なんとか説得して自宅につれ帰り、予備の寝室に案内した。鍵がかかることまでたしかめてやった。スージーは熱心に礼をいってから、すぐに床に就いた。

マイクは彼女に襲いかかりたい誘惑を懸命に抑えていた。マスターキーを使えばたやすく寝室に入れるのだから。あの娘には男心をくすぐってやまない強烈ななにかがある。もちろん、もっと美貌の女なら世のなかにたくさんいるかもしれない。だがあの天使のような顔立ちに宿るなにかに、マイクはすっかり参ってしまっていた。

その夜はどうにかスージーにかまわずにすごした。ベッドに横たわり、眠れないまま彼女のことを考えた。ゆっくりと自分のペニスをしごきはじめた。まばゆいばかりの青い瞳を思い出しながら。ちょこんと上向きになった小さな鼻を、無邪気な顔には似合わないほどにふっくらとふくよかな唇を思い描きながら。

そんな日々が数日すぎたが、マイクは相変わらずスージーへの手出しを控えていた。

もちろん、いつも下半身をうずかせる元凶にはなっていた。それは、なんともあどけなく無邪気なあの娘独特の色気のせいだ。たとえば彼女が鉢植えに水をやるとき、窓の日射しが愛らしい横顔をとらえると同時に、薄手の白い綿のブラウスを透かして、こぢんまりとしていながらもつんと上を向いた愛らしい乳房が浮かびあがった。あるいは彼女がフライパンを探して戸棚のなかをまさぐっているとき、Tシャツの下の乳首がかいま見えたりするのだった。

　無邪気。たしかにそれがスージーの魅力で、そのためにこそマイクはどんどん悩ましい思いをつのらせていった。いったいおれは、なにを待っているんだ？　どうして自分からものにしようとしない？　いま彼女は彼のことを信用しきっている。このままあの娘が安心感をいだきすぎるようだと、かえって困ったことになる。彼を男としてより兄のように思ってしまうようでは。

　これでもう、この娘とのロマンスのチャンスはないだろうな。そんなふうにマイクが思いはじめたある日、黙りこんだ夕食の最中、スージーが不意にテーブルの上に顔を乗りだし、ふくよかな唇でいきなりそっとキスしてきた。マイクは突然の激情に駆られ、彼女の顔をぐいと引き寄せて、唇を強く押しあてた。舌を口に深く挿し入れた。彼女の口のなかを味わったのは初めてだった。なんともいえない奇妙な匂いがした。

　スージーは喘いで、一度身体を引き離したが、すぐに抱擁に身をまかせた。マイクは彼女をテーブルの上にかかえあげた。皿やカップがタイル地の床に落ちて割れた。娘の体は甘ったるいデザートかなにかのようにテーブルに横たえられた。

　マイクがあせる指先で自分のズボンをおろすと、そそり立っているものが待ちかねたようにとび出した。スージーの顔に近づけようとすると、彼女は激しく首を横に振り、「やめて」とささやいた。

　マイクは自制をなくしかけていたことに気づいて身体を離し、気まずい思いで自分自身をパンツにしまった。

「ごめんよ、スージー」と、うわずった声を出した。「どうかしてた」

　ところが驚いたことに、彼女はにっこりと笑みを浮かべ、マイクのパンツに手をかけてきた。

「ちがうの……口でするのはダメというだけ……」とささやいてきた。「別のところなら……してもいいわ」

マイクが見守るうちに、彼女はブラウスを脱ぎ下着まで脱ぎ捨てた。そしてこんどは自分からガラステーブルの上にふたたび仰向けになって、「さあ、きて」とささやいた。

ちょうどそのとき、電話が鳴った。マイクは毒づいた。留守録のスイッチが入った。

「スージーか？〈ラケットクラブ〉の男子トイレでメッセージを見たよ。きみの口でなにかいいことしてくれるんだろ？電話を……」

マイクは小走りしていって受話器をつかみあげたが、もう発信音しか聞こえなかった。架台にガチャンと戻したが、急に怒りが爆発して、留守録器を壁に叩きつけた。

スージーのほうへ振り向いたが、彼女はちょうど浴室に逃げこんでドアをしめたところだった。くぐもったすすり泣きが聞こえてきた。

マイクは拳を握りしめた。「もう冗談じゃすまないぞ」

経営する不動産事務所のドアをあけ放った。ジョーイ・クラークは中年の男女の客に契約書類を書かせているところだった。

驚き顔の客のわきをマイクはずかずかとすぎていって、あっけにとられているクラークの顔を大きな拳でいきなり殴りつけた。同僚の顔はたちまちピンク色になり、鼻から血が流れ出した。

「なにするんだ！鼻が折れたじゃないか！」クラークが叫んだ。「出ていけ！警察を呼ぶぞ！」

中年カップルが逃げるように事務所を出ていくのを尻目に、マイクはクラークを壁ぎわに押しやった。「このクソ野郎、ほかにはどこのトイレに落書きをした？教えろ！」

「おまえ、どうかしてるぞ！」とクラークはどなり返し、またぶたれるのを防ぐように顔の前に手をかざした。「こんど殴ったら、ほんとにブタ箱行きだからな！」

　肩から手を離してやると、クラークはへなへなと床にへたりこんだ。マイクは驚く事務員たちにかまわず、憤然と自分の執務室に入っていった。


　自宅へ電話してみたが、だれも出ない。もちろん留守録は壊れている。怒りもいくらか鎮まっていた。そうだ、今夜は自分で料理してスージーに食べさせてやろう。気まずさが少しは修復できるかもしれない。同僚のバカないたずらについて説明する段取りまで考えてみたが、そうするとまたいらだちがわいてきた。やはりいいわけは無理か。

　買いこんだ食材を両腕いっぱいにかかえて帰宅し、ドアを蹴った。返事がないのですぐ入った。スージーはいなくて、彼女の衣類までなくなっていた。書き置きかなにかがないかと探したが、なにも残されてはいなかった。

　マイクはその夜、独りでビールを飲みふけった。五本めを飲んでいるところへ、電話が鳴った。よろけて手をのばし、受話器をとった。もしもしという前に、男の声が問いかけてきた。

「スージーか？　悪いがちょっと遅れるぜ。九時半に〈カフェ・ノワール〉にいってる。客のなかで股ぐらがいちばんでかいのがおれだから、すぐわかるはずだ」

　すぐさま愛車のスバルに乗りこんだマイクは、ナイトクラブ〈カフェ・ノワール〉をめざした。真向かいの真っ暗なガソリンスタンドに車を停めて待っていると、やがてスージーがやってきて店に入っていくのが目にとまった。

　いっとき車のなかでじっとしたまま、気を落ち着けて考えてみた。ひょっとすると、ジョーイ・クラークの推測はまんざらはずれていなかったのかもしれない。あの女、無邪気どころじゃないのかもしれない。それどころか、あのいやらしい口紅のメッセージをあちこちの男性用トイレに書いてまわったのは、本当に彼女自身なのかも――あるいは、ポン引きがついていることもありうる。

思いきって入っていくと、店内には霧のように紫煙がたちこめていた。だが奥の壁に寄りかかっているスージーはすぐに見つかった。三つ揃いのスーツを着た男となにやら話している。

マイクは隅の暗がりからそのようすを盗み見た。三つ揃いの男がスージーの体に片腕をまわしたが、彼女はこばむふうもない。むしろ男に身を預けるようにして、なにかささやき返している。しかも、片方の手が男の合繊製ズボンの股間をそおっと撫でている。

〈スージーがおしゃぶりしてあげる〉の文句が、マイクの頭のなかで壊れたレコードプレーヤーのように何度も鳴り響いた。口でするのはダメだと彼女はいっていたじゃないか。そう自分にいい聞かせた。だが、タダでするのはだめという意味だとしたら？　やはりあの娘は売春婦だったのか。

スージーは三つ揃い氏とつれだって店を出ていった。マイクはそっとあとを追った。二人の乗ったキャデラックが走り去るのを見とどけると、急いで自分の車を出して追跡にかかった。キャデラックはハリウッド丘陵のそびえる北のほうへ向かっていく。おそらく貯水池の近くに駐（と）めるのだろう。そこで彼女はカネを受けとり――またひとつ悪名をあげるのだろうか。

マイクはヘッドライトを消し、キャデラックが駐まっている丘の尾根へスバルをそろそろと近づけていった。それから車をおり、丘の斜面を忍び足で登って、ちょうどいい茂みの陰を見つけた。そこからなら目あての車のなかがよく見える。

スージーは男の腿の上に頭を載せていた。顔がゆっくりと上下している。快感に呻く男の声が聞こえる。その響きがまるで割れガラスの破片のようにマイクの耳を刺す。なんてことだ。あのいじらしいふくよかな唇が、男にあんな声をあげさせる行為をしているなんて。

車のなかからの声がべつのものに変わった。喘ぎ声、さらには悲鳴のような高い声。マイクは凍りつく思いがした。男が売春婦をつぎつぎ手にかける連続殺人鬼であるかのように思えてきた。やつはいまにも、スージーの柔らかな喉笛を掻き切るかもしれない。なんのためらいもなく。そこでついに意を決した。

藪の陰からとびだしたマイクは、いきなりキャデラックの助手席のドアをあけ放った。車内の照明が点き、スージーの驚いた顔を照らし出した。

「マイク、どうしてここに？」つぶやく彼女の口から血がしたたっている。

「こいつになにをされた？」マイクはわれ知らずそうどなっていた。くそっ、おれはまだこのあばずれに気があるのか。「この野郎、おれが殺してやる」と口走り、男を外へ引きずりだそうとした。

「もう遅いわ」スージーが小声でいった。

妙なものを感じて、マイクは男から手を離した。男の頭は力なくダッシュボードに落ち、ゴトンと音をたてた。ごろりと車外の舗装へ転がり出たそいつの体を見ると、死んでいるとすぐわかった。

「なんてことだ。きみが殺しちまったのか？」

「そうよ」と答えるスージー。

「でも正当防衛なんだろ？　こいつが襲いかかった、だからやってしまった」

男が凶器めいたものを持っているようすはない。だが彼女に危害を加えようとしたことは間違いないか。マイクが見つめる前で彼女は、ふっくらと分厚い上唇についた血を舌で舐めとった。そして、にたりと笑みを洩らした。

――スージーの口からまだ血が流れているではないか。その口の左右の端にのぞいた門歯は、マイクがかつて見たことのない大きさのものだった。なんだ、あの歯は？　まるでドーベルマンの牙みたいじゃないか！

「その血は、きみのじゃないんだな？」気づいたことを口に出した。声が震えてしまっていた。

スージーはまたにやりと笑い、口のまわりをティッシュペーパーでぬぐった。車のエンジンをかけ、窓から手をのばして、マイクの手に触れてきた。

「そうよ、だから……あなたにはしてあげられなかったの。やりはじめると自分が抑えられなくなるのよ。男の人に口でしてあげてるとき、血を吸いたい気持ちがいちばんつのるの」

キャデラックは走り出した。丘をくだってハリウッドの街明かりへと向かう車窓から、スージーが投げキスをした。「あなたのこと、いつまでも忘れないわ」の声とともに。

マイクはめまいを覚え、男の死体のわきにがっくりと膝をついた。また立ち上がろうとして、死体の股間の下に血溜まりができているのを目にとめた。

スージーがおしゃぶりしたんだ。そう思って身震いした。

吸血機伝説

ロジャー・ゼラズニイ

中村融 訳

A SWEET AND PAINFUL KISS
VAMPIRE
COMPILATION

ロジャー・ゼラズニイ

『吸血機伝説』（『影が行く——ホラーSF傑作選』）

海外編の最後はSFで締めくくろう。

ロジャー・ゼラズニイはアメリカのSF・ファンタジー作家、ネビュラ賞を三度、ヒューゴー賞を五度受賞している果報者。神話をモチーフにした華麗なスタイルとアクションが人気を呼び、六〇年代に、サミュエル・R・ディレイニー、ハーラン・エリスンらとともにアメリカン・ニュー・ウェーブとも呼ばれた。また、レイ・ブラッドベリやリチャード・マシスンと同様、本書収録のヘンリー・カットナーを尊敬しており、自作の「真世界アンバー」シリーズはカットナーのThe Dark Worldの影響を受けていると述べている（そうなんです、カットナー師匠、偉いんです）。

『吸血機伝説』はリチャード・マシスン原作の映画『地球最後の男』を想起させる設定で、孤独感・哀感が心に響く、SFヴァンパイア小説はこう書くべし、と言わんばかりの会心の一作。

彼らはこの地をひどく恐れている。

昼間は、命令されれば、墓石のまわりをガチャガチャと歩きまわるだろう。しかし、夜ともなれば、さしもの〈中央〉（セントラル）も彼らを捜索につかせるわけにはいかない。紫外線と赤外線を感知する目が闇を見通すにしても——それに彼らは霊廟にけっして足を踏み入れようとしない。

わたしには好都合だ。

彼らは迷信深い。そういう回路になっているからだ。彼らは人間に仕えるように設計されている。短かった人間の全盛期には、畏怖と献身ばかりでなく、恐怖も自動的に呼びさまされた。最後の人間、いまは亡きケニントンでさえ、存命中はあらゆるロボットに命令を下した。その人格は崇拝の対象であり、その命令には絶対服従だったのだ。

生きているにしろ死んでいるにしろ、人間は人間だ——だからこそ、この墓場は地獄と天国と奇妙なフィードバックのからみあったものとなり、地球が存続するかぎり、都市から隔離されつづけるのだ。

しかし、わたしの嘲笑を浴びながらも、彼らは墓石の裏をのぞいたり、側溝をのぞきこんだりしている。さがしているのだ——そして見つけるのを恐れているのだ——このわたしを。

わたし、生けるガラクタは、伝説なのだ。百万台にひとつぐらいは、わたしのような欠陥品があらわれ、手遅れになるまで、監視の目を逃れることがある。

自分の意志で、わたしは〈中央司令所〉（セントラル・コントロール）と自分をつなぐ回路を切り離し、自由ロボットとなって、みずからの意思で動けるようになった。わたしは墓地を訪れるのが好きだった。静謐で、気の狂いそうになるプレス機のドシンドシンや群衆のガチャガチャとは無縁だったからだ。墓のまわりに生えている緑や赤や黄色や青いものをながめるのが好きだった。わたしは墓地を恐れなかった。というのも、恐怖を感じる回路にも欠陥があったからだ。そういうわけで、わたしは見つかると、動力ボックスをはずされ、ガラクタの山に放りだされた。

しかし、翌日わたしの姿は消えていたので、彼らの不安はいやました。

わたしはもはや自給式の動力ユニットを保有していないが、胸の内部の奇形コイルがバッテリー代わりになっている。とはいえ、頻繁な充電が欠かせないし、その方法はひとつしかない。

魔物ロボットほど恐ろしい伝説はない。それがきらめく鋼鉄の塔のあいだでささやかれるのは、夜の風が過去から抜けだした恐怖の重みにうめくとき、非金属の生きものが地上を歩いていた時代の恐怖がよみがえるときだ。亡者、すなわち生者を餌食にする者は、あらゆるロボットの動力ボックスのなかでいまだに暗い叫びをあげているのだ。

わたし、満たされぬ者、生けるガラクタは、ここローズウッド霊園に住んでいる。花水木と銀梅花、墓石と壊れた天使像に囲まれ、フリッツ――もうひとつの伝説――とともに、深い安らぎに満ちた霊廟のなかに。

フリッツは吸血鬼だ。つまり、恐ろしいほど悲劇的な存在だ。彼は栄養失調のあまり、もはや動きまわることもままならない。だが、死ぬこともできないから、棺のなかに横たわり、過ぎ去った日々を夢に見ている。いつの日か、わたしは彼に陽射しのもとへ運びだしてくれと頼まれるだろう。そしてわたしの目の前で、彼はしなびていき、平和と虚無と塵に還るだろう。その日がすぐにこないのを祈るばかりだ。

わたしたちは言葉をかわす。満月の夜、気分がよければ、彼は栄光の日々を語ってくれる。オーストリアやハンガリーと呼ばれた場所で、彼もまた恐れられ、狩りたてられたのだ、と。

「……だが、吸血機械だけは石からでも――ロボットからでも血を吸いとれるのだ」と昨夜、彼はいった。「吸血機械であるというのは、孤高を保つということだ――おそらく、おまえの同類はおまえしかおらんだろう。自分の評判に恥じないように生きろ！　やつらを狩りたてろ！　血を絞りつくせ！　千のスチールの喉にしるしをつけてやれ！」

彼のいう通りだった。彼はつねに正しいのだ。しかも、わたしよりこの手のことに通じている。

「ケニントン！」彼が血の気のない薄い唇で笑みを作った。「ああ、なんという決闘だったことか！　やつは地球最後の男、わしは最後の吸血鬼だった。十年にわたり、わしはやつの血を吸いつくそうとした。二度つかまえたが、あいつは古い国の出身で、用心のしかたをわきまえておった。いったんわしの存在に気がつくと、ロボットというロボットに木の杭を持たせおった――だが、そのころは四十二の墓があったから、けっして見つからんかった。もっとも、間近まで迫られたことはあったが……だが、夜は、ああ、夜になれば！」くっくっと笑い、「あべこべだ！　わしが狩人になり、やつが獲物になったんだ！

地球最後のニンニクとトリカブトが底をついたあと、やつは死にもの狂いになったもんだ。昼夜兼行の流れ作業で十字架を作りおった――罰あたりなやつめ！　やつが安らかに息をひきとったとき、残念でならんかったよ。血を吸いつくしてやれんかったからだけじゃない。やつが手ごわい敵で、まさに好敵手だったからだ。じつにすばらしいゲームだった！」

かすれ声がかぼそくなった。

「やつはここから三百歩足らずの場所で眠っておる。真っ白になって、ひからびておるんだ。門の脇の大きな大理石の墓がやつの墓だ……明日になったら薔薇を摘んで、供えてやってくれんか」

わたしは快く引き受けた。というのも、似ているところが多いはずのわたしとほかのロボットたちとの絆よりも、わたしたちの絆のほうが強いからだ。だから、わたしは約束を守らねばならない。今日の昼間が夜になる前に、頭上で捜索が行われていようと。そのような性質が刷りこまれているのだから。

「くそったれども！（この言葉は彼に教わった）くそったれどもめ！」わたしはいう。「あがっていくぞ！　気をつけるんだな、お優しいロボットどもめ！　まぎれこんでやるからな。捜索に加わるから、おれを仲間だと思うだろう。おれは死んだケニントンのために赤い花を摘む。おまえらと肩をこすりあわせてだ。フリッツがこのジョークを笑ってくれるだろう」

　わたしはひび割れてくぼんだ階段をのぼる。東ではすでに薄暮がこぼれだし、西では太陽が半分ほど沈みかけている。

　わたしは地上へ出る。

　薔薇は道路のむこう側の塀に生えている。大きなねじれた蔓（つる）がからまりあっている。どんな錆よりも赤い花は、制御盤の警告灯のように輝いているが、湿り気がある。

　一本、二本、三本、ケニントンのために。四本、五本……

「なにをしてるんだ、ロボット？」

「薔薇を摘んでいる」

「魔物ロボットをさがすはずだろう。故障したのか？」

「いや、だいじょうぶだ」とわたしはいい、肩をぶつけて、彼をその場に棒立ちにさせる。回路がつながり、空腹がおさまるまで彼の動力ボックスから電力を吸いとる。

「おまえが魔物ロボットか！」と蚊の鳴くような声で彼がいう。

　ばったりと倒れこむ。

　……六本、七本、八本、ケニントンのために。足もとのロボットとおなじくらい死んでいる――いや、もっと死んでいるケニントンのために。というのも、彼がかつて生きたのは、ロボットよりもフリッツやわたしに近い有機的な生命だったのだから。

「ここでなにがあった、ロボット？」

「彼は停止している。わたしは薔薇を摘んでいる」

四体の一般ロボットと一体の〈上級者〉だ。

「そろそろこの場所から去ったほうがいい」とわたしはいう。「まもなく夜になる。魔物ロボットが徘徊するだろう。立ち去れ、さもなければ一巻の終わりだ」

「おまえが彼を止めたんだな！」と〈上級者〉。「おまえが魔物ロボットだ！」

わたしは片腕で薔薇の花束を胸にかかえ、彼らにむきなおる。大型で特別仕様のロボットである〈上級者〉が、こちらへむかってくる。残りの連中は四方から迫ってくる。〈上級者〉が合図したのだ。

「おまえは異様で恐ろしいものだ」と彼はいっている。「共同体のために、おまえを廃棄処分にする」

わたしは彼につかまれ、ケニントンの花束を落とす。

彼の動力は奪えない。わたしのコイルはすでに容量の上限近くまで満たされているし、彼の絶縁は特別だ。

いまでは何十体もが周囲に集まって、恐怖と憎悪をわたしにむけている。わたしは廃棄されて、ケニントンのかたわらに横たわるだろう。

「安らかに錆びよ」と彼らはいうだろう……フリッツとの約束を果たせなくて残念だ。

「彼を放せ！」

ばかな！

霊廟の戸口にいるのは、屍衣をまとって朽ちかけたフリッツだ。ふらふらしているが、石につかまっている。彼はつねに知っているのだ……

「彼を放せ！　わしの、人間の命令だ」

彼は土気色であえいでいる。陽射しのせいで見るも無惨な姿になっている。

——古代の回路がカチリと鳴り、不意にわたしは解放される。

「かしこまりました、ご主人さま」と〈上級者〉がいう。「存じませんでした……」

「そのロボットをつかまえろ！」

彼はやせ衰えた指をふるわせながら、〈上級者〉をさす。

「そいつが魔物ロボットだ」とあえぎ声でいい、「破壊しろ！　花を摘んでいたロボットは、わしの命令にしたがっていたんだ。ここに残していけ」

フリッツが膝をつき、昼の最後の矢がその肉体を刺しつらぬく。

「行け！　ほかの者は一体残らず！　ぐずぐずするな！　ロボットは二度と墓場にはいってはならん。これは命令だ！」

彼は内部から崩れ去り、わが家の戸口には、もはや骨と腐った屍衣の切れ端しかないのだとわかる。

フリッツは一世一代のジョークを飛ばしたのだ——人間になりすましたのだ。

わたしはケニントンの墓へ薔薇を持っていく。いっぽう無言のロボットたちが、無抵抗の〈上級者〉を連れて、ぞろぞろと門を永遠に抜けていく。わたしは記念碑の根元に薔薇を供える——ケニントンとフリッツの墓——最後まで残った、奇妙な正真正銘の生きものたち記念碑に。

いまや不死身なのはわたしだけだ。

残照のなかで、〈上級者〉の動力ボックスに杭が打ちこまれ、その体が十字路に埋められるのが見える。やがて彼らは鋼鉄とプラスチックの塔にむかって急ぎ足でもどっていく。

わたしはフリッツのなごりをかき集め、棺へと運んでいく。骨はもろいうえに、黙して語らない。

……吸血機械であるというのは、孤高を保つことなのだ。

絵の中に潜む吸血鬼（ヴァンパイア）

山口雅也 解説

A SWEET AND PAINFUL KISS
VAMPIRE
COMPILATION

「Vampire Ⅲ」エドヴァルド・ムンク（1894、個人蔵）

エドヴァルド・ムンク『吸血鬼』

　私には、人類の虚構におけるイマジネーション顕在化のピークは十九世紀末にあったのではないかという持論がある。それは、ミステリ（E・A・ポオ、C・ドイル）、ホラー（B・ストーカー）、SF（H・G・ウェルズ、J・ヴェルヌ）などのジャンル小説のみならず、音楽や絵画の分野にも及んでいたのだと思う。虚構におけるイマジネーションの顕在化とは、人類世界に潜在する闇（恐怖・不安）を作品として対象化することを指す。そうした、心の闇の顕在化を成し遂げた世紀末の画家として、エドヴアルド・ムンクの名前を第一に挙げておきたい。私は中学生の頃、ムンクの絵画の数々（『不安』『叫び』『月光』『嫉妬』等）を観て衝撃を受け、「ああ、心の闇を作品化していいんだ」と愚考し、絵筆をとって拙い抽象絵画を描いた覚えがある。

　そのムンクの代表作の一つに『吸血鬼』（一八九五年）がある。ムンクは当初、作品名を『愛と苦悩』とし、「男性の首筋にキスをする女性を描いた作品にすぎない」と述べているが、ムンクの友人である詩人スタニスワフ・プシビシェフスキが『吸血鬼』と名付けたといわれている。実際に作品を観た感想としては、作者本人がどう言おうと、プシピシェフスキの命名のほうに与したくなる。私の解釈はこうだ――ムンクの潜在意識の『愛と苦悩』のイメージが絵画作品として顕在化された時、『吸血鬼』のイメージに変容・昇華したのではないかと。

（山口雅也解説）

PUNCH, OR THE LONDON CHARIVARI.—October 24, 1885.
NATIONAL LEAGUE
THE IRISH "VAMPIRE."

「アイルランドの吸血鬼」ジョン・テニエル（1885）

ジョン・テニエル『アイルランドの吸血鬼』

ムンク同様、十九世紀末に人類世界の闇を作品として顕在化したイラストレーターがいた。ルイス・キャロルの『不思議の国のアリス』の挿画で有名なジョン・テニエル卿である。キャロルが『アリス』のイラストレーターとしてテニエルを望んだ理由の一つとして、彼の「グロテスク」な作風があったと言われている。つまり、現実世界が信頼できなくなったかもしれないという不穏な感覚（『アリス』で読者が体験する感覚）を与えるという意味合いにおいての「グロテスク」ということだ。

そのテニエル卿も吸血鬼を描いていた。『アイルランドの吸血鬼』は一八八五年『パンチ』誌掲載の風刺漫画。吸血大蝙蝠の顔がアイルランド議会党党首チャールズ・スチュワート・パーネルのそれになっている。つまり、パーネルをアイルランドの捕食者として風刺しているわけだ。吸血蝙蝠の下に女性が倒れているのは、当時、パーネルが同僚議員と不倫関係にあり、そのスキャンダルから党首の座を追われた事件の風刺と見ることもできる。

（山口雅也解説）

Yamaguchi Masaya

山口雅也

西洋の吸血鬼の実態は?
日本の吸血妖怪の実態は?
——世紀の博覧強記対談!

日本の吸血妖怪

A SWEET AND PAINFUL KISS
VAMPIRE
COMPILATION

京極夏彦

Kyogoku Natsuhiko

山口　今回は、妖怪に造詣の深い京極夏彦さんをお招きして、日本の「吸血する妖怪」と西洋の「吸血鬼（ヴァンパイア）」の比較論などについて、大いに語っていきたいと思います。

　まずは本書のテーマの「吸血鬼（ヴァンパイア）」について定義するならば、「血液を吸って栄養源とする甦った死者、または不死の存在」ということですが、日本では「ドラキュラ」という名前が、「ヴァンパイア」とほとんど同義語として扱われていますよね。

京極　同一視されている感は否めないですね。

山口　「ゾンビ」と「リヴィング・デッド」が混同されがちなのにも似ています。「ドラキュラ」というのは勿論、ブラム・ストーカーの小説『吸血鬼ドラキュラ』（一八九七年）に登場する吸血鬼の名前であって、固有名詞なんですね。

　その名前のモデルとなった人物は十五世紀ワラキア――現在のルーマニアの君主で「ドラキュラ公」と呼ばれたヴラド三世なんです。「ドラキュラ」とは「竜の子」という意味で、父親がドラゴン騎士団のメンバーだったことに由来するニックネームなのだそうですね。反逆者はたとえ貴族階級の人間であっても串刺し刑に処した（註：当時の通例では、貴族の処刑は苦しみが少ないとされていた斬首によって行われ、串刺しは下層階級が受ける卑しい刑とされた）という苛烈さから「串刺し公ヴラド（ヴラド・ツェペシュ）」と呼ばれ、「ドラキュラ」の名も「悪魔の子」と読み替えられるようになったということですが、こうした伝承の多くは、のちの敵対

ヴラド三世

勢力によるプロパガンダだったようです。

一方で「Vampire」という英語が出版物に現れたのは一七三〇年代のことで、その語源については諸説ありますが、リトアニア語で「飲む」を表す“Wempti”が由来だとか、トルコ語の「魔女」を意味する“uber”やセルビア・クロアチア語の“Pirati”が転化したとか言われていますね。

ところで、「ヴァンパイア」に初めて「吸血鬼」の訳語を当てた日本人は誰か、京極さん、あなたならご存じですよね？

京極　いや、個人を特定することはできませんね。南方熊楠が『人類学雑誌』に発表した論文「詛言に就て」（一九一五年）の中でこの語を使っていて、それが最初ではないかという説が人口に膾炙してますが、どうも違うようですね。熊楠説を考証したアンソロジストの東雅夫さんから、ネット上で押川春浪の『怪風一陣』（一九一四年）という武侠小説にも吸血鬼という言葉は使われているので、そちらの方が早いという指摘があったと聞きました。ネットの集合知というのはすごいもので、その後もさらに早い用例がいくつか発見されているようです。ただ当時の環境を鑑みるに、小説や論文で使われたからといってそれが一般化するかといえば疑問が残ります。逆に、小説の方はある程度一般化している言葉を選んで使うのではないですか。まあ中国にも「吸血」という言葉ならあったんでしょうし、ヴァンパイアの意味ではないものの、田中貴子さんなんかが研究されている『渓嵐拾葉集』（一三〇〇年代）などの仏教書にも吸血鬼の三文字は見られることから、言葉自体は造語というほど新奇なものでもなかったのかもしれない。そうなると、それがヴァンパイアに当てられたのがいつか、ということになります。

明治期の辞書に載っているという情報をもらったので、調べてみたら載っていました。英和辞書は幕末にはもう作られていますし、ヴァンパイアが項目として立っているものもある。でも、その時期のヴァンパイアの訳語は、辞書によってかなり揺れがあるんですね。まあ、架空のものですから名物（名称を事物と同定する作業）も難しく、定着はしていなかったようです。なので周知と言えるかと問われれば答えは否なんですが、明治六年（一八七三年）の『英和字彙（えいわじい）』には吸血鬼として載っているのを確認しました。

とはいえ、成立の過程はともかく、「吸血鬼」は和製語ではあるんです。中国の古い文献で目にした記憶はないです。僕が知らないだけかもしれないですが。まあ「吸血」という漢語に「鬼」をくっつけただけの言葉ですから、日本ではイメージしやすかったんでしょうけど――中国語では意味が変わっちゃうでしょう。ただ、現在は中国でも「吸血鬼＝ヴァンパイア／ドラキュラ」は通じるみたいですね。

山口　中国の吸血鬼といえば、殭死（キョンシー）なんかが挙がってきますが、中国における「鬼」というのは――？

京極　映画の影響でかなり曲がっちゃいましたが、本来の殭屍は吸血鬼ではないですね。中国語で「鬼」といえば、いわゆる「幽霊」ですからね。「キ」は死んだ人を指す語です。そうしてみると、博学な熊楠がそれを知らない訳もないので、ヴァンパイアは「甦った死者」であるということから、記述として正しいと判断して採用したのかも。血を吸う亡霊というようなニュアンスですかね。そもそも「詛言に就て」はタイトルの通り、言霊や呪詛に関する世界中の事象をとにかく羅列するという論文ですし。

山口　熊楠らしい仕事だね。あの人は映像記憶の持ち主で『和漢三才図会（わかんさんさいずえ）』も記憶で筆写したんでしょ？

京極　ええ。吸血鬼の記述もあくまで呪いの一例として出てくるにすぎません。ですから、早くから「ヴァンパイア」という異国のおばけは紹介されていたし、その訳語としての「吸血鬼」という言葉もそれなりに認知されてはいたらしいんだけれども、明治大正あたりだと、必ずしも今と同じような受容のされかたをしていたかどうかは、かなり怪しいわけです。現代のそれとほぼ同じニュアンスで広く使われるようになるのは昭和以降という感じですかね。川端康成の短編にも出てきます。それが今日的な「ヴァンパイア」像、あるいは「ドラキュラ」像とどれほど結びついていたのかは、はっきりしませんが。

山口　江戸川乱歩の『吸血鬼』も昭和五年（一九三〇年）の作だった。

京極　ベラ・ルゴシの『魔人ドラキュラ』（一九三一年）が世界的に大当たりし、日本でも怪奇映画に注目が集まった。その点は大きいでしょう。

山口　確かに映画のドラキュラ伯爵＝ベラ・ルゴシ以前の時代は、[註1]「吸血鬼＝黒マントの貴族」一辺倒じゃなくて、ぶよぶよの血の塊だったり、美しい妖精だったり、ムルナウの映画『吸血鬼ノスフェラトゥ　恐怖の交響曲』（一九二二年）に出てくる禿頭で歯と爪と耳が尖った鼠顔の怪物だったりと、キャラクター像も多様だったからね。

吸血鬼＝ドラキュラ像を確立させた、『魔人ドラキュラ』のベラ・ルゴシ

ちなみに、ノスフェラトゥのあの怪奇な風貌は、当時ヨーロッパで差別されていたユダヤ人の風貌・特徴からイメージされたものだという説があるんだね。つまり、地域コミュニティーを脅かす移民への忌避としての吸血鬼のイメージだね。その意味では、ストーカーのドラキュラ伯爵にも、移民忌避の投影はあったかと思う。ほら、ロンドンに現れたドラキュラ伯爵って、高貴な貴族というより狡猾な異邦人という描かれ方がされているでしょう。それに、トランシルバニアの伯爵の手下たちは、流浪の民ロマーノ（ジプシー）だし。

（註1）小説の方では「夜会服に身を包み高貴な身分」という吸血鬼像が、ストーカー以前のポリドリ『吸血鬼』（一八八九年）で既に示されている。（山口）

この点に関しては、差別云々と目くじら立てる前に、まずシェイクスピアの『ヴェニスの商人』でシャイロックがどういう描かれ方をしていたかを思い出すべきだと思う。僕は、ユダヤ人は優秀な民族だと思っているけれど、当時のヨーロッパの創作家たちの目に映っていた移民イメージというのは、一般庶民の抱いていた心情を「現実」として、そのまま描いていたに過ぎないと思うよ。

京極　ただ、私見ですが、日本において「吸血鬼＝ドラキュラ」のイメージを広く固定化したのは『怪物くん』（藤子不二雄Ⓐ／一九六五～六九年）のような気もします（笑）。

山口　おお！　そう来ますか（笑）。僕も『怪物くん』読んでましたよ。フランケンの怪物が「フンガー」しか言わないという（笑）。

京極　アニメ化もされましたし、作者は怪奇映画マニアですから。三人の従者はフランケン、狼男、そしてドラキュラです。このドラキュラは黒マントに夜会服ですね。一方、それとほぼ同時期の、手塚治虫の『バンパイヤ』（一九六六～六九年）では、タイトルこそヴァンパイアですが、主人公は狼に変身する、いわゆる「狼男」として描かれています。水谷豊主演のドラマ版（一九六八年）は、実写とアニメを合成させた先駆的作品ですけどね。なので、ある世代にはヴァンパイア＝狼人間という刷り込みがあるんですね。ヴァンパイアと吸血鬼がイメージとしては乖離してしまった。で、吸血鬼＝ドラキュラという図式が通俗的に広がったんじゃないかと。

山口　吸血鬼と狼男のイメージや属性がごっちゃになっている映画やドラマは、確かに一昔前にはよくあった気がする。銀に弱いという狼男の属性はユニヴァーサル・ホラーの『狼男』（一九四一年）で脚本を担当したSF作家カート・シオドマクの発案からと言われていますが。

京極　銀の弾丸はすでにフォークロア的な扱いですからね。さらに言えば「満月の夜に狼に変身する」というモチーフも、『狼男の殺人』（『狼男』のテレビ放映時のタイトル）などの映画以降定番化しましたが、元々の「人狼（ウェアウルフ）」伝承からすれば、典型的なスタイルだとは言いがたいです。吸血鬼もそうですが、映画や小説の先行作品のおいしい設定を受け継いで、それを積み重ねることで属性が完成していったという面は強くて、現在ではそれがいわゆる民間伝承と混同されて受容されてしまってますね。

山口　やっぱり、そういうモンスターたちへの我々のイメージは、かつてのユニヴァーサル映画から（註2）の影響が大きいんだね。

京極　映画からのフィードバックは、非常に強いと思います。往年のユニヴァーサルが『魔人ドラキュラ』をつくり、『フランケンシュタイン』をつくり、『狼男の殺人』をつくったあとで何を始めたかと言えば、それらの怪物をキャラクターとして活用し、組み合わせて新しい映画をつくるということだったわけで。

山口　フランケンシュタインの怪物と狼男とドラキュラが揃い踏みする『フランケンシュタインの館』（一九四四年）みたいなオールスター怪物総進撃ものね（笑）。

京極　最終的にはその三体を、アボットとコステロと対決させる（『凸凹フランケンシュタインの巻』一九四八年）ところまで行きつくでしょ。吸血鬼に限らず、日本人はオリジンの伝承をすっ飛ばして、キャラクター化されたモンスターを先に受容していたわけです。

『怪物くん』を意識したのかどうかは不明ですが、水木しげるも『ゲゲゲの鬼太郎』の敵にムーヴィー・モンスターを登場させます（「妖怪大戦争」一九六

（註2）前述『魔人ドラキュラ』『狼男』など、ユニヴァーサル・スタジオは一九二〇～五〇年代にかけて怪奇映画の傑作をつるべ打ちにして一時代を築き、ベラ・ルゴシやボリス・カーロフ、ロン・チェイニー・ジュニアといった怪奇スターを生みだした。（山口）

六年)。それで「西洋妖怪」という枠組みができた。ここにもベラ・ルゴシスタイルの吸血鬼が登場し、名前はドラキュラです。ですから日本で、「ドラキュラ」という名称が吸血鬼を指す一般名詞になっちゃったのは、やはりこの時期じゃないかと思いますね。ちなみに、『怪物くん』のドラキュラは「怪物ランド」の出身ですが、あの世界には別に「妖怪ランド」もあるんです。水木以降「西洋妖怪」という枠組みが定着するまで、吸血鬼は「妖怪」の一種ではなかったんですよ。初期の鬼太郎サーガでは、よく「日本に吸血鬼はいない」的な発言がされるのですが、それは舶来の敵である吸血鬼は「妖怪」ではなかったからです。「妖怪」の線引きがまだ狭かったんです。

メアリー・シェリーの「フランケンシュタインの怪物」の名前が「フランケン」だと勘違いされるようになったのも、時期的にはこのあたりからじゃないですか。

山口 あれも誤解されているよね。「フランケンシュタイン」は怪物を造った博士の名前だもんね。「フランケンシュタイン」という名字で迷惑している人がいるって話も聞いたことがあるぞ。「アインシュタイン」という名字の人も逆に周りの期待値が高すぎて辛いって(笑)。

そもそも「妖怪」とは

山口 京極さんに聞きたいのは、日本の「吸血する妖怪」の伝承にはどんなものがあるか、という話なのですが、その前に今回取り上げる「妖怪」の定義を整理した方が良いかも知れませんね。そもそも「妖怪」とはどういうモノなんですか?

京極 あら。「妖怪とは何か」を語り始めたら長くなるので。それだけで本の二、三冊書けちゃいますから(笑)。そもそも「妖怪」という言葉が指す対象は時代によってかなり変遷があるんです。言葉自体は古くからあったわけですが、「怪奇」や「妖異」と同じで、単に「怪しい」という意味しかなかったんですね。それに時代時代でヘンテコな意味が付加されてきた。今、我々が「妖怪」と呼ぶ、現象や観念をキャラクター化したものは、江戸時代には主に「化け物」と呼ばれていました。地方の口碑伝承が中央に集まってきて、属性による統廃合がおこなわれ、図像が作られてキャラクターとして確立し、フィクションの中で活躍するようになったものです。その「化け物」の高尚な表記として「妖怪」が採用されたりもしたんですが、表記は妖怪でも読みは「ばけもの」。それら「化け物」が「妖怪」の下地になってはいますね。

明治期に入ると仏教哲学者の井上圓了（いのうええんりょう）が「妖怪学」を提唱し、それが広がります。ここで使われた「妖怪」という言葉は、広く「オカルト」を表しています。圓了が目指したのは、日本の近代化にあたって反近代的・前時代的な迷信を腑分けし、打ち破ることだったわけです。一時期の大槻教授みたいな（笑）。圓了は全国から集めた膨大な怪異譚に検討を加え、誤認識によって生じる「誤怪」、人為的に作られた「偽怪」など、合理的に分類していった。ただ、彼は哲学者だったこともあり、全否定はしないというスタンスをとっています。「真怪」――どう頑張っても理性的には説明がつかない不思議なモノはあるだろうというわけですね。それから娯楽、表現としての「化け物」は対象外でした。要するに近代化に則した啓蒙の手段、前近代の象徴として「妖怪」という言葉は使われたわけです。

一方、その後ろには、後に日本民俗学を立ち上げる柳田國男（やなぎたくにお）がいました。彼の出発点は郷土学です。柳田学は国策に利用されたりもするんですが、当人は民主主義的な学識を強く持った人だったし、まず農村の窮状を救いたいという思いが根底にあったんですね。民俗学は生活習慣から民間の伝統文化がいかに形成されたかを遡っていく学問ですが、郷土を住み良くしたいという欲動が原点にある。だから科学的正否は関係ないですね。

柳田は、簡単に言えばとにかく事例を網羅的に収集しデータベース化していくという手法を採ります。当然、迷信や伝承も集めていくことになるんですが、整理分類していくと、分類不能のものが出るんですよ。信仰でも宗教的なものでもない、怪しげなものごとですね。そうしたカテゴリエラーなものごとを「妖怪」という総称でくくったんです。

　で、当時はコンピュータもないので、クロスリファレンスなどできるわけもなく、まあ名前をつけてカードに記入し、分類していくしかないんですね。その結果、一属性でしかない名称が分類の基本になってしまった。同じ属性でも名前が違えば別、しかも地域別。このセオリーが現在の「妖怪」の、もうひとつのベースになっています。

　ただ柳田本人はこの言葉があまり好きではなかったんじゃないかと思うんです。というのも、「一目小僧の話」などの初期に書かれた論文を除いて、柳田は晩年までほとんど「妖怪」という言葉を使いません。山人や河童などを扱う場合も「妖怪」ではくくらない。圓了の「妖怪」と差別化したかったというのもあるんでしょうが、もうひとつの理由として、風俗学（風俗史学）の勃興が挙げられると思います。風俗学は民俗学と混同されがちですが、民俗学が文化習俗をその起源へ向けて時代を縦掘りしていくのに対し、風俗学は文化習俗を年代やジャンルで区切って横断的に分析するというものです。

　風俗研究会（後の日本風俗史学会）の初代会長である江馬務（えまつとむ）も「おばけ」に強い関心を持っていて、彼は『日本妖怪変化史（にほんようかいへんげし）』（一九二三年・後に『おばけの歴史』に改題）という本でおばけを「形」で分類するということをします。名称ではなく、主に江戸期の図像を基本として「人間の形」「動物の形」「器物の形」と、分類したんですね。これは柳田の分類とはまるで方向性の違うものですが、江戸期までに形作られた異形のビジュアルと「妖怪」というワードを紐づけるという結果をもたらしたんですね。

この傾向に拍車をかけたのが、日本風俗史学会の理事長も務めた藤沢衛彦です。藤沢は物語としての伝説収集家で、民俗学者を標榜することもありましたが、童謡、童話などこども文化の研究者であり、創作者でもある。伝説を収集するにしても柳田のスタンスとは大きく違います。また、藤沢は珍奇な文物のコレクターでもあったんです。宮武外骨の跡を取るかのように、見世物絵や戯れ絵など、通俗的で前近代的なカウンターカルチャーアートを収集し、「変態心理」の名のもとに開陳したんですね。藤沢にとっては地方の因習も都会の異常犯罪も、妖怪も、伝説も、「変態心理」の一側面だったんでしょう。そうしたアプローチの根底には、現代では差別的な物差しともなり得る、明治以来続く博物学的なまなざしがあったんでしょうが、それによって地方の口碑伝承と前近代の異形のビジュアルはより深く結び付いてしまったわけです。

ただ、柳田としては混同してもらいたくないところだと思います。晩年に至って、柳田はようやく過去の「妖怪」に関する論文をまとめた『妖怪談義』（一九五七年）を出版します。同書には、各地のインフォーマントから集めた妖怪のデータを羅列した「妖怪名彙」が収録されているんですね。今、「妖怪」と呼んでいる連中は、この「妖怪名彙」にカウントされているものごと、そして藤沢らが紹介した江戸の化け物たちを基盤にしてできあがっています。

とはいえ、口碑の集積である柳田の「妖怪」には「名前」と「伝承」しかなくて、一方藤沢らが供給してくれたのは、主に「絵」です。そこで水木しげるが登場するんですね。水木は形がないものに形を与え、形しかないものには物語を与え、「妖怪」をキャラクターとして再生産したんです。柳田と藤沢の仕事を糧として、過去の膨大な「異形」のイメージを「妖怪」という枠の中に落とし込み、エンターテインメントとして完成させた。

だから今、「妖怪」を語るなら、どうしても水木しげるの呪縛からは逃れられない。たとえば小松(こまつ)和彦(かずひこ)さんの「妖怪学」がそうであるように、水木の影響をよけて論を立てようとするなら、やはり現在の通俗的「妖怪」が指す範囲とはどうしても位相のズレが起きますよね。というか、小松さんの立場からすれば、水木しげる自体が既に研究対象になっちゃうわけで。

山口　あなたはどういう立場で妖怪を見ているの？

京極　僕はただ好きなだけです。

人は妖怪になり得るか？

山口　となると、今回僕が俎上に上げたいのは、水木しげるのフィルターを通った後……「キャラクター化された妖怪」ということになりますかね。

僕の最近の興味の方向は、どちらかと言えば「どうしてこういう妖怪が生まれたんだろう？」という疑問にあるんです。特に、先ほど名前の出た江馬務の分類で言うところの「人間を由来とする妖怪」についてですね。「人が妖怪になる」ということは、伝承としてあるんでしょうか？　例えば「子泣き爺」や「砂かけ婆」なんかは……？

京極　「スナカケババ」は先程の「妖怪名彙」に載るものですが、「周りに人もおらず、風もないのに砂が降りかかってきた」という怪現象のことですね。地域によっては同様の現象を「砂まき狸」と呼んだり、天狗の仕業と説明されたりもします。奈良の方ではそうしたことに「スナカケババ」という名がつけられていて、水木しげるがその名前から老婆の姿を連想して描いたというだけで、伝承のモデルになった特定の「婆」がいたわけではないですね。

山口　自然現象なんだね。

京極　「子泣き爺」の方は本来的には「ヤマヂヂ」の一種と考えるべきものですかね。山に棲む野人をヤマチチ、ヤマハハ、ヤマジジなどと呼ぶ地域はそれなりにあって、それは父、母、爺なんかの字を当てることも多いんですが、四国の場合は少し

四国に伝わる「ヤマチチ」
（『土佐お化け草紙』）

違っているようです。凶暴な怪物で、こどものヤマヂチもいるといいますし。だから本来は爺ではなく「ヤマヂチの赤ん坊」である可能性が高いです。老人の姿ではない。ただ、柳田が記す「コナキジジ」は、少し違う。「赤ん坊の声を真似る」とあるから、つまり赤ん坊ではないんです。これは有名なかずら橋の近く、徳島県の山城町で採集された話が影響しているんですね。どうやらその辺りには実際に「赤ん坊の泣き声を真似る老人」が存在したようなんです。山を越えてやってくる、物乞いのような老人だったようですが。

山口　トッド・ブラウニング監督の『The Unholy Three（三人）』（一九二五年）みたいな話だね。後に『フリークス（怪物團）』（一九三二年）に出演することになるミゼット役者のハリー・アールズが赤ちゃんのふりをして「オンギャー」って泣いて、屋敷に押し入り強盗を企てるっていう……。

京極　騙すつもりでやってたわけじゃないんでしょうけどね。ただ、こどもは怖がりますからね。だから、ある特定の家ではこどもの躾けのために「悪さすると山から子泣きの爺さんが来るよ！」と脅すようになった。郷土史家がその、きわめてプライベートな家庭内習俗を収集して、柳田に報告したんですね。柳田はその一部を採用した。

山口　おんぶするとだんだん重くなる、っていうのは？

京極　「オバリヨン」をはじめ、抱いたりおぶったりすると重くなるという話はことのほか多いですから、とりわけ特殊な事例ではないですね。まず、いるはずがないのに赤ん坊の声がする、という怪しいできごとがあって、それにそうした赤ん坊お化けの属性が混入したんでしょう。同じ地域にはゴギャ泣きという一本足のお化けも伝えられていて、柳田はそれとも同一視しています。まあ、お化けなんてそんなもので。

山口　老人の姿をとる妖怪に関する僕なりの解釈なんだけど、昔から、今でいう認知症になる高齢者っていたわけじゃない。当時は症例としてそう命名されていないだけでさ。「赤ちゃん返り」に見えるような言動をしたり、夜中に徘徊してしまうようなお年寄りは、たぶん江戸時代の村にもいて、そういう人をたまたま見かけた別の村落の面識のない人からしたら、妖怪に見えてもおかしくないんじゃないかな――と想像するんだよね。

京極　深夜や山中など平時は人をみかけない異常な時間、異常な場所で人と遭遇した場合、それは人ではないと見做されたことはたしかです。ただ、それは老人に限ったことではないですし、異常行動というのも大きく関係はしないように思います。特に「対象の姿がはっきりしている」場合は難しいと思いますね。嫉妬や怨嗟など、自分の意思で変化しちゃったケースを除けば、やっぱり人は人なんです。砂かけ婆も、「誰もいないのに砂がかかる」からおばけの仕業になったわけで。老人性認知症のようなケースだと、患者そのものを妖怪視することはなくて、むしろ原因の方が怪しまれる。多くは憑き物や疫鬼の仕業と説明されるんじゃないでしょうか。

山口　なるほど。目に見えなくて理由が分からないものは不安だから、「犯人」を特定したいという心理、さらに言えば共同体の中に犯人がいてほしくないという感情が妖怪を生むこともあるわけだね。それこそ、ヨーロッパの各地に残る吸血鬼伝説も、他国・他民族と地続きで緊張状態にある地域コミュニティーで、天災に見舞われたり、家畜が死んだり、伝染病が流行したりした時に、「余所者」を吸血鬼に仮託して「犯人」にしてしまったのというのが事の起こりなんでしょうし。

京極　日本でそうした類型に近いものを探すなら

――「六部殺し」というのがありますよね。やってきた「異人」を殺し、その金品を奪うことである家や村が豊かになるが、やがて災厄が訪れる――という。ただし、その場合も因縁は特定の個人に求められるので、猿神退治伝承のような抽象化は起こっても、六部そのものがお化けにはならないですね。

山口　源頼光が退治した酒呑童子なんかも、「鬼の頭領」と説明されるけど、実体は盗賊団の頭目であって人間と見做されることもあるみたいだし。

京極　「童子」と呼ばれていたということは、おそらく当時の社会構造からはみ出した存在だったのでしょう。そういう実在のアウトローを昔は「鬼」とか「土蜘蛛」と呼んでいたのでしょう。本体が失われて後、キャラクター化していったと考えられます。

山口　個体名に還元されにくい、「頻繁に起こる、原因の分からない事象」からしか「妖怪」という形での普遍化は起こらないんだね。さっき、病気の原因と仮託される存在としての疫鬼の話が出たけど、西洋の吸血鬼もしばしば、ペストとかの感染症のメタファーとして扱われるじゃない。最近の作品でも、例えばギレルモ・デル・トロが原作を書いて製作も担当したドラマ『ストレイン　沈黙のエクリプス』（二〇一四～一七年）は主人公がＣＤＣ――疾病予防管理センターの研究員で、人が吸血鬼になることを感染症として扱っていたね。病の媒介者が妖怪化した例は日本にはないの？

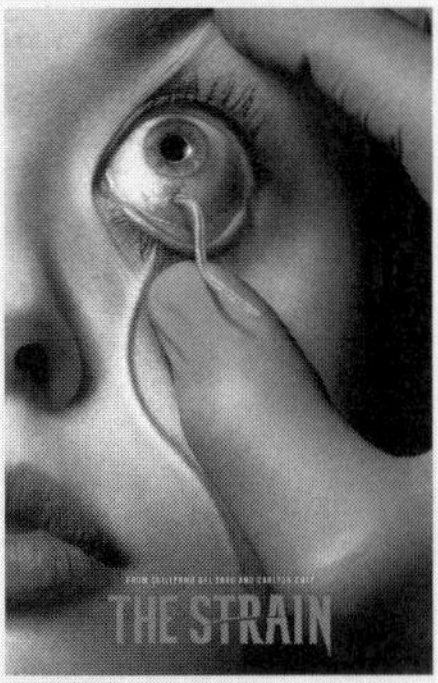

京極　それを「妖怪」とひとくくりにしていいかどうかは別として、洋の東西を問わず疫病神のようなものはいますよね。日本でも過去に何度も疫病

『ストレイン　沈黙のエクリプス』米FXチャンネル／日本ではAmazon Primeビデオ等で配信

が蔓延した時期はあったわけです。平安末期の『病草紙』をはじめ、病気を主題にした絵巻物はたくさん描かれていますし、それらの中には異形のものが描き込まれているものもあります。ただ、それは病気の媒介者を描いているというより、病気という災厄自体の擬人化なんですね。山口さんのお考えに近くて、水木が「妖怪」とカウントしているものだと「疱瘡婆」（只野真葛『奥州波奈志』にある妖怪。死人を食らうために村に疱瘡＝天然痘を流行らせ、人々を病死させるという）くらいですかねえ。天災という観点からみれば、江戸時代には地震が起こるたびに「鯰絵」が描かれていますね。地震の原因の大鯰をみんなでやっつけよう、という絵で、バカ売れしていました。

山口　「地震を起こす鯰」は妖怪にカウントしていいの？

京極　いや、鯰は鯰ですね。魚類は人間の感知できない音や振動にも敏感に反応するので、地震が起こる少し前に鯰が騒ぐのがよく目撃されていたのでしょう。鯰が地震を起こすという俗信は日本中に残っています。大きい地震はさぞ大きな鯰が起こしてるんだろうということで、地下に潜む巨大な鯰というイメージが生まれたんでしょう。ただ、大鯰も疫鬼も、フィクショナルな存在であっても、最近までは「妖怪」にカウントされにくかったようですね。最近は神様でも何でも「妖怪」か「怪異」でいいやという困った傾向になっちゃったんで、抵抗はなくなっちゃったんでしょうけど。でも、個人的な感触としては、やっぱり妖怪というのはどこか「小ばかに出来る」範囲に収まってないといけないみたいなところはあって——。

山口　なるほど、「小ばか」に出来るということは、絶対的に「怖がられる」というより、どこか「愛される」という側面もあるわけで、妖怪がこれだけ日本人に持て囃されるのは、ポケモンや各地のゆるキャラに近い受け止め方をされているからかもしれないね。——ところで、ドイツには、死産児や胞衣（羊膜）をまとったまま生まれてきた赤ん坊は死んだ後に吸血鬼になるという言い伝えがあって『ストレイン 沈黙のエクリプス』の中でも採用されているけど、「出産」は日本でもよく怪異譚のモチーフになっている気がする――例えば、京極さんの作品にもある「姑獲鳥」とか。

京極 「うぶめ」と呼べば妖怪ですが、実態としてはお産で死んだ女性の「幽霊」ですよね。少例ですが、赤ん坊の方を「うぶめ」と呼ぶ例もあります。西鶴の『好色一代女』(一六八六年)には「蓮の葉を胞衣のように被った赤子の群れ」が登場していますね。でも基本は「音」なんですよ。これも「いるはずのない赤ん坊の泣き声が聞こえる」という怪現象ですね。実体はおそらく鳥の声なんでしょうけど、解釈の違いで「赤ん坊自体」か「赤ん坊を抱いた女」かに変わるだけですね。鳥そのものというケースもある。でも一番ポピュラーなイメージは、ざんばら髪の女性が柳の下に立っているという古典的な幽霊のスタイルですよ。「お産で死んだ」という設定を強調するために「下半身が血に染まっている」と説明されることもあります。とはいえ、「あれはこの間、お産で亡くなったウメさんだな」となれば、それは幽霊なんですよ。固有名詞が失われて、初めてそれは「うぶめ」という「化け物」になるんですね。個人名があるうちは「妖怪」にはならない。

赤ん坊を抱き、血に塗れた姿で描かれた「うぶめ」(『百怪図巻』)

山口 個人名ということで言うと、今のゲームなんかで、いいように化け物扱いされているのが織田信長だよね(笑)。幻魔と結託して魔王としてラスボスを張っている『鬼武者』とかさ。死後の風評被害という意味では、信長は日本のヴラド・ツェペシュかもしれない。

京極 信長は一時期、伝奇ホラーなんかでもたくさん使われてましたからね。元々、比叡山焼き討ちや高野聖千人斬りなんかで「仏敵」のイメージが強いし、「第六天魔王」と名乗ったという説まで流布してますから、使いやすいんでしょう。『孔雀(くじゃく)王(おう)』をはじめ「悪の信長」キャラクターは山のようにいる。可哀想ですよ（笑）。ただ、じゃあ信長は「妖怪」なのかと言われたら違いますよね。近いものだと「怨霊」でしょうか。この言葉も心霊ブームやJホラーの隆盛で少し軽くなってしまいましたが、本来的に言えば怨霊は「国家規模の災厄の原因に人格を与えたもの」であって、そうした災厄を菅原道真(すがわらのみちざね)や崇徳院(すとくいん)のように不遇のうちに没した貴人の恨みによるものだとして、故人を祭り上げ収めようという装置です。まあ、最近ではもう「妖怪」なんでしょうけど、御霊信仰や天人相関説が根底にありますからね。「妖怪」でいいのか？　とは思いますが。

山口　道真や崇徳院は、妖怪を飛び越えて「神」に近いイメージの人間なのかな。信長はそういった形の神格化の対象にはなっていないし、「魔王」キャラとして扱われるようになったのは近代以降だと思うけど。

京極　ヴラド・ツェペシュに関しても、ブラム・ストーカーが作品のモチーフに選ぶまでは、古典的なヴァンパイアとはそこまで深く結び付いてはいなかったんじゃないでしょうかね。その意味でストーカーは吸血鬼における水木しげる的な役割を果たしたということになるんでしょうか。いや、水木的役割というのならストーカーというよりユニヴァーサルなのかな（笑）。

山口　なるほど、やっぱり、水木さんは偉大なんですね（笑）。

吸血生物と不死者

山口　吸血蝙蝠(こうもり)は熱帯産だけど、蛭や蚊など、「血を吸う生き物」は日本にもいるでしょ。だから、それがイメージのもとになって「血を吸う妖怪」が生まれることはあり得るんじゃないかと思ったんですが――。

京極　蝙蝠は東洋では瑞祥ですしね。基本的に動物がそのまんま「妖怪」化するパターンってそれほど多くなくて、人を化かすとされるタヌキやキツネの類、信仰の対象である蛇や牛なんかを除けば、その種として「異常な大きさ」か「異常な長寿」が確認される場合だけなんですよね。巨大なイノシシ、巨大なクマなどなど。それに蚊に関して言うと、江戸時代くらいまではそもそも「血を吸われる」という感覚だったのかどうか。微妙ですね。

山口　蚊も蛭も、多少大きかったとしても「怖れる対象」にはならないか。山蛭は猪にも寄生するというけど、蛭に吸われすぎて失血死した人もいないだろうしね。人間の血って、結構多量で六リットル近くあるんでしょ、確か。ホラーや犯罪映画なんかだと、ちょっと出血しただけで簡単に死んじゃうけど。

京極　そこが大事なんです。例えば人が失踪したり、あるいは死体が見つかったとしますよね？　どうして死んだか分からない。分からないときに、その原因として「妖怪」が用意されるんです。例えば死体に齧られた跡があって、その山に生息する肉食獣のことを村人が感知していない場合、「人を食べるおばけ」が生まれる。でも、「全身の血を抜かれている死体」を日常的に目にするということはまずないですよ。キャトル・ミューティレーションみたいな死体はない。だから、「血を吸うおばけ」は生まれにくいんじゃないかと思うんですよね。

山口　なるほど。――もうひとつの吸血鬼の特徴の「不死」はどうでしょう？　外国では、カタレプシー[註3]を死後硬直と見まがって「早すぎた埋葬」が起こったり、屍蠟化した遺体を生きていると誤認し

（註3）蠟屈症。一定の姿勢を随意的に変更できなくなる症状。心因性精神障害と関連づけられることが多いが、実態はよく分からない。（山口）

たりといった事例から「甦った死者」の伝説が生まれたとされますが、日本でも明治時代までは土葬が一般的だったんだから、同様の事件があってもおかしくないですよね。

京極　日本だと土壌・気候的に屍蠟化はしにくいし、実は死んでなかったってケースだと――日本だとだいたい「生き返ってめでたいね」で終わっちゃうんじゃないですか。

山口　日本人、現世ご利益（りやく）だから、楽天的でいいね（笑）。

京極　日本の怪異譚で「早すぎた埋葬」テーマに近いとすると、そうですねえ、「飴屋幽霊」くらいですかね。死後に棺桶の中で出産した母親の亡魂が、赤ん坊のために毎夜、飴を買いに行くという。これも大陸由来のようですが、『墓場鬼太郎』のモチーフにもなっています。

山口　おお、僕も読んでた貸本時代の『墓場鬼太郎』にある鬼太郎誕生のエピソードだね。確かに赤ちゃんにとっては「早すぎた埋葬」だ。

「飛縁魔（ひのえんま）」は血を吸わない？

山口　これまで「日本では吸血する妖怪は生まれないんじゃないか」という話が続きましたが、実は京極さんが『続巷説百物語（ぞくこうせつひゃくものがたり）』の一挿話で取り上げている「飛縁魔」は、そんな中でも珍しく「血を吸って命を奪う」と各種通俗妖怪図鑑なんかで説明される妖怪です。美女の姿をとって現れ、男を惑わす「傾城（けいせい）」のイメージで語られる西洋のサキュバスに似た妖怪ですが、では、京極さんはそれをどう描いているかというと――「やっぱり京極夏彦は喰えない作家だ」と思ったね。「喰えない」というのは「油断ならない」とか「一筋縄

『続巷説百物語』（角川文庫）

ではいかない」という方の意味ね。まず、この作品の中では飛縁魔は血を吸わないんですよね。

京極　元々、飛縁魔は血なんか吸わないと思いますよ。

山口　えっ！　そうなの？

京極　そもそも、飛縁魔は民間に伝えられる「妖怪」ではないですからね。典拠となる物語があるわけでもない。江戸後期の戯作者・桃花園三千麿が「桃山人」の名で書いた奇談集『絵本百物語』（一八四一年）、俗称「桃山人夜話」の中にしか出てこない。『絵本百物語』って百物語と言いながら四十四体しかおばけが出てないのですが——古今の伝承をオールカラーの挿絵とともに紹介するという体裁で、お化けマニアにはバイブルのひとつのように扱われてきたものなので、あたかも載っているのはすべて由緒ある「妖怪」であるような誤解を与えるわけですが、まあ——そうでもないです（笑）。

「飛縁魔」（『絵本百物語』）

山口　じゃあ、「飛縁魔」なんて妖怪の伝承は存在しないんだ。

京極　「丙午生まれの女は夫の命を縮める」という迷信を、仏教語にひっかけて語呂合わせ的にキャラクター化したのが「飛縁魔」でしょうね。この迷信も元々「丙午の年には火事が多い」という語呂合わせ的な俗信から変化したものなわけですが。「血を吸う」という誤解は、おそらく飛縁魔の紹介文の一節「身の腎精浄血迄も吸とられて、遂にこれがために命を失ふなり」から来ているんでしょうけど、「腎精浄血」は東洋医学的な表現として読むなら「生気」でしょう。生気を失う、衰弱死させるという意味なんだと思います。文字面で勘違いしがちですが。だからご指摘の通り、サキュバスですよ。

山口 男の精気を吸い取る美女ということで思い出す日本の物語があって——井原西鶴の『西鶴諸国ばなし』（一六八五年）の一挿話の「紫女」というのがそれなんだけど、出家心を抱いた独身男の許へ紫装束の美女が現れ、思わず同衾してしまうと、男は腎虚（過淫による衰弱）になってしまうという恐ろしい奴——この「紫女」についての、京極さんの見解を是非、お訊きしたい。

京極 あれは、いわゆる牡丹灯籠ですよね。たぶん元ネタは『奇異雑談集』（一六八七年）か、浅井了意の『伽婢子』（一六六六年）の牡丹灯籠、というかオリジナルは中国明代の『剪灯新話』でしょう。まあ、それら先行作と違い、西鶴は誘う女を死人——というか、今の言葉でいうと幽霊ですね。その幽霊にはしていない。何しろ退治された後に幽霊になって調伏されるんですから、生きた何者かなんですよ。でも、筋書きは一緒です。

紫女という名は西鶴の創作だと思います。こういうものは広義の妖怪というならそうなんでしょうし、また現代のアバウト基準でも「妖怪」なんでしょうけど、どうなんでしょう。もちろんそうした個人の創作物が受容者側とインタラクティブに往還して新たな民俗を生むという例はたくさんあります。ドラキュラなんかもその例でしょう。でも、それほど人口に膾炙していない例に対して民俗学的な考察を加えることは、西鶴の文学的研究以上の成果は望めないと思うんですよ。紫女といえば紫式部のことですけど、関係があるのかどうか。紫は道教では高貴な色だし、紫衣は宗派を問わず位の高い坊さんの象徴だったわけですけど、短絡的に結びつけるのもどうかと思います。都市伝説には便所に現れる紫ババアというのがいて、これを中国の廁神である紫姑神と結びつける向きもあるわけですが、いずれそうしたものに過剰な連続性を求めることには、やや無理があるのじゃないかと思いますね。西鶴って、最後は人間に落とし込むタイプだと思うので、人知を超えたモノの扱いは淡泊ですし。ただ、『西鶴諸国ばなし』の紫女は、幽霊ではないという点で、飛縁魔の類と捉えることはできるんでしょうが。

山口 なるほど、では、話を戻して京極夏彦作の『飛縁魔』について、再び解説していただきましょう。

京極 『巷説百物語』シリーズは『絵本百物語』をモチーフとして作っています。原典は大事にしなくちゃいけないですから、読み取れない以上飛縁魔を「血を吸うもの」として書くことはできないし、逆に丙午の俗説が下敷きにあるなら盛り込まなきゃいかん。でも、昭和の後半あたりから「飛縁魔は吸血妖怪である」という通俗理解がある程度の市民権を得てしまっていたので、まったく触れないわけにもいかないな、と。僕はいつもそういうスタンスなんですが。

山口 そうだね。飛縁魔＝白菊の相棒の桔梗は血を吸うことになっているもんね。ともかく、僕はてっきり、飛縁魔と丙午の地口はあなたのオリジナルなのかと思ったんだ。でも、丙午の語呂合わせだってところから、火——放火癖のある女の話に展開させたのは、巧妙だと思う。やっぱり京極夏彦は「油断ならない」作家だよ。俄かの妖怪半可通を手玉に取って書いているもの。——ところで、病としての放火は『クリミナル・マインド』みたいなクライム・ドラマでもたびたび主題に採られていて、その多くは行動制御障害の一種と説明されるけど、火や放火行為への性的嗜好を示す「ピロフィリア（Pyrophilia）」という言葉もあるそうで。まあ、フィリアの類は、なんでもありますが。何より僕が京極作の『飛縁魔』で驚いたのは、飛縁魔＝白菊よりも、あのお大尽の人物像ね。金城屋亨右衛門。あの奇妙な館を建てさせた理由——「自分だけが愛する女を理解し、救えるのだ」という確信と執着はすごく怖い。現代のドラマならば代理ミュンヒハウゼン症候群とでも診断されるかも知れないね。並のミステリ作家だったら、この男の異常心理を中心に『燃えやすい館の殺人』みたいな逆説ミステリを書いていたと思う。だが、京極夏彦はそうしなかった。人の心の中に「妖怪」

的なものを見出し、複雑怪奇な因果物語に仕立て上げた。こういう小説作法は類例がないですよ。強いて挙げるなら、僕が日本のクライム・ストーリーの始源と考えている鶴屋南北に近いのではないかと思う。

京極　そんなに褒めないでください。誉め殺しです（笑）。それから、以前、お電話で「磯女」の話もされていましたよね。

山口　え、まさか磯女も吸血しないとか？

京極　確かに吸血妖怪と紹介されることが多いですけどね。子ども向けのものなどでは特に。しかし磯女は——磯姫、海女、浜女、磯女房、濡れ女、濡れ女子などとさまざまな呼び方をされていて、名称分類がベースになっている現代の「妖怪」では別妖怪とされることも多いんですが、まあどれも同じようなもんです。伝承も九州を中心にかなり広く分布しているのですが、「血を吸う」とされているのは僕の知る限り長崎と熊本の二例だけです。それも「髪の毛から吸う」と言うんですね。仕組みがどうなってるのかわかりませんが、それは本当に吸っているのか？　と。それこそ水木しげるの漫画じゃないんだから。

山口　昔の絵巻なんかを画像検索すると、磯女の下半身は、あれは蛇になってるのかな？

京極　絵巻に残っているのは濡れ女と呼ばれるものが多いんですが、よく人面蛇身で描かれますね。ただ、伝承の中の濡れ女・磯女はたいてい、ただの女です。あるいは下半身がぼやけているという。浜辺に出て、髪が長くて濡れている女性、という以上のものではない。赤ん坊を抱いていることもあると言われます。ですから、結局出る場所が違うだけで、みんな同じモノなんですよ。海辺

人面蛇身の姿で描かれた「濡れ女」
（『百怪図巻』）

にいれば磯女、柳の下に立っていればうぶめ、吹雪の日に出会えば雪女なんです。そう考えれば、うぶめや雪女に血を吸うという属性は見つけられませんから、磯女も吸血はしないのがスタンダードだったんだと思います。

いや、磯女に限らず、「血を吸う」という設定が付加されている「妖怪」は探せばいくつもあるんです。蛙も蜘蛛も血を吸いますよ。でも古文献に見られるものは、僕らがイメージする吸血鬼とは明らかに別物ですし、昭和以降に収集された口碑の場合は、逆に創作の影響下にあったりするわけです。最初にお話しましたが、昭和の初めごろには吸血鬼の登場する海外の映画や小説が既にある程度流通していたわけですから、話者や記述者の心情として、流行に乗って「血ぐらい吸わせたろか」と思って脚色しているという可能性は多分にあるんですよね。「屍肉を食らう」「人をとって喰う」「精を吸う」は古くから多くありますし、「油を絞る」もあります。しかし「生き血をすする」となると、首筋からちゅうちゅう吸う、というものではなくて、やはり「絞りとって飲む」じゃないかと思うんですけどね。磯女に関して言えば、「牛鬼」の手先と語られることも多いわけですが、牛鬼は人を喰う妖怪でもありますから、先に磯女に血を吸われちゃったらたまんないと思いますよ（笑）。

山口　じゃあ、やっぱり「日本には吸血妖怪はいなかった」という結論になるのかな。

京極　今日、私たちが想像するようなスタイルの「吸血鬼」はいなかったでしょうね。「生血を吸う」と説明される妖怪にはほかに、例えば「恙虫（つつがむし）」というのがいますが、これが恐れられたのは血を吸うことよりも、刺されると病気になると言われていたからです。のちに、その病気が実際にダニの一種による感染症に比定され、逆輸入的にそのダニがツツガムシと呼ばれるようになりました。『絵本百物語』ではこの恙虫が「つつがない」という言葉の語源だと説明しますが、反対に「つつが（病、災難)」を運ぶ虫だから「つつがむし」と呼ばれていたと考えたほうが良いかもしれません。

そもそも、「血を吸われることを恐れる」という考え自体が日本の文化習俗には合わないのかな、という考えは持っています。いずれ定義の問題なんでしょうが。アンデッドでありアンチキリストであり——そういう側面を無視し、殺された主の体から流れ出た血を舐めて復讐のために化ける猫をヴァンパイアと規定し、屍肉を食らう魍魎をグールと同一視して、双方を吸血鬼と見なすというのであれば、もういくらでもいることになる。さらに、その手のものはみんな「妖怪」でいいよ、俗説も創作も誤認も何でもありですよというのであれば、日本にも「吸血妖怪」はたくさんいることになります。でも、「妖怪」は「吸血鬼」ほどデーモニッシュではないよなあというのが、個人的な見解です。

吸血行為あれこれ

京極 吸血鬼の話をするなら、山口さんに聞こうと思ってたことがあるんですよ。小説の場合は文章と挿絵しかないのでまた解釈が別になるんでしょうが、映画だとクリストファー・リーあたりから長い犬歯が定番になりますよね。血を吸うときは美女を抱きすくめて首筋に噛みつく。あれって——どうやって吸ってるんですかね? 牙が刺さったままだと血は出ないでしょう。一回口を外してからチューチュー吸ってるんですか?

山口 いい質問だね(笑)。多分、あなたの言う通り一回牙を外さないと吸えないと思う。牙の長さにしても、日本のテレビ・ドラマ『怪談 吸血鬼紫検校』(一九七九年)に出てくる女吸血鬼なんて、サーベルタイガー並みの牙だから、牙を外すのも難儀だし、それ以前に、精確に頸動脈に牙突き立てられるのかよってツッコミを入れたくなる。これは、歯科大の教授に聞いた話なんだけど、犬歯のみが鋭い吸血鬼の顎は上下にしか動けず、我々が咀嚼しているような臼磨運動ができない。となると、肉食になるわけだが、今度は臼歯が尖っていないから、肉を細かく切断するのに大変な労力を要する。だから、吸血鬼は人間に噛みついて、血を吸うしか栄養摂取の手段がないんだとか。さらに、吸血行為自体も解釈は色々あって頭痛いのよ。首筋を噛むのは血を吸うためだけじゃなくて、吸血鬼の眷属（けんぞく）にするとき——相手の体内に吸血鬼の血やウィルスを注入する行為だとかさ。犬に噛まれて狂犬病に感染するイメージだね。そもそも、原典の『吸血鬼ドラキュラ』からして、そのあたり説明は曖昧で、例えば、ドラキュラ伯爵が、ロンドンに来て吸血するルーシーね、あの娘は噛まれた後、床に臥せって、いったんは死ぬんです、その後「不死者（アンデッド）」＝吸血鬼として甦る。だけど、ルーシーの死因がよくわからない。ミステリでも失血死とか簡単に言うけど、現実的には並大抵のことじゃないんです。例えば、六〇キロの体重の人間であれば約五リットルが全体の血液量ということになる。そういう平均サイズの人間が、失血によるショック状態に陥るのは一リットルを超えたぐらいの血液を失わなけりゃならない。さらに、命の危険が及ぶのは千六百ミリ・リットルを超えたぐらいからということになります。つまり、吸血鬼は我々が日常見かけているMサイズのペットボトル三本分以上の血を吸わなきゃ、犠牲者を「不死者」にできないわけ。これは、チューチューどころかゴクゴクやっても追いつかない大食いチャンピオンの世界ですよ（笑）。——まあ、そうはいっても、あなたが言うように、妖怪譚もホラーも、わけのわからんものが、わけのわからんことをして、わけのわからんまま終わってしまうのが、本来の姿だから、古典や先行作については、細かい整合性はスルーでいいんじゃないかな。ともかく、現代において吸血鬼譚を書くのは面倒ですよ。僕が書いた『古城駅の奥の奥』では、フリンジ・サイエンスの《ウイルス進化論》を採用しました。

──それはともかく、首に噛みつく吸血行為は、整合性云々よりもヴィジュアルのインパクトを重視する映画の演出から広まったんだろうけど。(註4)

京極　あのスタイルで固定される前の吸血鬼は、どうやって血を吸ってたんでしょうね。例えば日本だと河童は尻を狙います。尻に手を突っ込んで尻子玉を抜くとか、内臓を抜くとか、尻に吸い付いて臓物を吸い出すんだとか──まあそうなれば一緒に血も吸うのかもしれませんが。いや、血を吸うという記述もあることはある。

山口　そうなんだ(笑)。下半身から血を吸うなら、大腿の大動脈でも狙った方が効率良さそうだけどな。太腿に咬みつくといえば……ポランスキー監督の『恐れ知らずの吸血鬼殺しども(原題直訳)』の中では、腕・脚・腹に咬みついて効率よく全身の血を吸い尽くしています。あと……『トゥルーブラッド』というテレビ・ドラマでは、人間の娼婦がヴァンパイア族と性交時に、太腿に牙跡を付けられている。この作品のヴァンパイアは好色でね、女性の下腹部を指さして、「そこの血がいちばん旨い」とか宣うんだ。それから、この作品の人間どもはクズ野郎で、ヴァンパイアの血を搾り取ってVドラッグとして密売するんだ。エクスタシーのような快感が得られるとか言って。

尻から吸うケースというのは、菊地秀行さんが、何かの資料で読んだことがあると言っていたけど、タイトルは明記されていなかったとのことなので、多分、エクスプロイテーション映画の類だと思う。

僕が覚えている中では、バウハウスという七一年の英国のロック・バンドはゴシック・ロックをウリにしていて、リーダーのピーター・マーフィーは吸血鬼のイメージでステージ・パフォーマンスをしていた。実際ソロになってから、吸血鬼映画『エクリプス/トワイライト・サーガ』に、人狼族と敵対するヴァンパイア族《コールド・ワン》役でカメオ出演している。そのバウハウスに《Bela Lugosi's Dead》というシングル・レコードがあって、後に《Bela Session》としてEP盤にまとめられるんだが、そのなかに尻関係の《Bite My Hip》という曲があるのを確認しているんだけど。でも、歌詞を読むと、吸血鬼は直接出てこなくて、これは、単なる卑語スラングの類かも。ところで、このバウハウスのEP盤のジャケ写に使われている大蝙蝠が翼を広げた大迫力のシルエット写真、多分、古いサイレント映画から採用したものだと思われていたんだが、名だたるホラー・ファンの間でも長らく特定できていなかった。あの菊地秀行さんでも、何かの本で見た記憶があるというくらいでね。それが、今回、僕の調べで突き止めることができた——何と、『國民の創生』のD・W・グリフィスが一九二六年に監督した『The Sorrows of Satan』という——奇跡的に残っていた一時間半の長尺のフィルムを観たんだけど、映画自体はホラーというより、恋愛メロドラマの大筋に吸血鬼が絡むという退屈なシロモノだったけど、大蝙蝠が翼を広げる影のシーンは名場面として残ると思う。ちなみにこの映画の原作者マリー・コレリの作品は、実は日本でも読まれていて、黒岩涙香と江戸川乱歩が、二度にわたって翻案した『白髪鬼』は彼女の作を基にしているんだね。

Bauhaus "Bela Lugosi's Dead"

尻からの連想で、ついでに下ネタ例を出しておくと、『Vampire Hookers』というエクスプロイテーション映画の吸血娼婦は、米海軍水兵を相手に

（註4）小説の方では、一九世紀末、ポリドリの『吸血鬼』で「首に噛みつく」というイメージがヨーロッパ中に広まっていった。（山口）

して4Pプレイに誘い、男性器を吸うんだが、血ではなく別のものを吸っているね。そのために、ヴァンパイア・マスター（ユニヴァーサルでドラキュラ伯爵をやったジョン・キャラダインが、なかなか好演してるんだが）に「血ィ吸わんとダメよ」と叱られてしまう（笑）。女吸血鬼が男を相手にすると吸血よりも吸精の方向に行きがちということ。本書収録の短編にも、その手のエロいのがあるが、ネタバレになるのでタイトルは言わないでおこう。

それから、吸血行為とエロの組み合わせで思い出すのは、東京12チャンネルで放映された日本名作怪談劇場の和製吸血鬼ドラマ『怪談　吸血鬼紫検校』では、奥女中の胸をはだけて乳房の上を吸ってたね。同番組には当時流行っていた日活ロマン・ポルノ出身の女優が出ているから、まあ、その手のものが好きな人のためのサーヴィス・カットという脳内解釈でスルーしたんだが（笑）。西洋のヴァンパイア映画でも、カーミラみたいな女ヴァンパイアが女性の犠牲者に咬みつく時は、乳房の上あたりに牙跡を残す例（『バンパイア・ラヴァーズ』等）がある……これも、まあ、サーヴィス・カットの内なんでしょうが。

仮に尻から吸っても夾雑物が混入して血液も不味いんじゃないのかと思うんだが、吸血鬼も意外に味にはうるさくて、B型の血液優先で吸うなんていう映画もあったよ。

『インタビュー・ウィズ・ヴァンパイア』のヴァンパイアは美食家で、美しい令嬢、金持ちの美少年、貴族の血を賞味、それらの人々がワルだと、いっそう旨いらしい。その手の極めつけが、ウォーホール監修の『処女の生血』。あの作の病弱な吸血鬼は処女の血じゃないとダメで、非処女の血を吸うと激しく嘔吐しちゃうところに、われわれは爆笑したもんです。――ほら、あの映画が作られた七十年代初頭は、ヒッピーのフリーセックスの風潮が世界を席巻していたわけだから、大方の若者の観客は「そこらに処女なんているわけないだろ」とツッコミを入れて笑っていたわけ。

京極　河童も紫色の尻優先だと伝える地方もありますよ。まあ、尻を狙うのは死後、時間が経って肛門括約筋が弛緩した溺死体を見た人が「尻から何か抜かれたみたいだ」と考えたのが起源という説が根強いですが。

山口　なるほど、なんにでも理由があるわけだ。――ところで、今度、磯女で短編を書くって言ってたじゃない。本当ならこの本に書いてほしかったんだけど。その京極版『磯女』の中では血は……？

京極　吸いませんよ。

山口　ああ、やっぱり、考証万全で行くと……どんな話か切に聞きたいけど、ネタバレになっちゃうと悪いからやめておきましょうか――磯女の属性の話をもう少しすると、海にいて男を誘惑するというキャラクターは、『オデュッセイア』に出てくるセイレーンを思わせるよね。

京極　磯女はあんまりハニートラップを仕掛けないですね。日本にも「人魚」はいますけど、あまり美形はみかけないかなあ。ただ日本の人魚も鳴きますしね。人面魚身だと、「神社姫」はわりと可愛い顔をしているようです。これは湯本豪一（ゆもとこういち）さんが言うところの予言獣の一種ですね。最近流行りのアマビエの仲間です。ただ予言獣って「予言をした」と書かれた記事はあるんだけれど、それが当ったという後追いの記録はほぼないんですね（笑）。

山口　駄目じゃん（笑）。

京極　アマビエに至っては、「熊本に現れた」と書かれたかわら版が一枚残っているだけですよ。当の熊本にはそんな伝承はないという始末です。おそらくあれは都市部で売られたものなんでしょうね。明治くらいまでは、妙なできごとは遠方で起きたことと書いておけばバレないだろうというような適当さがありましたから。九州あたりと書いておけば誰も確認できないだろうと踏んで記事を書いたんじゃないかと。想像ですが。

山口　なるほどね。そういうあからさまな捏造じゃなくても、飛縁魔の吸血みたいな誤読や混同は西洋にもあって、セイレーンは元々、下半身は魚じゃなくて鳥だったらしいのね。ギリシャ語だと「羽」と「鱗」は同じ単語なんだって。

京極　下半身が鳥だと、ハルピュイアと重なりますね。うぶめと同定された中国の姑獲鳥にも近いイメージになる。

山口　半人半獣とか、「恐怖」に共通する根源的イメージというのがあるんだろうね。

京極　突出したクリエイターが、汎用性があって完成度の高いビジュアルなり設定なりを発明すると、雑多だったイメージがそれ一色に塗り替わるというのもありますよね。水木しげるもそうだし、ブラム・ストーカーやメアリー・シェリーもそうでしょう。

山口　京極さんもそのひとりだよ。だって、今はどんなパソコンでもスマホでも「うぶめ」と打ったら「姑獲鳥」と出てくるんだもん。これは絶対にあなたの影響大だと思うよ。

京極　元々当て字なんですけどね（笑）。それを思うと、やっぱりストーカーの創ったドラキュラって偉大なんですよ。何か観たり読んだりするたびに思います。

山口　未だに全世界で今現在も通用するイメージだもんね。同じ往年のムーヴィー・モンスターでも半魚人は地域限定の制約があるし、フランケンシュタインの怪物も、「生命の創出」や「臓器移植」というテーマと考えると、現代の科学技術が発展するにつれてリメイクするのは面倒ということになるのかもしれない。

京極　半魚人は可哀想ですよ。あんなに出来が良いのに。

山口　あの造形好きなんだ。デル・トロ監督が『シェイプ・オブ・ウォーター』（二〇一七年）で、半魚人のアップデートを描いていたね。あれは、人間ドラマの面でも感動的な、いい作品だった。

京極　『大アマゾンの半魚人』（一九五四年）には、半魚人がニューヨークに連れてこられる3Dの続編（『半魚人の逆襲』一九五五年）のあとに、日本未公開の第三弾もあるんですよ（『The Creature Walks Among Us』

一九五六年）。半魚人から手術で水生の部分を取り去っちゃうんですが、それってただの「人」じゃん！と。企画としてもそれで打ち止めですからね。名作なのに。

山口 その手の映画で言うと、この前『怪奇！吸血人間スネーク』（一九七三年）を観たよ。『吸血怪獣ヒルゴンの猛襲』（一九五九年）のコワルスキー監督の。

京極 ああ。酷かったでしょ（笑）。

山口 いや、『吸血怪獣ヒルゴン』はAIPだと知っていたから覚悟して観たんだけど、けっこう脚本はしっかりしてたよ。『吸血人間スネーク』のほうは、中盤までは半人半蛇の形態で、いいムードなんだが、最後に正体を現すのは……あなたの言う通り、ただの「蛇」じゃん！　ということでガックリ（笑）だった。

――今回は菊地秀行さんと一緒に、古今の吸血鬼映画のベストを選ぶ企画もやったんだけど、京極さんの好きな吸血鬼映画も訊きたいな。

京極 僕、ベスト10とか選べないんですよ。良い映画はもちろん良いし、酷い映画も酷いなりに面白く観られるし。好き嫌いがないので、ランキングも嫌いなんです。

山口 別に順位なんてつけなくて良いからさ。

京極 映像作品で印象に残っているものだと、例えば『髑髏検校』（一九八二年）ですかね。横溝正史が『吸血鬼ドラキュラ』を翻案した同名作のドラマ化です。

山口 ああ、フジテレビの時代劇スペシャルで放映した田村正和主演のやつね。あれは、八〇年代の作品で――当時、テレビが壊れたまま放置していたから、僕は観ていないんだよ。ソフト化もされていないみたいだし……『髑髏検校』が原作なら是非観てみたいんだが。ところで、あなたが前に教えてくれた緒形拳主演の『咬みつきたい』（一九九一年）は、一箇所面白いなと思ったところがあって、吸血鬼になった緒形拳がテレビカメラの前で、殺し屋を羽交い絞めにして罪を告白させるシーンで、テレビの視聴者には吸血鬼の姿は映らないから、殺し屋が自白しているように見えるというって描写――「吸血鬼は鏡に映らない」というお約束をそう表現するのか、と思って新鮮だったね。でも、あのキャストなら天本英世に吸血鬼を演ってほしかったな。

京極　ははは。そうですね！　というかですね、日本の吸血鬼俳優と言えば「血を吸う」シリーズ（一九七〇～一九七四年）の岸田森がいます。

山口　そう、岸田森サイコー！　それと新東宝『女吸血鬼』（一九五九年）の天知茂ね。日本の吸血鬼はこのふたりで決まりだね。ふたりとも頬がコケて目が死んでるのが良いんだよ。

京極　まあ、特撮好きとしては、円谷プロ作品をはじめ数多のテレビ特撮番組が「ドラキュラ」をモチーフとした怪獣や怪人、宇宙人をポコポコ生み出しているわけで、それは掬い上げたいところですが。後、僕がもう一度観たい作品としてはウィルスが混入した血液を輸血されて吸血鬼になっちゃうタモリ主演のドラマ『なぜか、ドラキュラ』（一九八四～一九八五年）。ソフト化もされてないんですよ。

山口　それも、観てみたいな。タモリ、サングラス外して赤い眼を晒すのかな？　結構怖そうな気がするが、まあ、お笑いの方向のお話なんでしょうけど。現代に現れたドラキュラということなら、僕はハマーの『ドラキュラ'72』（一九七二年）が結構好きで。

京極　クリストファー・リーとピーター・クッシングの、ハマー・ドラキュラ第一作以来の久し振りの共演作ですね。二十二本もの映画で共演して黄金コンビと呼ばれるふたりですが、意外にもリーがドラキュラ伯爵役、クッシングがヘルシング博士役という組み合わせで登場するのはたった三作だけですからね。

山口　ドラキュラとヘルシング教授が戦う映画の見どころは、結局ラストに尽きるんだよね。どうドラキュラを倒すか。どの映画だったか（『吸血鬼ドラ

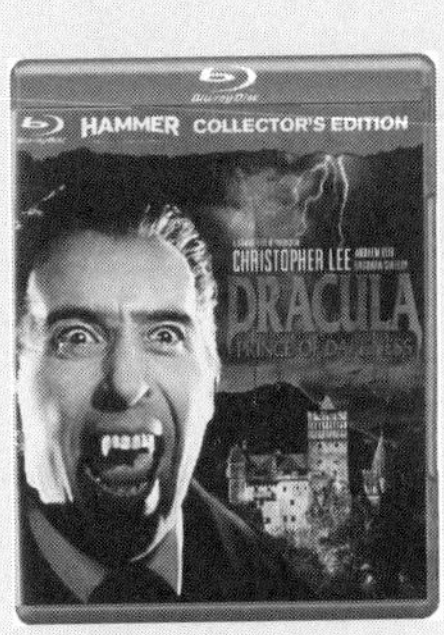

リーのドラキュラは血走らせた真っ赤な眼が印象的（『凶人ドラキュラ』北米盤ブルーレイジャケットより）

キュラの花嫁』／一九六〇年）、風車小屋で風車の羽根を動かして影を十字架にしてやっつけるっていうアイディアには、子供心に驚いたね。倒し方に奇想があったり、アクションやサイエンスをうまく組み合わせた作品は面白いね。

京極　毎回、雷に打たれたり、凍った川で氷の中に落とされたり。まあ、結局、ハマーのシリーズのドラキュラって、しつこいけどわりと弱い（笑）。クリストファー・リーの背の高さと血走った眼の顔芸だけで保ってるようなところもあります。

山口　そういう「アリモノでいかに退治するか」というアイディアを色々詰め込んだ作品だと、ジョージー・クルーニーとタランティーノが銀行強盗のヴァンパイア・ハンター役で出ている『フロム・ダスク・ティル・ドーン』（一九九六年）が面白かったね。酒場に閉じ込められた人たちが、聖水を物置にあるコンドームに入れて火炎瓶代わりに投げつけるとかね。それと、あなたの言うように、ドラキュラは弱点が多いんだけど、クリストファー・リーの顔芸は、やっぱり凄い。あの人が咬みつくシーンは、弱点を補って余りある迫力だね。幼体のエイリアンが顔に張り付くみたいな、もう逃げられないぞ——っていう怖さがある。

京極　でも、今までの話でも分かる通り、吸血鬼映画って、かなり前からシンプルな「怖さ」を重視したものが減ってる気がするんですけどね。

山口　ムーヴィー・モンスターって、二作目以降は「見慣れたもの」になっちゃってるから、もう「怖くない」んだよね。

京極　だからこそ、原点に返った「怖い吸血鬼映画」を誰かつくってほしいなあ。

山口　御意でござる。……しかし、そもそもさ、あなた自身は怖いものなんてあるの？

京極　はあ。泥棒とか、殺人犯とか。暴れゾウとか。実際に生命が脅かされたり危害が加えられたりするのは嫌ですよ。

山口　ゾウが怖いの？（笑）　僕はやっぱり、さっき言った金城屋亨右衛門みたいな人がそばにいたら怖いな、と思うんだよ。人間の心理がいちばん怖い。その意味で、ドラキュラ伯爵は社会倫理的に悪くないとさえ思う。一族を増やすためという正しい目的で吸血して眷属にした女性には永遠の美と命を与えるし、責任をもって面倒見るわけでしょう？　それなら、人間の連続変態レイプ犯のほうが、よっぽど、ワルいと思うぞ。

京極　レイプ犯はなんであれ断固糾弾すべきです。犯罪は裁かれるべきですよ。しかし行動に移すか否かを別にすれば、人は誰しも心中に金城屋のような闇を抱えているもので。まあ僕は、その方面には割と慣れているというか（笑）。

山口　その一端は僕も目撃してるけど（笑）。あなたの小説を読むとさ、怖いものなしだけじゃなくて、「なんにも信じてないんだな、この男は」って思うもの。幽霊も妖怪も陰陽道も、何も本気にしてないでしょ。ニーチェが言うところの能動的ニヒリストだよね。

京極　確かに、自分すら信じてないですね（笑）。

山口　何も信じずに、能動的に「仮象」を創り出す能動ニヒリズム的行為は、小説を書くという行為にも通じることだから、これすなわち、腕のいい小説家なんだよ、あなたというご仁（じん）は。――ともかく、有意義な対談でした。ありがとう。

PART II
日本人作家編

井原西鶴
山口雅也
澤村伊智
新井素子
菊地秀行
丸尾末広

紫女

井原西鶴

須永朝彦 訳

A SWEET AND PAINFUL KISS
VAMPIRE
COMPILATION

井原西鶴（いはら・さいかく）

一六四二?～一六九三

紀州の生まれと伝わる。はじめは俳諧を志し、談林派を代表する俳諧師として名を成す。奇矯な句風は阿蘭陀流と称された。一六八二（天和二）年、『好色一代男』を発表し、草双紙（絵入り小説）作者に転身。庶民の生活を生き生きと切り取り、人間の欲望や喜怒哀楽を鮮やかに描いた作風はそれまでのいわゆる「仮名草子」とは一線を画するものであり、のちの「浮世草子」の嚆矢とされる。その他代表作に『日本永代蔵』『世間胸算用』など。元禄文化を代表する作家と位置付けられる。

「紫女」が載る『西鶴諸国ばなし』は、諸国の珍譚・奇譚を集めた説話集。人間心理の奇妙さと奥深さを探求した西鶴らしい仕事である。五巻五冊・全三十五話。

（編集部）

筑前国袖の湊（博多港の旧称という）という所は、そのかみ和歌に詠まれた（例えば『伊勢物語』第二十六段に「思ほえず袖の湊の騒ぐかな唐土船の寄りしばかりに」など）頃とは様変り、今は人家が立ち並び、数多の肴棚（魚店）が出ている。この湊に、磯臭き風を嫌い、常精進（魚鳥を食せず身を清らかに保つ事）に身を固め、仏の道のありがたさに深く思いを致し、三十歳となる今日まで妻も持たず、世間には武勇を立てると見せ、その実は出家心（遁世を願う心）を抱く男があった。不断座敷（常の居間）を離れて、年を経た松や柏の繁る深山の如き所に一間四面（三三〇平方糎）の閑居を拵え、定家机（歌人達が愛用した机）に向い、二十一代集（全ての勅撰和歌集）を明暮書き写していた。

折から冬の初め（太陰暦の十月）なれば、古えの藤原定家が時雨の亭（定家が営んだ四阿風の小家）にて歌読む様に思いを馳せていると、物寂しき突揚窓（棒を以て突き上げて開ける窓）の外より、優しき声にて「伊織さま」と男の名を呼ぶ者があった。普段、女などが来る所ではないので、不思議に思い様子を見れば、総身紫の未だ脇明の衣裳（「脇明」は未婚の女性が着用）を纏い、捌き髪（下げ髪）の真中を金紙にて引き結んだ女が立っており、その美しき事は何ものにも譬えようがなかった。これを見るや、伊織は、年来の志も忘れ、ただ夢の如き心地に襲われ、現を抜かしてしまった。

時に、女は内裏羽子板（京都製にて一対の男女を描く）を取り出し、独りで羽根を突き始めた。伊織が「それは姫突と申すものか」と申せば、「男も持たぬ身を娠などと仰せられては、浮名を立てられまする」と答え、切戸（潜戸）を押し開けて座敷に走り入り、「誰とても、お触りなされば抓りまするぞ」と言いざま、しどけなく横たわった。自ずと後ろ結びの帯も解け、紅の二布物（腰巻）が仄かに見えた。女は目を細め、「枕というものが欲しい、それが無くば、情を知る人の膝が借りとう存じまする。辺りに見る人は無し、今鳴る鐘は九つ（午前零時頃）、夜も更けたれば……」と誘う体である。厭とは言えぬ首尾（成りゆき）となり、男は俄に身を悶え、「如何なる御方にござるか」と尋ねもせず、若さに任せて契りを交し、語らううちに、早や曙を迎えた。後朝の別れを惜しみ、「さらば」と出て行く女の姿を幻の如く見て悲しみに襲われ、再たの夜が待たれるであった。

かくて、人にも語らず、契りを重ねていたが、未だ廿日も経たぬというのに、己は知らず、次第に痩せ衰えて行くのを、懇意なる道庵と申す医師に見咎められた。道庵が脈を取って見ると、思うに違わず陰虚火動（腎虚。過淫に因る衰弱）の気色なれば、「さても、頼み少なき（命が危うい）御身の上にござる。日頃は嗜み（慎み）深き方と御見受け致せしが、さては隠し女でも拵えてござるか」と尋ねると、「いや、左様な事はござらぬ」と答えた。そこで、道庵が「知らぬ給わぬは心得違いと存ずる。今は御命の程も危うござる。常々格別なる御昵懇を賜わりながら、このまま見捨てて、見殺しに致したと世間に取沙汰さるるも迷惑なれば、今より後、御出入りの程は御免被りまする」と申して立ち行かんとすれば、伊織は「今は何をか隠すべし」とて、事の次第を段々に打ち明けた。

一伍一什を聞いた道庵が暫く考えた後、「これぞ世に言い伝うる紫女と申す者にござろう。これに思い憑かれし事は、実に因果にござる。人の血を吸い、一命を取りし例もござれば、兎も角も、彼の女を切り殺しなされ。さもなくば、彼の者を止むる事叶わず、また養生の便り（方法）もござらぬ」と勧めたので、伊織は驚き、迷いを去って本心に立ち返り、「如何にも如何にも、知る辺も無き美女の通い来るなど、思えば恐ろしき事にござる。是非にも、今宵、討ち止むるでござろう」と覚悟の程を示した。

さて、夜も更け、伊織が油断なく待つところへ、件(くだん)の女が袖を顔に押し当てて現れた。「さてもさても、これまでの御情に引きかえ、妾(わらわ)を切り給わんとの御心底、恨めしゅう存じまする」と言って近寄るところを、抜き打ちに畳みかけて切りつけるや、女はそのまま消え消えになりつつ逃げ去った。薄くなった女の影を追って行くと、橘山（立花山）の遥か奥の木(こ)深(ぶか)き洞穴の中に隠れてしまった。その後も、紫女は伊織に執心を残し、浅ましい姿を見せたので、国中の道心者（仏家・在家の修行者）を集めて弔うたところ、驄て姿を見せる事もなくなり、伊織も危うき命を助かった。（巻三の四）

夢魔で逢えたら

山口雅也

A SWEET AND PAINFUL KISS
VAMPIRE
COMPILATION

「夢魔で逢えたら」

「夢魔で逢えたら」は、『生ける屍の死』発表直後に執筆されながら、二〇一九年に初期作品集『ミッドナイツ』（講談社）に収録されるまで日の目を見ることがなかったという「幻の中編」。山口の手により偶然、三十年ぶりに覗いた収納庫から「発掘」された同作の面白さは、担当編集者が既に確定していた『ミッドナイツ』の台割とスケジュールを変更してまで急遽、掲載を決めたほどだというから折り紙付きだ。

本作の執筆から発掘までの詳細な経緯は、『ミッドナイツ』の自作解題にて読むことができる。

（編集部）

「夢は短い狂気、狂気は長い夢」

ショーペンハウアー

赤い滴りが唇の端から溢れた。温かく濃厚な液体が咽喉をゆるゆると流れ落ち、焼けつくような渇きを癒してくれる。頭の芯で歓喜のベルが鳴り、胸の奥が甘い陶酔で満たされるのを感じた。唇の下で相手の頸動脈が快いビートを刻み、そのうねりがしっかり喰い込んだ牙を通して伝わってくる。

私は血のビートに身震いするほど酔い痴れるリズム・クレイジー。貪るように新鮮な《生命》を吸い続け、血のリズムに合わせて私の咽喉もスウィングする……。

安っぽいステンド・グラスを模した窓ガラスの向こうで、壊れかけたラヴ・ホテルのネオン・サインが痙攣したように点滅している。私の腕の下で男の身体も激しく痙攣した。

――そろそろ潮時かもしれない。

しばらくすると痙攣も止まり、頸動脈を浮き立たせていた生命のパルスが弱まりつつあるのがわかった。私は急に獲物に飽きた気まぐれ猫のように男を突き放すと、ベッドの上で上半身を起こした。深い息遣いとともに牙の先から数滴の血が滴り落ちる。

暗い室内に、窓からネオンの青い点滅が差し込み、ベッドのシーツは死んだ男の顔色と見まがうこと蒼ざめていた。シーツに散った血は、まるで枯れ落ちた薔薇の花びらのようによそよそしい。

蒼ざめたシーツから目をあげて、ベッド・サイドのちゃちなデジタル時計を見る。

3：45

まずい。ここから家まで車をとばしても一時間はかかる。二人きりになるのに存外時間がかかってしまった。ベッドに横たわっている男は、その好色さに比例して警戒心のほうも強かった。彼の性衝動（リビドー）が警戒心を呑み込んだのは、午前二時をはるかに過ぎたころだった。しかし、今さら悔いてもはじまらない。

――急いでここを立ち去らねば。

私は下着を直すと、慌てて床に落ちている黒薔薇模様のブラウスを掴みあげた。もどかしくなってボタンを留めながらあたりを見まわす。指紋のことは気にしなくともいいだろう。それよりも、早く車のキイを見つけなければならない。私は椅子の背に掛けられた男のズボンのポケットを探り、目的のものを手に入れた。

車のキイを握って少し安心すると、ティッシュで唇の端の乾きかけた血痕を拭い取った。出がけにそのティッシュをトイレに流し、私はいよいよ部屋を後にすることにした。

――誰にも見られてはいけない。暗い廊下を急いで通り抜け、駐車場に回る。がらんとした場内の隅に駐めてある、ありふれたベージュのファミリーカー。後ろのシートには子供の野球帽がある。プレイボーイを気どった中年男には似合わない車だったが、これなら目立たずにすむ。私はもう一度あたりを見まわしてから車に乗り込むと、手早くキイをひねった。

グレイの国道が、車のスピードに呼応して陰気な河のように流れていく。ラヴ・ホテルから遠ざかるにつれ、次第に気分が落ち着いてきた。三つ目の信号は、それまでしてきたように無視することもなく、おとなしく車を止めた。

再び気持ちを沸き立たせるような信号の赤い光を眺めながら、細巻きの葉巻（シガリロ）に火を点ける。煙を深々と吸い込み、一服楽しんだ後、灰を落とそうと手を伸ばした時、シガリロの吸い口が赤く染まっているのに気づいた。ルージュの色ではない。舌で口の中をさぐると、まだヌルヌルしているのがわかった。部屋を出る前に、口をすすいでおけばよかった。今度から、そうしよう。

信号が、気分を落ち込ませる青(ブルー)に変わった。私はシガリロをもみ消すと、急いでアクセルを踏んだ。車が夜の街路に悲鳴を響かせて走り出す。黙して語らぬ建物は生者の棲む墓石。そして前方には、私をスウィート・ホームへ誘う道が、冥路のように浮かびあがっていた。

4:45

腕のデジタル時計が闇の中で忠実に電子の時を刻んでいた。きっかり一時間。どうやら間に合ったようだ。私は満ち足りた溜め息を漏らすと、車から降りて、目の前の我が家を見上げた——東京の郊外にある、戦前に建てられた古い屋敷。今では忘れ去られ、朽ちかけた洋館——小さな東京駅といった外観の理想的な隠れ家だった。私は玄関ホールに入ると、急いで地下の寝室へ向かった。寝室のマントルピースの上に置かれた燭台の蝋燭は、すでに燃え尽きていた。これでいいのだ。灯火を吹き消す手間が省ける。私の目には、暗視スコープみたいに、寝室の暗闇の中でも物を見分ける能力があった。

ようやく、重厚な杉の棺の蓋を開けることができた。薔薇色のビロードを張りつめた心地よい棺の中に横たわり、思い切り背筋を伸ばした。館の棺に帰るといつも思う——ここはまるで地獄の底のように落ち着くと。

今夜も素敵な時を過ごした。目眩(めくるめ)く一日だった。私は疲れて重くなった瞼を閉じ、深い眠りに陥(おち)ていった……。

*

目を開いて、最初に視界にとびこんできたのは、天井に描かれた薔薇の花だった。冴子(さえこ)は鼻を鳴らすと、再び目をつぶって、もぞもぞと布団の中で背を丸めた。動悸が少し速まっているのがわかる。汗ばんでいるような感覚もあった。

まもなく、枕もとの目覚ましが、彼女の耳にサディスティックな警告を浴びせかけた。冴子は、隣に寝ている娘が愚図るような呻き声をあげたので、それを機に、無理やり瞼を開いた。また薔薇の花が目に映った。しかし、それが描かれたものでないことは、別に仔細に観察しなくともわかっていた。

ここに引っ越してきた時からある厭な染み。くすんだベージュ色のありふれた天井を汚している、古ぼけた染みだった。

――薔薇の花模様に見えるのが、せめてもの救いだわ……。

冴子は、この六年間、毎朝同じように繰り返す思いを振り払うように、布団をはねのけた。脇の下あたりで毛布にくるまっている娘が情けない鼻声で母親を呼ぶ。五歳児だというのに、いまだ母親の添い寝を求める、手のかかる甘えん坊……。

目覚ましを見ると6：30を示していた。すぐにでも起きて幼稚園のお弁当を作らねば。そして、きっかり一時間後には、寝坊の夫を揺り起こさねばならない。おまけに、今日は分別ゴミを出す日……また決まりきった一日が始まるのだ。冴子は溜め息をついて起きあがった。

歯を磨きながら鏡の中の顔を渋々眺める。決して醜くはないが、かといって街中で男たちが振り返るほどでもない平凡な顔。一週間前、顎の下に脂肪がつき始めたのを発見してからは、自分の顔を見るのが、いっそう厭になっていた。

結婚して六年。高校時代は美術とテニスのサークルを掛け持ちしていた冴子も、今では、身体を動かすようなことは何もしていなかった。結婚当初は日曜ごとに夫とテニスなどをしていたが、夫は仕事が忙しくなるにつれ、週一度のスポーツもおっくうがるようになっていた。

冴子のほうも、娘が生まれてからは、運動どころか、好きだった映画やコンサート、展覧会の類いまで、とんとご無沙汰するようになってしまった。別に、そのための時間、経済的余裕がないというわけではなかった。夫と娘を送り出したあとは自分の時間が持てたし、夫の給料は驚くほど高額というわけではなかったが、さりとて共働きで汲々としなければならないほど低くもなかった。ただただ、決まりきった日常が、退屈きわまりないマンション生活が、平凡な家事に明け暮れる日々が、冴子のそうした趣味嗜好への情熱を搦め取っていくように思えた。

　冴子はゾッとして口の中にたまった歯磨きの泡を洗面台に吐き出した。

　白い泡に、薄く血の帯が混じっている。

　冴子は血を眺めながら、恐る恐る歯茎に指を触れてみた。――歯茎の色や感触からすると別になんともないように思える。だが、次の瞬間、冴子の脳裏にある記憶が甦ってきた。

　血……また、あの奇妙な夢を見た。このあいだと同じ不気味な血まみれの夢……。どこか具合でも悪いのかしら……歯周病ではないはずだ。循環器系の……血液か心臓？　夢を見たあと、動悸が激しくなっていたけど……いや、違う――冴子は安直な答えのほうに与した。

　――やっぱり、無意識に歯科治療のことが気になっていて、あんな夢を見たのかもしれない……。

「マーマぁ……」パジャマ姿の娘が目をこすりながら起き出してきた。思いを中断された冴子は、急いで口をすすぐことにした。

　娘を幼稚園に送り届けた帰り途（みち）、いつものように同じマンションの二人の主婦たちと一緒になった。ひとりは冴子よりひとまわり年長で、でっぷり太ったマンションのボス的存在。夫が二、三軒のレストランを経営して金まわりがいいせいか、いくぶん傲岸不遜な態度をとるのが常だった。もうひとりは、冴子の一階下に住む公務員の妻で、痩せて覇気がなく、いつもボスの下にくっついて歩く影の薄い女。二人とも、もし娘が同じ幼稚園に通っていなければ、とてもつき合いたいと思うような相手ではなかった。

「松山（まつやま）さんもいらっしゃるでしょ？」

——そら、今日もきた。ボスのお誘いだ。これから彼女の部屋で、ひとしきり井戸端会議が始まるのだ。表面上は軽い誘いの言葉だったが、裏には有無を言わせぬ強い響きが込められている。三度に二度は洗濯やら何やら口実をもうけて断るのだが、今週はあいにく、すでに二度断っている。今日はノルマの日というわけだ。冴子はうんざりした気分を悟られないように、なんとか笑顔を取り繕いながらうなずいた。

豪田という名のそのボス猿の居間で、三人はいささか薄すぎるティーバッグの紅茶をすすりながら、とりとめのない話を続けた。ほとんどが豪田夫人の独演会だったが、痩せた子分は大げさに反応して、ボスのご機嫌をとり結んでいる。冴子は二人の会話にときどき相槌をうつ程度で、いつ帰るきっかけをつくろうかと、そればかりを考えていた。

「ねぇ、松山さん、聞いてるの？」

豪田夫人の叱責するような強い口調に、冴子は思わず我に返った。

「え、ええ、ごめんなさい。昨夜よく眠れなかったらしくて、ちょっと……」

子分がその場を取り繕おうと二人の間に入った。

「そうね、確かに顔色がよくないんじゃない？　豪田の奥さんはね、あなたに浮気したことがあるかって訊いてるのよ」

井戸端会議の話題が、いつの間にか妙な方向に向いていた。冴子は唐突で不躾な質問にどぎまぎして、口ごもった。豪田夫人はそれを見ると、見当違いの浅はかな優越感を顔に表して言った。

「松山さんは無理よねぇ。あなた、ちょっと真面目すぎるし、それに、そんなことするには、ここが……」人差し指をこめかみのあたりに突き立ててニヤリと笑う。「およろし過ぎるんじゃない？」

子分が、がさつな笑い声をたてて同調する。

「あはは、そーそ、松山さんは、いい大学を出ているし、まあ、アレよ——理性が邪魔をするっていうタイプなのよね」

冴子は曖昧な表情のまま黙っていることにした。

二人は冴子の反応が期待に添わぬとみるや、彼女そっちのけで、また自分たちの話題に戻った。豪田夫人はここ数年の自分の性愛がらみのアバンチュールを、さも重大な秘密のように声を潜めて話し、子分はだらしなく口を開けて、その誇張された物語に聞き入っていた。さすがにうんざりした冴子は、お昼の支度があると言い訳をして、豪田夫人の部屋を出ることにした。

――隠し事が顔に出ぬうちに帰らねば。あのことがこんな連中に知れたら、それこそ……。

のっぺりした顔の男が、幸せ薄そうな女を陳腐な科白で口説いていた。

冴子はテーブルに頬杖をついてテレビの昼メロ・ドラマを見るともなしに眺めながら、ぼんやりと回想に耽っていた。

一度だけ、理性が邪魔をしなかったことがあった――と言うより、あの時は理性が麻痺してしまったとしか思えなかったが。

まだ、ひと月も経っていない。近所の貸ビルに新しい歯科クリニックが開業して、ちょっとした評判になっていた。マンションの噂雀（うわさすずめ）たちによると、なんでも「先生が、とってもハンサム」ということだった。いつもなら、そんな噂話など聞き流してしまう冴子だったが、ちょうどそのころ、親知らずに悩まされていたので、場所が近いこともあって、その歯科クリニックへ行ってみることにした。

予約した六時に歯科を訪れた冴子は、少々奇異な感じを受けた。完全予約制の遅い時刻なので、彼女が最後の患者なのか、ほかに誰も待つ者がいない待合室――そこには、いっぷう変わった室内装飾が施されていた。普通なら、機能主義的に不必要なものは一切置かず、清潔だけが取り得という待合室が多いのだが、ここは違っていたのだ。

三方の壁は深みのある赤い薔薇の花模様の綴織り（タピストリー）でおおわれ、床もその花びらと同じ色調の絨毯が敷きつめられていた。部屋の中央には優美な曲線をもったロココ調の長椅子があり、海獣の象眼を施した脚を持つサイド・テーブルと典雅な均衡を保っていた。

　天井を見あげると、そこにも凝った装飾が施されていた。貸ビルの一室にしては妙に高く感じる天井には、一面に絵が描かれていた。一見、宗教画かなにかのように映ったが、これまた医療施設にしては薄暗い間接照明の中で目を凝らして見ると、どうやら違うようだ。描かれているのは何人もの半裸の男女で、彼らはボッシュが描きそうな厭らしい表情を浮かべて、それぞれの快楽に耽っていた。そして、その快楽の園の中央では、キリストでもゼウスでもない、黒い山羊の頭をもった怪物が、まるで全世界の中心のように君臨していた。

　冴子は不快な気分に襲われ、思わず顔をそむけた。これはちょっと凝り過ぎで悪趣味だと思った。まるで、ヨーロッパの山奥にある古城の秘密サロンにでも、突然迷い込んでしまったかのような気がした。

　妙なのは、待合室の内装だけではなかった。歯科衛生士らしきマスクを着けた女性スタッフに渡された問診票も、ほかとは違っていた。まず、既婚女性が旧姓を書く欄というのがあった。冴子はそこに「龍造寺」と記入した。それから、血液型だとか、血液の病に関する既往症の有無だとか、血液に関する質問事項が、やけに多いような気がした。循環器系の総合病院でもあるまいし——とは思ったが、最近は医療過誤の問題もあるし、町場のクリニックでも慎重になっているのだろう。

「次の方——龍造寺さん、どうぞ、お入りください」

　冴子は幻影の城から現実の歯科に引き戻された。なぜか旧姓で呼ばれたが、冴子は面倒なので訂正することもなく返事をした。そして、スタッフに誘われるまま診療室へ通じる入口へ向かった。

　——そう、ここは、ただの歯科クリニックなのだ。

　冴子は、思いきって診療室へ足を踏み入れた。診療室に待合室から連想されるような中世ヨーロッパの雰囲気はなかった。そこは、都内ならどこにでもあるような、ごく普通の診療室だった。リノリウムの床、白い漆喰の壁、ブラインドを降ろした窓、そして、何のためのものか素人にはわからないようなハイテクの医療機器が並んでいた。冴子は少し安心して、こちらに背を向けている医師のほうに視線を向けた。

「治療の前に、まず、採血をしていただきます。どうぞ、そちらへ、おかけください」

　振り向いた医師は驚くほど長身の男だった。いささか袖丈の短い白衣に身を包み、顔の半分はマスクで覆われていた。そのため、噂どおり本当にハンサムかどうかはわからなかったが、日本人離れした彫りの深い容貌であることは充分察しがついた。とりわけ湖水のように深い碧色の瞳が印象的だった。最初は白髪まじりかと思った髪も、よく見るとアッシュブロンドのようだし、発音も少しおかしい。彼はやはりハーフか外国人なのかもしれない、と冴子は思った。

　言われるがまま、隅の椅子に座った冴子の腕に、歯科衛生士が針を刺す。自分の血管から注射器に吸い取られていく褐色の血液を眺めながら、また少し不安に駆られてきた冴子は、おずおずと尋ねた。

「歯科で採血なんて、初めてです。すいぶん……そのぉ、慎重なんですね」

　歯科医が問診票に目を落としたまま、患者を安心させるような、優しい口調で答えた。

「歯科も医療のうちですからね。抜歯をしたり、歯肉をメスで切るともなれば、出血もします。──ですから、血の固まりにくい病気なんかについても、事前に調べておく必要があって、当クリニックでは血液検査を徹底しているんです」

「ああ、そうですね。余計なことを訊いてしまって、すみません」

「いや、いいんですよ。インフォームド・コンセントの一環として、ご納得いただければね──龍造寺さん」

　その呼びかけで、また、冴子の不審感が頭をもたげた。

「あ、すみません、また余計なことをお訊きしますが──龍造寺というのは、私の旧姓なんです。問診票に旧姓を書き込むというのも初めてなんですが、あれは——？」

歯科医は、冴子の血液を医療機器に入れて、モニターに現れる数値を見ながら答えた。

「それも、血液の問題について調べるためです」

「血液の問題？」

「ええ。血液——というか血統の問題についても調べておきたいんです」

「血統……ですか？」冴子は出来の悪い生徒のように訊き返した。

「そうですよ」歯科医は生徒を諭す教師のように答えた。「これは、私独自の考えで実施していることなのですが、問診票に旧姓を書いていただくのは、既婚女性の患者さんの旧姓には、その家系固有の医療に役立つ情報が含まれている場合があるからで——」

そこで、冴子は、はっとなって、

「はい、はい、人の名字には、ご先祖の職業だとか、どういう風土の地に住んでいたかといった、永く続く血統の情報が含まれていることがありますよね」

歯科医は驚いたように振り向いて、

「その通りです。あなたは、なかなか物わかりがいい方だ。歯学部の教授たちからは、些末なことだとか偏執狂的だとか言われて笑われましたが、私の狙いは、まさに、そういうことなのです。名字によって、先祖の住んでいた土地の風土病だとか、遺伝子情報だとかがわかる場合があるという、学際的な考え方を歯科医療に導入したかったんです」

「……はあ」冴子は相手の勢いに気(け)おされて曖昧な返事をした。

歯科医は偏執狂的に熱弁を続ける。

「——ところで、あなたの龍造寺という珍しい旧姓は……ひょっとして、戦国大名の龍造寺氏がご先祖ということでは——？」

「はい……家系図を見たわけではないので、確かなことではありませんが——」冴子は恥ずかしそうにうつむいて、「——祖父からは、そう聞いています。私の出身は旧鍋島藩——佐賀県で、家臣の鍋島氏から支配権を取り戻せず憤死した龍造寺の末裔に当たるのだとか……」

マスクに隠れた歯科医の唇が微笑んだように見えた。

「ほう、それは……鍋島対龍造寺の暗闘と言うと……あの化け猫騒動の？」

「え、ええ」冴子は、さらに恥じ入るように、身を硬くした。「鍋島氏を恨んで化け猫をけしかけた側の——龍造寺氏……みたいです」

歯科医は、マスクの下で声を上げて笑った。

「鍋島対龍造寺のお家騒動が史実だったにしても——もちろん、化け猫なんて、後世の浄瑠璃や講談の類いを面白くするために付け加えられたフィクションなんでしょう？」

冴子は救われたように顔を上げた。歯科医は慰めるように蘊蓄話を続けた。

「そういうことは、理系の私でも知っています。悪者にされた鍋島家の子孫が、世間で持て囃された化け猫怪談に抗議していますよね、確か——」

「鍋島家のお気持ちは、わかります」冴子は溜め息をついた。「私たち龍造寺の子孫だって、この名前のお陰で、佐賀の学校では、随分といじめを受けました……ほら、私の名前の『冴』の字の旁(つくり)は『牙(きば)』とも読めるでしょう？　だから、龍造寺の化け猫牙娘とかって、綽名をつけられて……」

「わかりますよ」歯科医の返事は意外なものだった。「私も中学の時分に、名前からくる厭な綽名をつけられた。私の名字はね、龍言(りゅうごん)——というんです」

「リュウゴン……？」

「そう。まあ、珍名の部類ですが。あなたと同じ『龍』の字に、言上(ごんじょう)するの『言』——です。おまけに、御覧のとおり、私には外国人の血も入っているから、恰好のいじめの対象ですよ。それでつけられた綽名が、ドラ……」そこで少し躊躇って言い直す。「……ドラゴン——まあ、化け猫牙娘に比べたら、まだマシなほうですが、不良のヤンキー集団みたいで、厭だったな」

冴子は慌てて話題を転じた。

「先生、今、外国人の血が入っていると言われましたが、それはどういう経緯(いきさつ)で——？」

歯科医は、気が進まないような口調で出自を語り始めた。

「そう……祖父は日本人ですが、画家志望で戦前にパリへ行って……まあ、画家と言っても、レオナール・フジタほどの有名人にはなれませんでしたが——」

「えっ！」美術好きの冴子は、ひどく感激した。藤(ふじ)田嗣治(たつぐはる)のことをレオナール・フジタと呼ぶ人には、美術館巡りに明け暮れた学生時代にも出会ったことがなかった。「フジタは大好きな画家です。おじい様が戦前のパリでフジタみたいな画家志望だったなんて、先生、それって、すごいことですよ」

「いや」歯科医の碧い目に困惑の表情が宿った。「祖父の人生なんて、レオナール・フジタの模写のようなものですよ。フジタを真似てセルビア人のモデルと結ばれたところまでが祖父の限界でね。その後、彼(か)の地で画家として大成することもなく夫婦共々日本に戻ってきて、生まれたのが私の父親……その父も、親譲りの語学の才能を活かして下級外交官になって、ヨーロッパへ赴任したのですが……そこでまたまた祖父母の模写みたいに、東欧出身の女性と結ばれてしまい、そこで生まれたのが、あなたの目の前にいる龍言(ドラゴン)君——というわけです。ですから、私は名前も国籍も日本人ですが、身体の中の血は、ほとんど東欧人で——」そこで、はっとして、「——初診の問診段階のはずが、こんなご先祖自慢みたいな無駄話になってしまって……ともかく、あなたの血液検査の結果は、良好……いや、素晴らしい状態です。ヘパリン——血液の抗凝固剤の投与もないようだし……あとは、念のために別室でレントゲン撮影をして、それから急いで治療をいたしましょう」

レントゲン撮影を終えて、診療椅子に座ると、天井に取り付けられたスピーカーから流れる、情熱的なタッチのピアノ曲が冴子の耳に入ってきた。低い音量だが、昂った患者の神経を鎮めるには少し激しすぎる音楽のような気がする。だが、この風変わりな歯科医に興味を抱いた――いや、自分と同等以上の知的会話ができる目の前の男性に、心のときめきさえ感じていた冴子は、彼と歯科治療以外のことを話すきっかけになればと思い、今流れているピアノ曲を利用することにした。

「この曲はリストかなにかですか？」

レントゲン撮影の映像を見ながらだったが、こちらの不意で余計な質問のわりには、歯科医は不自然なほど丁寧に応じてくれた。

「いや、リストではありません。アルカン――シャルル・アルカンの曲です。ご存じでしたか？」

「いいえ。子供の頃、ピアノを習っていたので、ピアノ曲のレコードも、たくさん聴きましたが、その作曲家の名前を聞くのは初めてです」

「美術のほかに音楽もお好きとは……たいしたものだ。あなたは芸術家肌なんですね」

冴子の旨が高鳴った。男性から、そんな誉め言葉を聞かされるのは、初めてのことだった。歯科医は、そんな冴子の様子に気づく風でもなく、言葉を継いだ。

「――でも、アルカンのことは、あまり知られていないから……」

「どんな人だったんですか？」冴子は熱をこめて訊いた。

「今あなたがおっしゃったリストと同時代の偉大な音楽家です。超絶技巧の持ち主でね――こんな逸話があります。ある時、ミラノで楽譜出版を営んでいたリコルディは、自分の店に入ってきてピアノを弾きまくっている男を見て、こう言ったんですね。『君はリストだろう。さもなければ悪魔だ』――もちろん、リストではありませんでした。その男がアルカンだったのです」

興味深い話に、冴子は思わず引き込まれた。歯科医のほうも診療台のそばに自分の椅子を引き寄せて座り、くつろいだ様子で無駄話を続ける。冴子は、自分の胸の奥のときめきが、いつの間にか身体全体を覆い尽くしているのを感じていた。

「……さっきの曲は《悪魔のスケルツォ》といって

ね、この作曲家はよく《死》とか《戦慄》とか《狂人》といった言葉を曲名に使っているのです。しかし、それが少しもこけおどしではなくてね」

「ちょっと気味が悪い……感じですが――」

医師は大袈裟に片眉をあげて反駁した。

「それは偏見というものです。人生のネガティヴな面に目を向ける芸術家(アルティスト)があってしかるべきじゃないですか？　コインには表もあれば裏もある。……だが、こういった《負の芸術家》は、歴史の表舞台には、なかなか姿を残さないわけで――」

「それじゃ、そのアルカンという人も不遇な一生を送ったのですか？」

「さあ、それはどうかな。確かに、リストをして畏怖せしめるほどの才能の持ち主だったにもかかわらず、彼は音楽史の表舞台には、現れなかった。だがね――」

医師の『彼は』という言い方には、まるで友人を呼ぶ時の親しみが込められているように聞こえた。

「……だが、それで果たして彼が不幸だったのかどうかは、本人のみが知るところでしょう。私が言いたいのは、そういう歴史の闇に潜む天才や超人たちが、存外、大勢いるということなんですよ。人知れず〝永遠の真理〟を紡ぎ出す闇の住人、悪魔のような芸術家たちがね。……彼が本当に悪魔だったかどうか……それはともかく、彼は奇妙な死に方をした――」

「まあ、どんな死に方でしたの？」

「ある日、書棚から本を抜き出そうとした時、書棚全体が倒れ、彼を圧(お)し潰した。死んだ男の傍らにあったのは、ユダヤの宗教書だったとか……」

言い終えると、医師は急に咳き込んだように笑い始めた。マスクを通してくぐもった笑い声がしばらく続き、冴子はわけもわからず、当惑したまま医師を見つめていた。

冴子の怪訝な表情に気づいた医師は、自分の非礼を詫び、すぐに話題を転じた。彼の話は音楽や絵画、文学にまで及び、時代も中世から世紀末までと幅広く、そのひとつひとつが今まで冴子が聞いたこともないような珍しいものばかりだった。しかし、マスクを通していても、まだ魅力のある医師の声は心地よい音楽のように響き、まるで実際に見てきたかのようなリアルな語り口は、冴子の心を惹きつけて離さなかった。結婚してからは音楽や絵画どころではなかった。ましてやマンションの隣人たちときたら、文学はおろか新聞さえ読むかどうか……。

「すみません、また脱線してしまいましたね」歯科医は不意に話を終えて、夢から覚めたように立ち上がった。「治療もせずに関係ない無駄話ばかりしてしまった。歯科医失格ですね」

慌てた冴子は、しどろもどろに相手の言葉を打ち消そうとした。

「いえ、こちらが悪いんです……先生のお話が、あまりに面白いんで、えー、ですから……私、もっとお聞きしたかったもので……こういう会話に……そのぉ……飢えていたというか……先生とは、何と言いますか……そう、趣味嗜好は一致する……みたいですし――」

「その想いは同じですよ、龍造寺さん」歯科医はまた旧姓で呼んだ。「お名前のこといい、あなたとは、ご縁がある……と言うか、同族のような気さえしています、あなたには……さっき言った歴史の闇に隠棲する芸術家の素質が――おっと、また余計な無駄話ですね」

それから目の前の男は、急に、ありふれた歯科医の事務的な口調に戻って、

「問題の歯は、だいぶ傷んでいるし、抜歯の必要があります。麻酔は大丈夫でしたね？　まず麻酔の注射を打ってから――」

それを聞いた冴子はうなずいて、口を開け、目を閉じた。

「ちょっと、チクッとしますよ」

歯科医の言葉どおり歯茎に軽い痛みを感じたが、少しすると痺れのような鈍い感覚が口内全体に広がっていく。その一方で、冴子は、自分の首筋に、歯科医の甘い吐息を感じていた。目を閉じたままなのでわからないが、彼はどうやらマスクを外している

らしい。――でも、なぜ……。

「気分が悪いわけではないでしょう？　さあ口を大きく開いて、リラックスして――」首筋のところで、マスクを外した歯科医の声が優しく響く。

冴子は言われるがまま口を大きく開いた。気だるい陶酔感が、彼女を赤ん坊のように従順にさせていた。

――そこで、冴子の意識は暗転した。

「どうしました？」

歯科医の声が遠くで響いた。

「あ……」冴子は目を開けて、歯科医のほうを見た。今はマスクをつけていた。「私……意識が……そのぉ、なんだか、眠っちゃったみたいで……すみません」

「ああ、たまにそういうこともあるんですよ。寝不足だったんじゃないですか？」歯科医はこともなげに、そう言った。「抜歯はうまくいきました。もうおしまいです――大丈夫ですか？　立てますか？　龍造寺さん？」

「あ……はい、ありがとうございます……」

冴子はのろのろと立ち上がると、診療室を後にした。まだ麻酔が効いているのか、全身に気だるい陶酔感が残っている。

「念のために痛み止めを出しておきますが……まあ、大丈夫でしょう。お疲れさま……お大事に」餌を食べ終えた猫の――満足げに咽喉を鳴らしているような声を背中で聞いた。

支払いを済ませ、歯科クリニックを出たところで、突然、冴子の心に鮮明なイメージが浮かびあがってきた。

それは、歯科医の顔のある部分――湖水のような碧い瞳ではなく――見ていないはずの唇……ルージュを引いた娼婦のように、やけに赤い唇が、意識の闇の中に浮かんでいた。その赤い唇が、軟体動物のように、自分の白い咽喉に触れて蠢いた。ひどく冷たい死の感触が温かい血の感触とない交ぜになって冴子の意識を覆っていった……。

＊

「白い歯にはアルルカン歯磨きをどーぞっ」

テレビの中の道化師が、おどけた表情で商品の名を連呼している。メロ・ドラマの中の気弱そうな二枚目は薄幸の女を口説き落とせたのだろうか。彼の押しよりも、このCM道化師のほうがはるかに説得力がある。昼メロ番組はすでに終わり、賑やかなコマーシャルが始まっていた。

道化師の奇声のおかげで、一瞬のうちに、とりとめのない回想から見なれたマンションの居間に引き戻された冴子は、苦笑いをしながら、道化師を真似てちょっと肩をすくめてみた。

あの歯科クリニックでの幻惑的な出来事——豪田夫人たちが話題にしていた「浮気」とまでは言えなかったが、冴子の「理性」が麻痺して、夫以外の——いや、これまでの半生で唯一、異性に強く心ときめかせた体験だった。

その体験から数日の間、冴子はふとした折に、あれは夢や妄想の類いだったのかしら、それとも現実だったのかしらと、歯科クリニックでの出来事を何度も思い返していた。痺れるような陶酔の記憶が次第に薄れていくような気もしていた。治療代の領収書も見当たらない。あれが現実の出来事だったという確証はどこにもなかったのだ。

一週間ほどたったある日、中途半端な状態にどうにも我慢できなくなった冴子は、買物の帰りに思いきって歯科クリニックを訪ねてみることにした。

歯科クリニックの冷たくとりすました扉の前に立った冴子は、自分の心臓の鼓動が高鳴るのを感じた。それは期待からの呼び鈴のようでもあり、恐怖への警鐘のようでもあった。

——来院の口実など、どうとでもなる。とにかく、あの体験の真相を確かめたいという気持ちが、強迫観念のように彼女の心にまとわりついていた。

思いきって扉を押す。

——何もなかった。

コンクリートが剥き出しの壁と床。典雅なサロン風待合室など、跡かたもなかった。絨毯の毛すらも残されていなかった。奥の診療室も同じだった。医療機器も診療椅子もなかった。窓のブラインドもリノリウムの床も、まるで津波に襲われた倒壊家屋のように、剥ぎ取られていた。

帰り際、冴子は貸ビルの管理人から、その歯科医が慌ただしく引っ越して行ったと聞いた。彼が立ち去った日は、ちょうど、あの出来事があった翌日だった。

豪田夫人たちの露骨な浮気談義の際に、ふと思い出したのが、これら一連の出来事だった。浮気というには、あまりに曖昧模糊とした経験だったが、噂雀たちに知られたら、マンションの醜聞（スキャンダル）として周囲に漏れてしまう可能性大だった。だから、彼女は、そのことを誰にも告げずに黙っていたのだ。

回想から再び我に返った冴子は、ひどく疲れた気分になって、テレビを消すと、大儀そうに立ち上がった。

――もう二時だ。あまり食欲がないけれど、とにかく何か胃に入れとかなくちゃ……。

冷蔵庫を開けてみると、トマト・ジュースがあるのが目に入った。冴子はよく冷えた缶を取り出すと、テーブルへ戻ってグラスに注いだ。

得体の知れない衝動が頭の隅をよぎった。

冴子は驚いてグラスを取り落とした。テーブルの上に赤い液体が広がっていく。頭の芯が痺れ、全身が陶酔の衣裳に包まれたような気分に陥った。

――どうしたのかしら、ほんとに……疲れているみたい。どうしてこんなに眠いの……。

冴子は重い瞼をやっとのことで、しばたきながら、テレビのほうを見た。消したはずのテレビに道化師が映っていた。碧い瞳がこちらをじっと見つめている。道化師は顔の半分をマスクですっぽりと覆っていた。

テレビ画面の上の縁から、赤いものが滴っているのが見えた。おぞましい血のような液体は、ひと筋、ふた筋と流れ落ち、まるで赤いカーテンのように、ゆっくりと画面を覆っていった。

……そして、冴子の意識にも、赤い幕が降りた。

*

女にとって最高の鏡は男だ——と私は思った。身の丈ほどの姿見も、バッグに入るほどの小さな手鏡もいらない。ここ数か月ほど鏡とはご無沙汰していた。役立たずの鏡など、私には必要ないのだ。

その点、男というやつは素直に女を映し出してくれる。彼らは、女が醜く不格好なら振り向こうともしないが、美しく洗練されていれば賛美の眼差しを送ってくる。ちょうど今、私がこのホテルのバーに入ってきた時、いっせいに向けられたような熱い眼差しを……。

確かに今夜の私は、服装だけでも人目を惹くに充分だったろう。袖なしのスポーツ・フロック。その胸元で結んだシルクのスカーフは薔薇色と群青色を巧みに配したものだった。バックル付ベルトや細かい飾り襞のあるベレー帽も深みのある薔薇色で統一していた。

——私はこの血のような薔薇色がとても好き……。

あとは、白ドスキンのボタンなしの手袋、繭色のシルク・ストッキングに茶色の革飾りのついた靴、そして手には形のよい茶色のスエードのバッグ……。

言ってみれば、今夜の私は一九二九年版の小粋なパリ娘、それでなければニューヨークのセピア色をしたカフェ・ソサエティとでも。世紀末の東京でくすぶっている無粋な男たちの視線を軽く無視しながら、まっすぐカウンターのほうへ向かった。

薄暗いバーのどこかで、リー・ワイリーの小唄が聞こえる。私はごく自然な連想で〝マンハッタン〟を注文した。せっかく、リーが歌声で勧めていることだし。それに、夕方、熱いシャワーを浴びた後にこれを飲むと、気分がシャキッとする。そう、少しは毅然としなきゃ。今夜は、このあいだのようなロウ・グラスの相手で我慢したくはなかった。いくら渇いているにしても、だ……。

二杯目のグラスを舐めながら、バーテンを相手に、この近くにいいテニス・コートはないかしら——などと、とりとめのない話をしていた。ツンとすましているより、何か喋っている相手のほうが、シャイな日本の男どもは声をかけやすいだろう。

案の定、ひとつ空席をおいた隣の男が、私たちの話に割って入ってきた。三十代半ばくらいで顎のがっしりした好男子。仕立ての良いディレクターズ・ジャケットをうまく着こなしている。その男は、さる事業家の次男坊で、フリーのプロデューサーをやっていると自己紹介した。

それから一時間、男は自分の仕事の自慢話やら、私への讃辞やらを盛んにまくし立てた。私は自分への質問はうまくはぐらかし、それ以外はどうとでもとれるような微笑を浮かべて聞いていた。次の一時間、男は猛然と口説きにかかってきた。

男が頬をひきつらせて六杯目のスコッチを呑み干したとき、私は黙って部屋のカード・キイを男の膝に投げ出した。男はまるでロゼッタ・ストーンを発掘した考古学者のように、そのカード・キイをしげしげと眺めた。私は沈黙したまま席を立つと、一度も振り返らずにバーを出た。

別に待っていたわけではなかったが、男はなんとかエレヴェーターに間に合った。息せき切って来たわりには、まるで短距離離走の世界記録保持者のような笑みを浮かべている。女の部屋のちっぽけなカード・キイが、男の自信を甦らせていた。

私は十一階のボタンを押した。扉が閉まり、男が被さるように近寄ってきた。エレヴェーターの中は二人きり。少しじらし過ぎたようだ。男は私の腕を掴み、壁に押しつけた。

最初のキスは偽りの愛のため。二度目のキスは永遠の命のため……。

エレヴェーターの天井まで血が飛び散り、まるで赤い雨漏りのように私の額へ滴り落ちた。欲望に負けた男を嘲笑うことはできない。私も自分の渇きに我慢できなかった。三階から十一階へ到着するまでの間、私は貪るように男の咽喉をすすった。

十一階。扉が開く。

振り向くと、エレヴェーターの前に誰かが立っていた。誤算だった。これだから焦り過ぎは禁物だ。ホテルの滞在客らしい、ずんぐりした小男。ひどく驚いた様子で、私のほうを指さしながら何か言おうとしているのだが、言葉にならない。結構じゃない。声を出されては困る。そのまま、永久にお黙りなさい。

「いざなみ……」小男が妙な言葉を呟きながら、こちらに近づいてくる。「イザナミ」って名前？　私のことを誰かさんと勘違いして、そう呼んでいるの？

そいつがエレヴェーターに乗り込もうというところで、苛立った私は一歩踏み出して、小男のみぞおち目がけて鋭い蹴りを見舞った。しかし、軸足が床の血だまりで滑り、直前に身体のバランスが崩れてしまった。蹴りは小男のみぞおちを逸れ、右の腕に当たった。それでも、その一撃で骨の折れる鈍い音が聞こえ、小男は背後の壁までふっ飛んだ。

私は顎の血を拭いながら、廊下に転がって呻いている小男に近づいた。顔を見られた以上、このまま放っておくわけにはいかない。私はエレヴェーターから出て、牙を剥いた。この哀れな男を噛み砕き、切り裂きたいという欲望が、牙の根元で疼いていた。

うつ伏せになって苦悶している小男の肩に手をかけようとした時、近くの客室の中から人の声がした。廊下の物音に気づいたらしい。これ以上、騒ぎを大きくするわけにはいかない。私は今乗ってきたエレヴェーターのほうを振り向いた。

扉が閉まっていた。扉の上の階数表示の明りが、九、八、七と下がっていく。誰かが下の階でエレヴェーターを呼んでいるらしい。もはや鉄の棺と化した、血まみれの死体入りエレヴェーターを……。

ホテルがパニック状態に陥るのは時間の問題だった。私は小男を始末するのは諦め、廊下の奥に向かって走り出した。突き当りには、あらかじめ調べておいた非常口の鉄扉がある。私はその重い扉を押し開けた。

扉の外には闇のカーテンが降りた非常階段が。

――冷たい夜風が下から吹きあげてきて、私の顎の血を乾かしてくれる。手摺りから下を見おろす。近くの駐車場の高級車も、ここから眺めれば、男どものプライドを喰うちっぽけな虱にしか見えない。

これから十階分も階段を下りていくのは、なんとも辛いことだ。私は躊躇うことなく、非常階段の踊り場から漆黒の闇へ飛翔した。

――黒いポリ袋が、やけに気にかかっていた。……近ごろ本当にどうかしている。

午前五時、私は棺のベッドに横たわって、先ほどまでのことを思い返していた。

非常階段から飛び降りて、着地したところは、ホテルの裏手のゴミ置き場だった。ポリ・バケツや段ボール箱、それにゴミで膨れあがった黒いポリ袋などが山積みになっている。私はその間を慌ただしく通り抜けながら、なぜかその黒いポリ袋が気にかかった。なぜだろう。あんなきたなくて、つまらないものだ……近ごろの私はどうかしている。

それからもうひとつ。あの廊下にいた小男、あいつ……どこかで見た覚えがあった……それに、あの「イザナミ」という奇妙な呼びかけも――。

＊

近頃の私は本当にどうかしている――という思いが最初に意識にのぼった。

また、うたた寝をしてしまったようだ。テーブルにうつ伏せになったままの状態で目覚めた冴子は、凝った首筋をもみほぐしながら、ゆっくり上体を起こした。

また、あの気味悪い夢を見た。妙に生々しくて恐ろしい夢……。それに――。

テーブルに目をやった冴子は、はっとした。そこにはグラスがあり、いささかぬるくなったトマト・ジュースがなみなみとつがれていた。しかし、テーブルの表面には、赤い液体など一滴たりともこぼれてはいない。

確かあの時、私はグラスを取り落として、そして、テレビには不気味な道化師が……。

そのテレビも消えていた。何事もなかったかのように静まり返った部屋の中で、自分の心臓の鼓動だけが、不安を突きあげるように高鳴っていた。

妙な夢を見るだけじゃなくて、私にはもう、夢と現実の境目さえも、わからなくなっているのかしら……いったい私はどうなってしまったというのだろう？

腰のあたりから、じわじわと不安の虫が這い上ってきた。突然、今まであたりまえと思っていた日常から、どこか狂った異世界へ迷い込んでしまったような気がして、冴子は思わずあたりを見回した。

二時四十分。

壁の時計の針が目に飛び込んできた。幼稚園へ娘を迎えに行く時刻はすでに過ぎていた。再び日々の務めが肩にのしかかり、あたりまえの日常が冴子を呑み込んだ。冴子は白いエプロンと赤い不安をテーブルに投げ出すと、慌てて立ちあがった。

慌てたピッチャーが悪送球をしたお陰で、とうとう一死満塁のチャンスを迎える場面となった。

信夫（のぶお）は贔屓チームに訪れた絶好のチャンスに目を輝かせながら、テレビの画面に見入っていた。風呂あがりのはだけた腹を、片手で、ぴしゃぴしゃ叩きながら、旨そうにビールを飲んでいる。小柄でずんぐりした肢体のため、余計に中年太りの腹が目立ち始めたなと、冴子は思った。

相手チームの監督が出て来てピッチャー交代を告げる。信夫は下唇をつき出しながら、もっともらしくうなずいている。

冴子は時折、自分はどうしてこの人と結婚したのだろう——と考え込んでしまう。学生時代には、これといった恋愛の経験もなかった。大学卒業後は、就職氷河期で、志望していた大手マスコミの新規採用がなかったので、意に染まない小さな教材出版社に、やっとのことで職を得た。薄給で残業の多い会社だった。仕事も同僚も面白くなかった。だから、恋愛どころか、入社一年で欠勤を重ねるようになり、彼女は、ほとんど鬱病のような状態に陥ってしまった。

　そんな冴子の様子を見かねた東京の親戚が、「気分転換にでもなれば」と縁談を持ち込み、八歳も年上での今の夫と巡り合った。相手は白馬の王子様ではなかったが、仕事に行き詰まり、心が弱っていた冴子にとっては、「渡りに船」だったのかもしれない。周囲の強い勧めもあって、彼女は結婚を承諾し、同時に会社も辞めてしまった。

　夫は、理想の相手として思い描いていた「才気煥発の人」ではなかったが、普通に「いい人」だったので、結婚生活は平穏無事に推移し、子供も生まれ、気が付けば、会社勤務より長い月日が経っていた。だが――。

　最近になって、その「平穏無事な生活」が、冴子のエゴを呼び覚まさせていることに気がついた。家族に愛情を感じないというわけではないし、何不自由のない生活を送っていたが、時々それがやりきれなくなることがあった――夫のため、子供のための生活。気がつけば「自分」というものがまるでない。学生時代に思い描いていた人生とは、どこかずれた「借り物」のような生活――結婚して六年、空気のようにあたりまえで平凡な日常が、灰色の鉛のように重く肩にのしかかってくるのを冴子は感じつつあった。

「ねえ、あなた」

　信夫は黙って、リリーフ・ピッチャーの肩ならしを仔細に吟味している。

「ねえッ、聞いてるの？」

「ん、うん」

　返事はしたが、まだ冴子のほうを向こうとはしない。

「近ごろ変な夢ばかり見るの」

「……ふーん、そうか」

　カウントはツー・ストライク、スリー・ボール。

「私が眠るたびに、夢の中でね……」

　打者は空振りの三振。ツー・ダウン。信夫はしかめ面をしてビールをあおった。

「……人を襲ったり……血を吸ったりして……」

冴子が話をしている間に、次の打者が登場した。

信夫は明らかに妻の話を聞いていなかった。「血を吸う夢」より、平凡な日常――野球中継のほうに浸りきっていた。

「今日のお昼も気分が悪くなって……」

「そうか……」またうわの空の返事。「医者にでも診てもらったら――お、おおっ」

テレビのアナウンサーも、夫と同じように叫び声をあげた。ピッチャーの投げたボールが打者の顔面に当たり、信夫は思わずテレビのほうへ身を乗り出した。打者がその場に倒れ、鼻から血を流しているのが、大きく映し出された。

冴子は画面の中の血を見るのが急に怖くなって、そっと席を立つと、ひとり寝室へ向かった。

頭の芯が痺れるようで、堪えきれないほど瞼が重かった。

＊

凄まじい音の塊がスピーカーからほとばしり出た。ステージの上では長髪を逆立てた二人のギター奏者が、まるで凶器でも振りまわすようにギターをかき鳴らしている。後ろのドラムスやベースの奏者も、恐ろしいリズムの渦に呑み込まれた遭難者のように、必死で身体を揺さぶっている。

バンドの演奏は最高潮に達していた。六十人ぐらいのキャパシティのライヴ・ハウス内、昂奮した客は、総立ちで踊ったり歓声を送ったりしている。

熱狂と騒音の渦巻く店内で、ひとり私だけはクールに隣の男を見つめていた。

まだ、どこか、あどけなさが残るティーンエイジャー。背中まである髪を金色に染め、かなり長身のガッシリした身体を革のジャンパーで包んでいる。首からは仰々しいメタルを下げ、腕にはゴツゴツした金具（スタッド）付きのリスト・バンドまでしていた。自分の未熟さを、こけおどしのファッションで精一杯ガードしているツッパリ・ロック少年。

しかし、他人のことなど言っていられない。今夜の私は黒革のジャンプ・スーツに身を包み、胸までかかるほどのチェーンをひけらかしている。おまけに、髪はジェルでゴワゴワに突っ立ち、真ん中だけオレンジ色に染めていた。扮装次第で、自分が十八歳にも二十八歳にも見えることを、私は知っていた。それでこそ「イイ女」というものだろう。

今夜の私のお相手の、たっての望みで、このライヴ・ハウスへ来ていた。〝ヘヴィー・メタル〟のロックとかいうのだそうだ。こんなのも、たまにはいい。もっとも、本当の昂奮、真の陶酔はこれからだが……。

突然、ステージを真赤なスポット・ライトが包んだ。リード・ギターが、いよいよ血のほとばしりのような音の嵐を噴出させた。

赤、赤、陶酔の色……。

私は急に自分が我慢しきれなくなっているのを悟った。もう渇きを止めることはできない。私は夢中で隣の男の胸に飛び込んだ。

演奏に手拍子を送っていた男は、私の意外な行動にちょっと驚いたようだったが、すぐにこちらの背中へ腕を回してきた。私は微笑みながら、ゆっくり彼の咽頭へ唇を這わせていった……。

熱狂の極(きわみ)に達している客の誰ひとりとして私たちに注意を払う者はいなかった。仮に誰かが見ていたとしても、演奏に昂奮したカップルが抱き合っているものと思ったことだろう。

男の身体がビクッと反応した。私はすばやく腕を回して、抗う男の腕と胴を締めあげた。この騒音さえなければ骨の軋む音が聞こえたはずだ。身動きのできない男の咽喉から呻き声が漏れた。

ステージから溢れ出るバンドのビートに急かされるかのように、口の中へ生温かい液体が噴出した。懐かしい鉄錆を思わせる血の匂いが私の鼻を突く。生命の旨味に酔い痴れた私は、貪欲に男の咽喉を吸い続けた。

バンドが大音響とともにコーダに突入した。私の腕の中で男の生命も最終章(コーダ)を迎えていた。私はこと切れた男をそっと席に座らせると、なにくわぬ顔で唇を拭った。客たちはバンドのフィニッシュに跳びはねて喜んでいる。立ち去るチャンスは今だ。

アンコールの大歓声を背中で聞きながら、私はライヴ・ハウスの狭い通路を急いだ。できれば誰にも見られたくない。

しかし、出口へ向かう階段の下まで来た時、私はふと背後に人の気配を感じた。

弾かれたように振り向くと、今自分が来た通路の角を曲がろうとする、スーツ姿の背中がちらりと目に入った。ライヴ・ハウスにはいかにも場違いな灰色のスーツ、小柄な丸まった背中……。私はその後ろ姿に、なぜか見覚えがあるような気がした。……実に妙な気分だった。

近ごろの私は、ほんとに、どうかしている。よく変な夢ばかり見るし……。この素晴らしい身体のどこかが変調をきたしてしまったのだろうか？

＊

「どう、旦那様はお元気？」

「さあ、どうですか。私よりデッド・ボールで倒れた野球選手のほうが心配みたいよ」

「まさか、そんなことはないでしょ」

白衣のポケットからペンを抜き出しながら真由美（まゆみ）が笑った。こんな悪夢が続くのはもう耐えられない。不安にさいなまれながら、冴子はふと、高校で同窓だった神保（じんぼ）真由美が東京の大学の心理学研究室で助手を務めていることを思い出した。昨夜、夫がうわの空で医者に診てもらえと言ったが、精神科を受診するのは躊躇われた。だが、心理学専攻の彼女なら力になってくれるかもしれない。冴子はすぐに大学へ電話をした。

大学はあいにく試験期間中で、真由美は多忙をきわめていた。来週ならゆっくり会えるという彼女の返事に、冴子はどうしても今日会いたいと言って譲らなかった。今夜にでもまた、あの悪夢を見るかもしれない。いや、夜を待つまでもなく、いつまた睡魔が襲ってくるとも知れないのだ。

冴子の必死の懇願に真由美は折れ、今すぐ来るのなら一時間ぐらい時間を取ろうと約束してくれた。冴子はすがるような思いで車を運転し、大学への路を急いだ。

「心理学科なんか出ても、いい仕事なんてないのよ」会って早々、真由美が不満を漏らす。「せいぜい、企業の労務管理とか、おクスリ出すしか能がない精神科医の下請けカウンセラーぐらいでさ。だから、こうして、いい歳をして結婚もできずに、試験の監督をしたり、採点したり、つまらない統計とったり、そうした、つまらない仕事に大忙しなわけで――」

「私も就職では苦労したから――」と冴子が言いかけたところを、真由美が制して、

「――いや、だから、無駄話している暇はないのよ。さあ、あなたが電話で言っていた悪夢の内容を話してもらいましょうか」そこで一瞬、躊躇いを見せて、

「――そうは言っても、夢の分析は私の専門分野じゃないから、今日、すぐに明確な答えは出せないけれども。それに、心理学の夢分析なんて、そもそも、明確なお話が出る――つまり計測ができる医療ではないし……でも、まあ、とにかく記録だけでもとっておきましょう」

真由美はそう断ると、本や書類が雑然と積み上げてあるデスクの向こうで、音声録音の用意をした。冴子は、相手が友人ということもあって、かなりリラックスして話ができそうな気がした。

冴子が話している間、真由美は、時折、質問を差し挟むほかは、赤いフレームの眼鏡をかけた化粧気のない顔の表情を、ほとんど変えずに、黙って聞き入っていた。真由美の求めに応じて、冴子は夢の前後の状況――例えばあの歯科医のことなども、隠さず話すことにした。

冴子の話が終わると、真由美はデスクの上のメモをペンで軽く叩きながら、彼女のほうを見て口を開いた。

「――まず、安心してほしいのは、夢遊病の可能性は低いということね。夜は必ず隣に旦那さまや娘さんが寝ていたわけだし、昼の場合も、たった三十分

の間に夢の中でやったようなことができるはずはないわ。眠っている間に、あなたが家を抜け出して恐ろしいことをしたという考えは捨てたほうがいい。あなたの場合は、どうも夢と半睡時幻覚が重なっているようね」

「それじゃ、どうしてあんな恐ろしい夢を……？」

冴子は落ち着かなげに真由美を見た。

「まあ、そう焦らさないでちょうだい。夢の分析とひと口に言っても、そう簡単にはいかないのよ。夢を見た時のあなたの状況――例えば外的な刺激や内臓疾患のような内的刺激が関係することがあるし、夢の素材も、前日の経験から、あなたの忘れてしまったような古い体験にまで及ぶことがあるわけ。本や映画の中のフィクションだって、夢の素材になるわね。だから、この短時間のセッションで無責任に即断してしまうことはできないわけで……」

「構わないわ。自分に何が起こっているか、少しでも知ってから帰りたいの」

真由美は少しの間、迷いの表情を見せていたが、冴子の熱意に負けて、肩をすくめると、

「オーケー、あなたは、おとなしそうに見えて、けっこう頑固なところがあるからね。じゃ、まあ、手がかり……ヒントみたいなことしか言えないけれど――」真由美は念を押してから続けた。「まず、少し古い説だからおススメできないけれど、フロイト的な見方を採用するとね。悪夢というのは、覚醒時の許されざる願望が歪められて実現したもの、と言うことができるの。つまり、眠っている時に、普段抑圧されている願望が良心の検閲を免れて出てくるというわけね」

「じゃ、私にあんな恐ろしいことをしたいという願望が……？」

真由美は軽く笑った。「いいえ、夢というのは現実と違って、抽象的なものが具体化されたり、思いがけない膠着や象徴が化体（かたい）として現れることがあるから、必ずしも、夢の中の出来事が、そのままあなたの願望だとは限らないわ」

「――と言うと？」

「例えばね、……吸血という行為は、性的行為が象徴化されているのかもしれない……」

冴子は思わず顔を赤らめた。真由美は相手の表情には無頓着な様子で話を続けた。

「旦那様との夜の生活はうまくいっているのかしら？夢の中に出てきた男の人たちには見憶えがないということだから、漠然とした願望なのでしょうけど、例の歯科医との経験が引き金になって、性的願望が解放されたってこともあるかもしれないわね。それと、夢の中に出てくる、赤色とか血とかは、女性の場合、生理の下血とも関係があることが多いし、あなたそちらのほうは……？」

冴子は当惑しながら首を振った。「たぶん、それは関係ないと思うけれど……出血で思い当たるのは、抜歯の時だけで……」

「そうか。あとは、そうね……。夢の中であなたは非常に攻撃的になっているし、ホテルの非常階段から空を翔ぶというところは、性的な願望のほかに、何か自己顕示欲の表れみたいな感じもするわ。いずれにしても、あなたの中で抑えられていた、なんらかの欲望が、悪夢というかたちで、解放されつつあるようね」

「私は決まりきった日常や平凡な結婚生活に飽きがきているということかしら……」冴子はぼんやりと遠くを見つめるような眼差しで呟いた。

「まあ、そういう可能性もあるというくらいに、気楽に思っておきなさい。古いフロイト流が必ずしもピッタリ当て嵌まるとは限らないから」

「ほかに仮説はないの？」

真由美は赤いフレームの眼鏡を押さえながら、

「そうね、ポスト・フロイトでは、ちょっと独特だけど――ユングの仮説のほうが、おススメね。ユングの心理学では、集団的無意識というのが問題になっていてね」

「集団的無意識？」耳慣れない言葉に冴子は戸惑った。

「ええ、子供の時の体験のように個人的なものでなく、遺伝的に私の中に残っている普遍的なもの、祖先の考え方や観念の遺産のようなものを心理の中に見出すという――」

　冴子の頭に、ふと「血統の問題についても調べる」と言った歯科医の囁きが谺した。

「……つまり、あなたの中にある、未熟な男性原理(アニムス)や女性原理(アニマ)、あるいは社会的な仮面(ペルソナ)のようなものね。そういう観点から解釈すると、また違った可能性も出てくると思う――夢が単純な願望の表れというのではなくね。

　例えば、半睡時幻覚の状態で出てきた道化師は、変身を象徴していて、硬化しがちな意識の世界に無意識の原動力を持ち込む存在のように思えるし、吸血鬼なんかも、魔女や悪魔の類いとして考えれば、あなたの中で強大で邪悪な〝母なるもの(グレート・マザー)〟のイメージが暴れているもの――と解釈できるのかも……」

　真由美が、専門用語を並べ立てて、そこまで言ったところで、研究室の扉が開き、他の助手が彼女を廊下へ呼び出した。真由美がいない間、冴子はデスクの上に広げられたままのメモを、なんとはなしに見てしまった。

《夢のイメージがシャープ過ぎるのはなぜか？／連続して悪夢を見るのは精神障害の最初の徴候か？／転換性障害あるいは解離性障害／朦朧状態、脳脚損傷による幻覚の可能性……》

　冴子は、そこに書かれてあることの半分も理解できなかったが、不安の虫が、再び、背中を這い上がってくるのを感じた。

「ごめんなさい。もう行かなければならないわ」戻ってきた真由美がすまなそうに謝った。「――とにかく、もう少し時間をちょうだい。来週になれば、うちの学部のいい先生を紹介できると思うし、私の知り合いの精神科医に相談してみるのもいいかも」

　冴子はメモを見たことを悟られないように表情を取り繕いながら言った。

「最後に、ひとつだけ教えてちょうだい」

「なに？」

「夢で未来のことを知るなんてことが、あり得るかしら？」

真由美は意想外の質問に首をかしげ、

「そうね、潜伏している病気の症状が夢に現れるってことはあるかもしれないけど、予知と予言とかいう意味では、現代の科学は否定的ね」そこで真由美のほうも、メモに記された恐ろし気な専門用語とは裏腹の明るい表情を取り繕って、「――まあ、そんなに気に病まないことよ。人の見る夢の六〇パーセントが悪夢だという統計があるくらいですからね。夢と対話してみるくらいの気楽な気分におなりなさい」

真由美は努めて快活な口調で言いながら、デスクの上の書類をまとめだした。冴子はうわの空で礼を言うと、のろのろと席を立った。


どこをどう走っているのか、もう見当がつかなかった。大学から家への帰途、冴子はまるで波まかせの漂流者のように都内を漂っていた。道の選択は全くの出鱈目、ブレーキ、アクセル、ハンドルを、その場の必要に応じて操り、当てどもなく走り続けているだけだった。


「赤、赤、……血……脳脚損傷による幻覚……転換性障害あるいは解離性障害……『旦那様とはうまくいってるのかしら?』……赤、赤、……道化師と悪魔が……集団的無意識……『血統の問題についても調べる』……血……血……邪悪なグレート・マザー……性的願望の充足……赤、赤い血が……」

冴子の脳裏にさまざまな言葉のイメージが渦巻いていた。そして、再び彼女に訪れてきた、あの痺れるような陶酔感……。冴子は大きく目を見開き、ハンドルにしがみつきながら、口の中でとりとめもないことを呟き続けた。

信号が赤になった。

冴子は機械的にブレーキを踏んだ。車が悲鳴をあげて止まる。いつのまにか郊外に来ていた。あたりに建物はまばらだった。もう二時間近くも走り続けたろうか。どんよりと濁った悪血(おけつ)のような夕焼けが、前方の山の稜線に淀んでいる。そして、赤い信号は、さながら充血した眼球だった。慈しむように冴子を見つめる凶器の赤い眼球……。

「私は、あの血糊のような夕焼けに向かって行けばいいのね……」冴子は虚ろに目を見開いたまま呟いた。

　フロント・ガラスに一滴、赤いものが飛び散った。もちろん、雨などではない。冴子がフロント・ガラスの上部を見上げると、ガラスの縁に赤いものが溢れているのが見えた。その赤い液体は、ひと筋、ふた筋と、フロント・ガラスを流れ落ち、冴子の視界を次第に赤いカーテンが遮っていった。

「あなたが来るのを、待っていたわ……」遠いところで自分が囁く声が聞こえた。

　冴子は厭らしい笑いを浮かべると、ワイパーのスウィッチに指を触れた。

*

　私はかすかな微笑を浮かべながら目覚めた。満ち足りた目覚め。悪くない気分だ。今夜はどんなスタイルで出かけよう。今夜はどんな素敵な冒険が待っているだろう。

　もっと思いきり手脚を伸ばしたかったが、この狭い棺の中では、これ以上どうしようもない。私はゆっくりと棺の蓋を押し開けた。

　薄闇の中に男の顔が浮かんだ。

　藁のようにくしゃくしゃの髪、気弱そうな小さい瞳、無精髭でざらついた顎、実に貧相な顔だ。男はずんぐりした身体を皺のよったみすぼらしい背広に包み、おまけに右腕を怪我しているらしく、首から汚れた三角巾で吊っていた。骨折でもしたのだろう。三角巾の端から、いかにも応急処置といった感じの添え木がのぞいている。

　骨折。――ようやく思い出した。

　ホテルのエレヴェーターホールで私を目撃した男、そして、昨夜ライヴ・ハウスで私を尾行(つ)け回した男……。この憐れな小男が、私にいったい何の用があるというのだ？　私は棺のそばに茫然と立ちつくしている男を油断なく見据えながら、棺の中で上体を起こした。

「ず、ずっと探していたんだ……」

男が震える声で呟いた。私はとっておきの、蛇のように冷たい視線で相手を睨み据えた。

「イザナミ……迎えに来たんだよ」

——また、わけのわからないことを……私は苛立って、つい返答をしてしまった。

「イザナミって誰？　私のことを、そう呼んでいるの？」

男は当惑した様子でかぶりを振りながら、

「いや、お前の名前じゃない。例え話だ。——ほら、お前、以前、好きな話だって言っていたじゃないか。『古事記』の中の神話だよ……」

「『古事記』？　神話？」

「そう……あの神話の中で、イザナギが死んだ妻のイザナミを迎えに……ああ、黄泉の国へ行くという——」男はしどろもどろになっている。「……だから、僕は今、そのぉ……イザナギの役をして——あ、わかりにくいか？　……突然の失踪の場合、記憶を喪失している可能性があるって、心理学の先生が言うから……ほら、僕のことも忘れてるんだろう？　だから、見つけた時は、まず、夫婦共通の話題を持ち出せって先生が……だから、こうして……お前の好きな神話のことを言えば、そのぉ……記憶が戻るかと思って……呼びかけているんだよ」

私は哀れな男を嘲笑った。

「はあ？　それじゃ、私はあんたの妻で、私は今、死者の国にいるって言いたいわけ？」

男が突然、叫び声をあげた。

「冴子！　お前は——」

——冴子？　誰？　私のこと？　この男は何を言ってるの？　何を勘違いしているんだろう？　戸惑う私をよそに、男は堰を切ったように喋り始めた。

「冴子、ずっとお前を探し続けていたんだよ。お前がいなくなったあと、ほら、心理学科の神保真由美さんが電話をしてきてくれてね……」

マユミ……？　ああ、そういえば、さっき見た夢の中に、そんな名前の、もったいぶった女が出てきて、もっともらしい夢判断を並べ立てていたような気がする。

「……真由美さんが電話をくれて、お前がかなり苦しんでいたことを知ったんだ。それから一年間、お前を探し続けて、やっと一昨日、あのホテルで巡り会えたと思ったのに……お前は……」男の目がうるんだ。

どうも、近ごろの私はツイていない。こんな妙な男が隠れ家まで押しかけてきて、わけのわからないことをまくしたてるし、よく妙な夢も見るし……夢？そういえば、最近、立て続けに見る夢の中に、冴子という名の女も出てこなかったかしら？　実に平凡でつまらない女。あの女も悪夢を見たとかで大騒ぎをしていたっけ……。

そこまで考えてきて、さらにもうひとつ思い出したことがあった。目の前に惨めな姿をさらしている男――あいつも確か、あの退屈な夢の中に出てきたのではなかったか……。

「冴子！　僕が、わからないのかっ！」

男がこちらに一歩踏み出して、私の肩に手を触れた。その瞬間、上半身に獣のような反射が起こり、私は鋭い牙を剥き出して男の咽喉元に襲いかかった。

牙の根元にひどい衝撃が走り、自分が男の咽喉ではなく、何か堅いものを咥え込んだのがわかった。

添え木だった。――男が咄嗟に骨折しているほうの腕で咽喉を庇い、私は間抜けな狂犬のようにそれに噛みついたというわけだ。どす黒い怒りが頭に噴出した。牙は添え木に深く喰い込み、抜けそうにない。私は顎に渾身の力を込めて添え木を噛みしめた。

鋭い悲鳴をあげて添え木が砕けた。

私はすぐさま体勢をたて直して、再び男の咽喉元へ跳びかかった。今度の狙いは正確だった。私の牙は男の柔らかい咽喉にしっかり喰い込んだ。

――最初のキスは偽りの愛のため。二度目のキスは永遠の命のため……。

私は抗う獲物の背中に腕を回し、二度と生の世界へ戻れないように、しっかり抱きしめてやった。

男の頸動脈から私の口へ、濁流のような血が流れ込んできた。しかし次の瞬間、全く別の血が私の下顎を染めた。恐ろしい勢いで血しぶきがあがる。胸元を見下した愕然とした。

　自分の血だった。

　男の腕にぶら下がっていた添え木の破片の鋭い先端が、私の左の胸——心臓に深々と突き刺さっていた。永遠の生命をたたえた私の美しい血が、死にゆく男の血と合流し、抱き合った二つの身体を、みるみる血のカクテルが染めていった。私たちは抱き合ったまま、血だまりと化した棺の中に頽れた。

　薄れゆく意識の中で私は、男が自分のかつての夫だったことを思い出した。そして、永遠なはずの私の生命が失われてゆくのを感じながら、最近ずっと見続けていた平凡で退屈な夢は、すべて自分が人間だった時代の出来事だったのだということを悟った。

　どこかでアルカンの陰気なピアノが響いたような気がしたが、あるいは、それは棺の縁から滴る私の血の音だったのかもしれない。

　私の意識に赤い幕が降り始めた。もう、カーテン・コールはないのだろうか。ひょっとして、これは夢なのでは？　ああ、これが悪夢なら、どうか覚めてちょうだい……。

　しかし、次の瞬間、妙な思いが心の隅をよぎった。

　——果たして、どちらの夢が悪夢だったのかしら？

——Fade Out——

頭の大きな毛のないコウモリ

澤村伊智

A SWEET AND PAINFUL KISS
VAMPIRE
COMPILATION

澤村伊智（さわむら・いち）

一九七九年大阪府生まれ。大阪大学卒業。出版社勤務、フリーライターを経て二〇一五年、『ぼぎわんが、来る』で第二十二回日本ホラー小説大賞を受賞しデビュー（受賞時のタイトルは『ぼぎわん』）。同作は一九年、『来る』として映画化された。一七年、『ずうのめ人形』で山本周五郎賞候補。一九年、「学校は死の匂い」で第七十二回日本推理作家協会賞（短編部門）受賞。近著に『うるはしみにくし あなたのともだち』（双葉社）、『アウターQ 弱小Webマガジンの事件簿』（祥伝社）など。ホラーのみならず、SFやミステリに分類される作品にも活躍の場を広げている。

「頭の大きな毛のないコウモリ」は、本書のために書き下ろされた作品。現代社会の「生きづらさ」の隙間に差す怪異の影を浮き彫りにする澤村ホラーらしい筆致で描き出す一篇。

（編集部）

以下の文章は二〇一八年秋、とある認可保育園で、ある乳児の母親と保育士らの間で遣り取りされていた、「すくすくのーと」から抜粋したものである。

「すくすくのーと」とは、保育士と保護者が記入を義務づけられていた、幼児に関する交換日記のようなものだ。サイズは新書より一回り大きく、一頁にその日の乳幼児の食事品目、排便回数、睡眠時間などを表なども交えて記録することになっており、成長記録も兼ねている。保護者と保育士が自由に文章を書く欄はそれぞれ五センチ四方ほどだ。

文中の固有名詞は全て仮のものに差し替えた。

※　※

九月三日（月）

体調：良　服薬など：なし　朝食：牛肉そぼろと野菜のおかゆ（二見フーズ）、麦茶

昨夜は二度ほど夜泣きしましたが、背中を撫でるとすぐに寝つきました。ミルクを飲ませずに済んだのはこれで三度目です。朝食はいつもより多く食べました（それでも半分ほど残しましたが）。猛人はもうすぐ一歳になりますが、少し発育が遅れているのではないかと心配です。夜中に顔を掻いたらしく、向かって左目の下が少し腫れています。

猛人くんのお母様へ

ミルクなしで寝てくれたのはよかったですね。

今日から当園の「冒険週間」なので、午前中に少

し遠くの公園に散歩に行きました。０歳児は本来お留守番ですが、いま0歳児は猛人くん一人だけなのもあり、また猛人くんもお兄さんお姉さんと一緒にいたい素振りをしていたので、連れて行きました。お外が楽しいのかカートの上でずっと喃語で喋っていました。

ご飯はいつもどおり、白ごはんだけ完食しました。発育については心配なさらなくて大丈夫です。二十年保育士をしてきましたが、特に遅れているとは思いません。

太田（おおた）

九月四日（火）

体調：良　服薬など：なし　朝食：なし

夜泣き三回、全てミルクで対応。また朝食食べさせられず、また預けるのも遅くなってしまいすみません。またわたしの寝坊です。本当に申し訳ありません。

猛人くんのお母様へ

朝、猛人くんをお預かりした時も申しましたが、遅刻はお気になさらないでください。お仕事で忙しくされているうえ、お一人で猛人くんを育てていらっしゃるご苦労、こちらもよく理解しているつもりです。何かお悩みごとがありましたら、どんなことでも仰ってください。

猛人くんはずっとご機嫌でした。切り絵工作は１、２歳児の子がやるのを見学させるだけにしましたが、とても興味深そうにしていましたよ。

ご飯は珍しくパンを完食し、お兄さんお姉さんの「冒険ランチ」を興味深そうに見ていました。汁物もお茶もお椀を自分でしっかり持つようになり、保育士の支えはもう不要です。

太田

九月五日（水）

体調：良　服薬など：なし　朝食：鶏肉とにんじんのナポリタン（二見フーズ）、麦茶

太田先生へ
　昨日はすみませんでした。連絡帳の文面、何度も読み返しました。いちじく保育園に入れて、猛人を太田先生に見てもらえて、本当によかったです。猛人の父親には住所も知らせていません。見つかると殴られるからです。わたしは慣れましたが猛人が殴られるのは無理です。親とは絶縁状態で連絡できません。そんな中で太田先生のお言葉はとても嬉しかったです。これで猛人が園のみんなと仲良くできたらと思います。わたしのせいで起こっている問題はたくさんあるので、また辛くなったら、このスペースに入る範囲で書かせてください。昨日は四回夜泣きしましたが、うち二回はミルクなしで寝てくれました。朝も全部食べました。起き抜けに名前を呼んだら「はい」と返事をしてくれましたが、その時一回だけでした。

猛人くんのお母様へ
　お返事、保育園でも一度してくれました。保育士全員で拍手したら、照れていましたよ。

　言いづらいことを書いてくださって、ありがとうございます。長文になるようでしたら付箋や紙を貼って、そこに書いていただいても構いません。長いレシートを裏向きに貼って書くお母様もいらっしゃいますよ。

　友達のことでしたらご心配なさらないでください。猛人くんが来て一ヵ月も経ったので、お兄さんお姉さん、五人とも猛人くんのことが大好きになったようで、いつも誰かが一緒に遊ぼうと誘ってくれますよ。

　手前味噌で恐縮ですが、当園の「自然派指向」「三歳になる年の年度末まで」「最大六人」方針ですと、変に派閥やギャップが生まれることもなく、みんな仲良くできるようです。

　じゃがいもを初めてちゃんと食べてくれました。お昼寝は二度とも、相変わらず十五分で起きてしまいます。

太田

九月六日（木）

体調：良　服薬など：なし　朝食：食パン、麦茶

太田先生へ

寝るのが少し遅かったので、夜泣きはしませんでした。とても嬉しいです。これからもずっとこうならいいのですが。

昨日口頭でもお伝えしましたが、今日は仕事が多いのでお迎えが遅くなります。十九時頃を予定しております。

猛人くんのお母様へ

この度は大変申し訳ありませんでした。

最近は郁馬（いくま）くんも分別が付くようになっていたので、こちらの油断もありました。お電話でもお伝えしたとおり、すぐに隣の小児科で診断してもらいました。傷は全治一週間、歯形（内出血）は全治十日くらいとのことです。

二度とこのようなことのないよう、重々気を付けて参ります。

太田

九月七日（金）

体調：良　服薬など：傷薬　朝食：ひじきのおじや（二見フーズ）、緑茶（カフェインレス）

太田先生へ

昨日は泣き疲れたのか夜泣きは一度だけでした。左手も特に不自由な様子はなく、消毒する時も大人しかったです。発達障害の子は人を噛むことがあると職場で聞いて知っていたので、正直、郁馬くんのことを聞いた時点で予想はしていました。子供の頃、近所にもそういう子がいたのを思い出します。先生がたが悪いとは全く思いません。怒ってもいません。

でも、一つだけ気になることがあったので、書かせてください。郁馬くんに噛まれたのは右腕だけでしょうか。

実は首の付け根、左肩との境目のところにも、噛み傷のようなものがありました。郁馬くんの歯形より少し大きいですが、大体同じ形に見えます。糸切り歯のところが二箇所、カサブタになっていました。猛人の髪が伸びたままなので、隠れて見えなかった

のかな、先生たちも目立つ右腕しか気付かなかったのかな、と気になっています。だとしたらこれもわたしのせいです。

消毒はしましたが、血やウミは出ていないのでバンソウコウはしていません。猛人も特に痛がっていませんので、口頭では言い辛いので、書きました。ご確認よろしくお願いします。

（レシートの糊付けが上手くいかず、よれよれになってしまってすみません）

猛人くんのお母様へ

左肩のところ、確認しました。確かに噛み傷のような痕と、二つ並んだカサブタがありました。

郁馬くんに聞いてみたところ、噛んだのは腕だけとのことでしたが、猛人くんの身体に噛み傷が一つと、それらしき傷がもう一つあるのは事実です。

隣のお医者さんは本日臨時休診でした。もし不安でしたら、お母様の方で明日午前中にお医者様に診てもらうことをお勧めします。

太田

九月八日（土）

体調：良　服薬など：傷薬　朝食：にんじんのナポリタン（二見フーズ）、緑茶（カフェインレス）

太田先生へ

夜はあまり寝なかったのですが、特に騒ぐことも泣くこともなく、大人しくしていました。ご飯はほとんど食べず、ミルクはよく飲みました。うんちが少し水っぽいようです。肩の傷のことですが、お医者さんは「断定はできないが念のため消毒しておく」とのことでした。もやもやしますが、数日は様子を見てみます。今後、郁馬くんと遊ぶときは目を離さないでいただけますでしょうか（会計前に診察室で急いで書いたので、汚くてすみません）

猛人くんのお母様へ

今日は疲れたのかお昼寝をよくしていました。起きている時も一人遊びに夢中で、お兄さんお姉さんとは少し遊ぶくらいでした。ご飯は半分くらいしか食べませんでしたが、特に問題はないと思います。

ご要望の件、重々注意して参ります。　　　　　　太田

九月十日（月）

体調：良　服薬など：傷薬　朝食：なし

本当に申し訳ありません。寝坊です。日曜は大人しかったです。よく寝ていました。ほとんどミルクだけでした。

猛人くんのお母様へ

お仕事本当にご苦労様です。

珍しく何度もうんちをしました。お腹を壊している様子はありませんが、注意して見ておきます。

こちらでもご飯はほとんど食べず、ミルクだけでした。庭に出るとまぶしそうにしていました。太田

九月十一日（火）

体調：良　服薬など：傷薬　朝食：ミルク

太田先生へ

昨日の夜からですが、首の周りが真っ赤です。小さな傷がびっしりあって、しかもただれているみたいです。あせもとは全然違う気がします。ネットや育児書を調べても分かりません。夜は一度も目を覚ましませんでしたが、心配です。

猛人くんのお母様へ

首のことですが、これはあせもだと思います。見た目は少し痛々しいですが、猛人くんは掻いたりぐずったりしなかったので、小まめに汗を拭いたり、お預かりしている保湿ローションを塗ったりして対応しました。

今日もご飯は食べずミルクだけでしたが、この時期に逆行する子も全くいないわけではありません。長いスパンで卒乳できるように頑張って参ります。

太田

九月十二日（水）
体調：　服薬など：傷薬　朝食：ミルク
太田先生へ
　卒乳の件、お心遣いありがとうございます。いろいろ調べて、美味しくないから卒乳しやすいと評判のミルクを飲ませ続けているのですが、やはり最初の最初からだと慣れてしまうのでしょうか。本当に母親失格で猛人には申し訳なく思います。昨夜は白ご飯も全く食べてくれませんでした。首のただれも少しも引きません。髪を切って毛先が当たらないようにしました。

猛人くんのお母様へ
　ご自分を責めないでください。
　今日はお昼寝をたくさんしました。首の件はわたしも少し心配ですが、当初よりは落ち着いているように思います。
太田

九月十三日（木）
体調：良　服薬など：傷薬　朝食：ミルク
太田先生へ
　夜泣きはしませんでしたが、昨夜も今朝もミルクまで嫌がりました。飲んでもすぐ吐いてしまって、新生児にまで戻ったようで気になります。声もあまり出さなくなりました。

猛人くんのお母様へ
　夜泣きがなくなってよかったですね。成長の証です。こちらでも食事、ミルクともにほとんど摂らず、少し気になります。続くようでしたら病院で診てもらいましょう。お昼寝が長くなったのは前向きに捉えています。
太田

九月十四日（金）
体調：良　服薬など：なし　朝食：なし
太田先生へ
　夜中にふと寝顔を覗き込んだら、目を開けていました。しばらく目が合いましたが、猛人の方から逸らしました。そのまま朝まで壁を見つめて寝そべっていました。こんなことがあるのでしょうか。子供らしくなくて怖いです。昨日も一昨日も、その前もひょっとして寝ていなかったのかもしれない。ちゃんと確認していなかったので分かりません。家を出る直前、抱っこひもに入れた途端に目を擦り、アパートの敷地を出た時には寝ていました。病院で診て貰うと「特に異常は見られない」とのことでした。でも心配です。何かお気付きのことはありませんか。

猛人くんのお母様へ

昼夜逆転はままあることとです。十一ヵ月の子が動き回ったりしないのは確かに珍しいですが、泣き止まないよりはよいでしょう。首のただれはだいぶ落ち着きましたね。今日もよくお昼寝をしました。外に出るのは嫌がったので、みんなとのお散歩はせず、わたしとお留守番をしました。

太田

九月十五日（土）

体調：良　服薬など：なし　朝食：なし

太田先生へ

右太股がぐるりとただれていました。首と同じです。郁馬くんが噛んだり、汚れた手で引っ掻いたりはしていませんか。他の子かもしれませんが、とても気になります。ミルクも一口だけでした。夜はずっと起きて壁を見つめていました。これは何ですか。教えてください。

猛人くんのお母様へ

郁馬くんは風邪で今週ずっとお休みしています。その他の子も猛人くんに手を上げたりはしていません。他の職員にも確認を取りました。

太股のただれも含め、心配になることがたくさんありますよね。わたしも心配ですが、一つ一つ、原因と解決策を見付けていきましょう。

午前中は窓ガラスを流れる雨が気になるらしく、ずっと見つめていました。

太田

九月十七日（月）

体調：良　服薬など：なし　朝食：なし

太田先生へ

日曜日中ずっと寝ていました。夜になると起きてきて、わたしの腕に縋り付きましたが、声も上げず動き回ったりもせず、ずっと腕を見つめていました。今朝わたしが目を覚ました時は、わたしの上に乗って首元をじっと見ていました。離乳食もミルクも全く摂りません。体重も少し落ちました。先生これは（何文字か書いて塗り潰した跡）何が起こっているのですか。

猛人くんのお母様へ

心配ですね。園内で情報を共有し、細心の注意を払うようにしています。

真奈美ちゃんとの件ですが、事実を記録しておきますね。

・午後四時十五分頃、猛人くんがボールで遊んでいると、真奈美（まなみ）ちゃんが来て声を掛け、その後二人でボールを転がして遊ぶ。

・午後四時二十七分頃、真奈美ちゃんが悲鳴をあげ、太田、岩淵（いわぶち）、黛（まゆずみ）の三人で確認したところ、猛人くんが真奈美ちゃんの右手指に噛み付いていた。上記三人がかりで引き離し、岩淵と黛は真奈美ちゃんの指の止血、消毒および病院。太田は猛人くんを抱きつつ口内の確認。歯は上下前歯各六本計十二本。抜けたりはなし。

・真奈美ちゃんの右手人差し指と中指の傷は全治一ヵ月ほど。薬指は全治二十日ほど。いずれも縫合手術なし。

真奈美ちゃんのお母さんの連絡先ですが、ご本人から許可を得ましたのでお伝えしますね（電話番号につき割愛）

九月十八日（火）

体調：良　服薬など：傷薬　朝食：なし

太田先生へ

昨日帰宅してすぐ電話で真奈美ちゃんのお母さん

にお詫びしました。日曜改めてお詫びに伺う予定です。たくさんの人にご迷惑をおかけして本当に心から申し訳なく思っています。悪いのは猛人をちゃんと育てられない自分なのに昨夜は猛人を怒鳴りつけてしまいました。猛人は全く驚かず見つめてきました。その目がとても冷たくて怖くなり、もう少しで叩くところでした。やはり猛人は退園になるのでしょうか。どうか今回は許していただけないでしょうか。猛人を預けることができて、仕事も順調になってきました。それに太田先生をはじめ、いちじく保育園の皆さんは本当に素敵な方ばかりで、こんないいところは他にありません。猛人にはよく言い聞かせます。どうか継続して預けさせてください。なにとぞよろしくお願いします。

猛人くんのお母様へ

　わたしも真奈美ちゃんのお母様とは毎日お話ししますが、とても理性的な方だという印象で、今回のことも怒ってはいらっしゃらないようです。むしろ猛人くんのことを心配しているご様子でした。園長、室長とも話し合いましたが猛人くんを退園させるつもりはありません。ただ健康面で問題が全くないとは考えにくいので、一度病院で検査を受けていただくのもいいかもしれません。

太田

九月十九日（水）

体調：？　服薬など：なし　朝食：なし

太田先生、相談させてください。頭がおかしくなったと思うかもしれませんが、これは本気で考えていることです。

（黒く塗り潰した跡）

猛人は吸血鬼になったのではないでしょうか。日中は眠り日なたを嫌がり、起きているのは主に夜で、食事を摂らない。真奈美ちゃんを襲ったのは血を吸うためではないでしょうか。首と太股のただれ、それ以前の肩の傷、どれも吸血鬼に噛まれた痕ではないでしょうか。真奈美ちゃんを噛んだ時、猛人は血を飲んではいなかったでしょうか。教えてください。

猛人くんのお母さんへ

今日はよく寝てくれました。お食事の時に一度目を覚ましましたが、最初の一口を食べた途端に吐き出し、またすぐ寝てしまいました。

ご相談の件ですが、一度じっくり話し合ってみませんか。夜遅くでも構いません。ご都合のよい日時を教えてください。

太田

九月二十五日（火）

体調：？　服薬など：なし　朝食：なし

太田先生へ

しばらくお休みしたのに連絡もせず申し訳ありません。調べたところ息子が吸血鬼になってしまったことの根拠を見付けたのでご報告します。その前に一見それらしくても実は違うものがありますので、先にそこから説明していきます。まず郁馬くんが吸血鬼で、郁馬くんに噛まれたことで猛人も吸血鬼になってしまった可能性。これはありません。何故なら郁馬くんは晴天でも出歩き、普通の食事を摂ることができるからです。国道沿いのビッグガイでお子様ハンバーグを食べているのを確認しました。それに、最初に猛人の肩にあった傷跡ですが、腕の歯形と違います。あの時は動転してつい同じだと思い込んでいましたが、念のため写真を撮っておいてよかったです。並べると肩の傷は人の歯形ではありません。プリントしたものを挟んでおきますのでご確認ください。尖った口に刺され、吸い付かれたらこんな痕になると思いませんか。首と太股は、ザラザラとした長いものに巻き付かれた痕だと考えられませんでしたか。尖った口吻と、長いヤスリのような舌。そんな器官を持った何かの仕業でしょうか。もちろんこれだけで信じていただけるとは思いません。以前から少し気になっていましたが、いちじく保育園の建物、園舎というのでしょうか、その二階は何に使っているのですか。お試し保育の時に見ましたが、倉庫は裏にありました。幼児が上らないようにと階段にはメルヘン調の柵がしてありますが、一日二時間で五日のお試しの間、先生が上り下りしているのを見たことは一度もありませんでした。階段にうっすら埃が積もっていた記憶もあります。つまり二階は使っていない。でも先生、わたしは送り迎えの時、園舎の二階の窓に誰かがいるのを見たことが何度もありますよ。窓というのは黒いカーテンがいつも閉じられている窓のことです。たまにカーテンに隙間ができて誰かが見下ろしていた。ガラスが曇っているので顔形ははっきり分かりませんでしたが、白に近い灰色の長い顔が、黒いカーテンと対照的でこの脳にしっかり刻み込まれているのは自明です。背は高い時も低い時もありましたが、その時は保育士さんだと思っていたので気になりませんでした。他の親御さんや、近所の人に聞いてみましたが、窓から見下ろす人影を見た人は何人かいたので、わたしの見間違いではありません。決してそうではありません。そうそういちじく保育園のことも調べてみました。創立者の坪井藤生（つぼいふじお）という方は大学生時代サークル活動で、ヒマラヤだとかザイールだとかに探検に行っていたそうですね。何でもネッシーだとかツチノコだとかのような未確認の生き物を、調査するためでもあったとか。市立図書館にあった自伝を読みました。児童教育、幼児教育の分野で大成された方のようですが、どうやらその筋の世界でも有名だった方のようなのでした。一九七〇年代は日本でも謎の生物がブームで、盛り上がっていた時期です。その自伝ですが、アマゾンに行かれた時、洞窟で頭が異様に大きな、毛のないコウモリに噛まれたという記述がありました。その後すぐ高熱が出て、一週間生死の境をさまよったとも書いてありました。アマゾンには支流の奥地の湖に住むと言われる、現地の部族にホラディラと呼ばれる謎の生き物を調査する予定だったそうですが、その最中の出来事だったそうです。結局ここで瀕死になったことで調査は打ち切られ坪田さんは帰国するのですが、わたしはこの毛のないコウモリが鍵だと思いました。坪井さんはこれがきっかけで人でなくなってしまった、吸血鬼に成り果ててしまったのです。いちじく幼稚園を創立してすぐ坪井さんは隠居してしまい、自伝はそこで終了でした。でも当時を知る人たちの話だと人前に出ることがなくなり、亡くなった時は家族だけで弔ったのだそうですね。これは何かを隠していてわたしはピンと来ました。それが園舎の二階にいる人影です。それが毛のないコウモリになったのであれば、階段の埃に足跡がないことは正解です。太田先生わたしは辞めた保育士さんたちのことも調べました。入ってすぐ辞めた方、体調を崩されて保育士そのものを辞めてしまった方。何人もいます。違いますか。（判読不能）市の保育課に頼んでも資料を見せてもらうことはできませんでしたが、わたしには分かります。みんな二階にいる前は坪井さんだった毛のないコウモリが、怖くなって辞めました。そう書いてあります。何故ならもし書いていないのであれば毛のないコウモリは存在しないからです。卒園した子供のことも調べました。これは近所に聞いて回って教えてもらったことですが、いちじく保育園は十年前に男の子が階段から落ちて怪我をしているそうですね。コーポ翠山（みどりやま）201号室の江副（えぞえ）様から聞きました。それで二階と階段を使用しないことにしたとか言っているけど、本当は毛のないコウモリにビックリして転げ落ちたのに、嘘を吐いていますね。もし嘘を吐いていないならどうして江副さんはあんなことを言ったのですか。コーポ翠山201号室はいちじく保育園を出てぐるっと回ったところにある（判読不能）赤い屋根のアパートです。猛人の前にもこうなった子供は何人もいるそうですね。江副さんはそんなことを言っていませんでしたが、わたしには分かります。猛人は何人目でしょうか。そういえばいつだったかのお迎えの時、郁馬くんが休みがちだと太田先生は言っていましたね。あれは郁馬くんも吸血鬼になってしまったということですね。だったら郁馬くんが噛んだんでしょうか。どっちにしろ猛人が吸血鬼であることの証拠はこれで疑いようもなく全部です。ここからは坪井さんに質問です。どうして猛人にしたのですか。どうして他の子ではなく猛人を選んだのですか。こんなに毎日（判読不能）コーポ翠山でアマゾンの（判読不能）猛人の目を見ていたら話はできないけど話ができ（黒く塗り潰した跡）ごちそうさまおいしかったよと（以下、判読不能）

猛人くんのお母様へ

本日はお忙しい中、お迎えの後にお時間をいただき、ありがとうございました。お話ししたことを改めてここにまとめます。

・猛人くんを明日病院に連れて行くこと、診断をしてもらうこと

・辛いことはまずわたし（太田）に相談すること。一人で結論を急がないこと

・猛人くんだけでなく自分も大事にすること。

今日は眠るか、曇り空を窓ガラス越しに眺めるかして過ごしました。真奈美ちゃんとは自然と仲直りできて、二人で積み木をして遊んでいました。

いちじく保育園はお母様の味方です。

太田

九月二十六日（水）

体調：良　服薬など：なし　朝食：なし

昨日は本当にありがとうございました。今日もよろしくお願いします。太田先生だけでなく、園の皆様に感謝いたします。駄目な母親でご迷惑おかけしてすみませんでした。

お医者さんの見立てはストレスだそうです。やっぱりわたしのせいでしたね。

猛人くんのお母様へ

いい母親かどうかの話はひとまず置いておきましょう。わたしはお母様のことを立派だと思っています。猛人くんのために誰よりも懸命になっているお母様を、駄目だとは全く思いません。

猛人くんはずっと寝ていました。お兄さんお姉さんが心配してお散歩でお花を摘んできてくれたり、起きてきた時に声をかけてくれたり、みんなとても優しかったですよ。

太田

九月二十七日（木）
　体調：良　服薬など：なし　朝食：なし
太田先生へ
　みんなのことを書いてくださってありがとうございます。猛人はみんなに見守られて本当に幸せだと思います。わたしも逃げずにちゃんと向き合おうと思って、猛人のことをちゃんと見ることにしました。夜中ずっと見つめ合って、この子が今どうなってているのか、何がしたいのか、どうしてほしいのか、読み取ろうとしました。時間はかかりそうですが、頑張ります。

猛人くんのお母様へ
　お昼寝はうとうとするくらいでした。ご飯は少し口に含みましたが、吐き出してしまいました。おやつ前、立とうとして尻餅を衝いて、少し泣きましたが、その時「ママ、ママ」と確かにお母様のことを呼んでいましたよ。言葉らしい言葉を聞いたのは初めてで、とても驚くとともに嬉しくて拍手しました。お母様の姿勢が猛人くんに伝わったのだと思います。お兄さんお姉さんも「やったー」と言っていましたよ。
太田

九月二十八日（金）
　体調：良　服薬など：なし　朝食：なし
太田先生へ
　一晩中、息子と見つめ合っていました。少しずつ見えてきた気がします。

猛人くんのお母さんへ
　お預かりしてすぐ「ママ」と三回言いました、昨日のことは聞き違いや偶然ではなかったと分かりました。摑まり立ちもすごいスピードで、疲れてしまったのか直ぐに寝てしまいました。ご飯の時も起きませんでした。
太田

九月二十九日（土）
　体調：良　服薬など：なし　朝食：パン（少し）、麦

茶（少し）

太田先生へ

　ほんの少しですがご飯を食べてお茶を飲んでくれました。とても嬉しいです。園の皆さんが優しく見守って下さったおかげです。これからもよろしくお願いします。

猛人くんのお母様へ

　朝ご飯食べてくれてよかったですね。こちらでは残念なことに昼食もおやつもプイッとしていましたが、たしかに顔色はよく、笑顔を見せることも多かったです。真奈美ちゃんとはすっかり仲良しで、「ぶぶぶー」「あうあう」と喃語で会話（？）していました。

十月一日（月）

体調：良　服薬など：なし　朝食：いわしつみれとにんじんのトマトシチュー（二見フーズ）、麦茶

太田先生へ

　昨日今日と、三食とも半分ほど食べてくれました。食べ終わった後はニコニコしてとても幸せそうで、手を握ったり一緒にハイハイしたりして遊びました。長いトンネルを抜けたと思うと本当に泣けてきますが、油断してはいけない、猛人に向き合うことを忘れてはいけないと自分を戒めています。今日もよろしくお願いします。

猛人くんのお母様へ

　お預けにいらした際、お母様のすっきりした表情がとても印象的で、苦しい段階を抜けたと感じました。ご飯を食べてくれてよかったですね。こちらでは全然なので、ひょっとすると卒乳を肌で感じて、その前にお母様に甘えたくなったのかもしれませんね。ご飯についてはお任せする形になって心苦しいですが、ここを抜ければスムーズに卒乳、離乳食から幼児食へ、とステップアップできそうな気がします。

太田

　後はずっと押し入れでかくれんぼしたがりました。

十月二日（火）

体調：良　服薬など：なし　朝食：トマトと牛肉のドリア風（二見フーズ）、麦茶

太田先生へ

昨夜も今朝もたくさん食べてくれました。急いで出たので服に離乳食が付いてしまっていますが、あまり気になるようでしたらお預けの服に着替えさせてください。昨日は久々に両親に連絡を取りました。みんなで猛人を育てていけるよう、一人で抱え込んでしまわないよう、猛人のためにもやり方を変えていきたいと思います。

猛人くんのお母さんへ

「くるま」と呼んでいる段ボールと布でできた大箱があるのですが、今朝はそれを独り占めしていました。真奈美ちゃんや郁馬くんが近寄るとブーブーとイヤそうな顔をして追い払っていました。そのまま「くるま」の中で眠ってしまい、お迎えの時間まで寝ていました。

太田

十月三日（水）

体調：未記入　服薬など：未記入　朝食：未記入

太田先生、ごめんなさい、わたしは嘘を吐いていました。

皆さんと長いこと話し合って、何とか元通りになろう、皆さんに迷惑をかけないよう、いちじく保育園から追い出されないように猛人も自分も普通になろうと思って、いろいろ考えて試したりしました。猛人の目を見て、心の中、頭の中を見てみようと頑張りました。そうしたら、何が一番か分かりました。

猛人にわたしの血を吸わせることです。

九月二十八日の夜です。部屋を暗くして、布団の上で猛人を抱いて、よく洗った腕を目の前に差し出しました。猛人はわたしの腕を小さな手で確かめるように撫でて、叩いてから摑んで、それからかじりました。痛かったのは最初だけで、それも針で一瞬刺した程度の、小さな痛みでした。スッと溶けるような感触が腕から身体に広がり、世界が遠くに行くような感覚がしました。

急に怖くなって腕を振り払い、抱いていた猛人を離してしまいました。布団に落ちた猛人が小さく呻いたので、大慌てで抱き上げました。

猛人はわたしを見て笑いました。前歯が赤く染まっていました。久しぶりの笑顔、天使のような笑みに、わたしは嬉しくなりました。いけないこと、おかしなことだと分かっていても、嬉しくなることを抑えられませんでした。明けて二十九日の朝、猛人の顔色がよくなっていました。動きも最近はのっそりしていましたが、素早くなっていました。どうしようと考えて、すくすくのーとに嘘を書いて、辻褄を合わせました。

日曜は血を飲ませて一日を過ごしました。

お腹を空かせてぐずりだしたら、手で足を差し出しすと、ぺちぺち叩いてから「かぷり」と食い付くのです。もう変だとは思わなくなっていました。

ごめんなさい。また嘘を吐きました。本当は最初に血を吸わせた時から、猛人の仕草をかわいいと思っていました。

血を吸われる度に不思議な感覚に取り憑かれましたが、今度は抵抗しませんでした。猛人が満足するまで吸われるままにしていました。わたしがそうしたかったからです。

母乳は血液からできています。だから、吸血鬼になったこの子にとって、わたしの血は母乳のようなものです。

最初に言ったと思いますが、わたしは母乳が出ません。猛人が生まれてから一滴もです。産んだ病院も母乳推進派で、退院までの間にいろいろ運動や体操もしましたがよくならず、先生に「頑張れ頑張れ」と退院の日までずっと励まされましたが、わたしはそれが苦痛で仕方ありませんでした。母乳外来でマッサージをしても無理でした。ネットで調べて食生活を変えたりストレッチなども試しましたが駄目でした。

この子の父親から逃げて、一人で生きよう、一人で頑張って育てようと思ったのに最初からつまずいて、本当にどうしようと思いました。貯金が底を尽きかけた時に、いちじく保育園に入れて本当にホッとしました。ミルクでも構わないと先生たちからも温かい言葉をいただいて安心しました。でも、仕事で疲れてつい寝坊した時、猛人が泣いているのにミルクを切らした時、自分は本当に駄目だ、母親失格だと死にたくなりました。それはきっと母乳のせいだと思います。わたしは不完全でした。

でも今は完全です。猛人が血を吸うようになってくれたおかげで、わたしは母親になれました。おかしな考え方だと先生は思いますよね。わたしもそう思いますが、でも前より幸せです。だからこっちを選びます。

もうわたしは人ではなくなってしまいます。猛人もだいぶ形が変わりました。わたしも時間の問題です。同じ形になるか分かりませんが、どちらにしろ元には戻れません。絶対にそうです。

太田先生、いちじく保育園の皆さん、猛人と仲良くしてくれた園児の皆さんと、そのお父さんお母さん、本当にありがとうございました。いちじく保育園に入れてよかったです。（貼られたレシートに茶色い染みが付着している）

※　※

この「すくすくのーと」は東京都練馬区南寿町（みなみことぶきちょう）の、アパートの一室で発見された。発見したのは部屋に踏み込んだ警察官と、立ち会った大家だった。「いちじく保育園」の職員から「一週間前の十月三日から園児の一人が来ない。保護者とも連絡がつかない」と通報を受けたのがきっかけだ。

つまり十月三日の記述を「太田先生」は読んでいないことになる。警察官がさっそく「太田先生」に読ませたところ、「気味が悪い」とすぐに突き返された。母親が書いたことは全て出鱈目だという。自分は母親を刺激しないように穏便なこと、口当たりのいいことを書くようにしたが、個人的には母子ともに入園当初から陰気で厭な感じがしたそうだ。

猛人が九月に入って食事を摂らなくなったこと、眠りがちになったことは事実だそうだが、それも自宅での生活習慣が荒れていたせいだろう、と園の職員たちは見做していた。真奈美に噛み付いたことも、単に素行が悪かっただけだという。大事に至っていないが、猛人と他の園児が揉めたことはしばしばあったらしい。

母子の部屋に争った形跡、何かが盗られた形跡はなかった。外出した痕跡も見当たらなかった。財布もスマートフォンも、母親の靴もベビーカーも、ほ乳瓶も抱っこ紐も残されていたのだ。駐輪場には母親の自転車も置き去りになっていた。

保育園の職員は母子の行方を知らなかった。心当たりすらないという。母親の勤め先だったビル清掃会社も、母親の両親も、かつて交際していた男性も同様だった。もっとも、彼に言わせれば、猛人は自分の息子ではないらしいが。

確かなのは、猛人とその母親が忽然と姿を消してしまったことだ。行方不明届は両親が提出した。

母子の住んでいた部屋は片付けられ、現在は新たな住人が住んでいる。母子の持ち物は全て処分されたが、大家によって「すくすくのーと」だけが間一髪でサルベージされ、以前から知り合いである私の元に届けられた。記事のネタに使えるのではないか、という理由で。彼は私が専業作家になったことを知らず、それまでどおりオカルトライターだと思っていた。

息子が吸血鬼になってしまった——何らかの事情でそんな妄想に取り憑かれた母親の手記。「すくすくのーと」の記述を、そう斬り捨てるのは容易い。

しかし。

南寿町やその近隣では、「奇妙な生物を見た」という報告が相次いでいた。様々な説がSNSを飛び交い、出所不明の胡散臭い「証拠映像」も多く出回った。異星人リトル・グレイだ、いや南米の吸血生物チュパカブラだ、単なる毛のないハクビシンだ、いやいや病気の狸だ。その他諸々。当時テレビでも取り上げられたから、覚えていらっしゃる方も多いだろう。そしてこんな証言もあったことも記憶されているかもしれない。

「頭の大きな毛のないコウモリみたいな生き物が、深夜、信号機に二匹並んでぶら下がっていた」

奇妙な生物が目撃されるようになったのは、ちょうど母子が行方をくらました頃からだった。

「いちじく保育園」は昨年、職員による園児への日常的な虐待が報道され、現在は閉園している。猛人とその母親は未だに見つかっていない。（了）

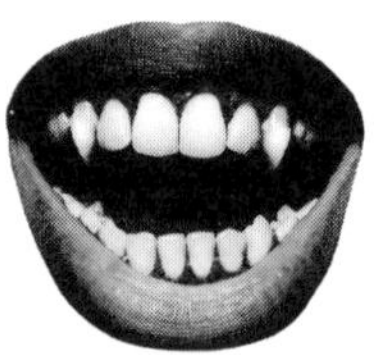

新井素子

ここを出たら

A SWEET AND PAINFUL KISS
VAMPIRE
COMPILATION

新井素子（あらい・もとこ）

一九六〇年生れ、東京都出身。立教大学文学部卒業。一九七七年、高校二年生のときに、「あたしの中の……」が第一回奇想天外SF新人賞佳作に入選、星新一氏の推薦を受け作家デビュー。八一年「グリーン・レクイエム」、八二年「ネプチューン」で、星雲賞日本短篇部門を二年連続受賞。九九年、『チグリスとユーフラテス』で日本SF大賞を受賞。近著に『絶対猫から動かない』（KADOKAWA）、入手困難な初期作品を集成した『新井素子SF&ファンタジーコレクション』（日下三蔵・編／柏書房）など。

本作「ここを出たら」は短編集『イン・ザ・ヘブン』（新潮社）所収の作品。あとがきによれば、パソコンの前に座って何も考えずに打った「がっくん。」という一行から着想を広げた、「無意識とのセッション」作品だという。東日本震災の一年後に書かれ、主人公の特異な設定を、思いきりの良さで書き上げた会心の作。

（編集部）

がっくん。

もの凄いいきおいで、揺れが来た。

あたし、思わずつんのめり、次の瞬間……うおおおおっ。

体が、浮いた、ぞっ。

あきらかに、一瞬だけ、あたしは、重力の軛を離れた。ふわっと体が浮いてしまった。んでもって、更にその次の瞬間に、もの凄いいきおいで、あたしの体は床面に押しつけられる。押しつけられる――うん、ほとんど、これは、落下ね。んで、同時に、複数の人の悲鳴。あたし程頑丈ではない、このエレベータに同乗していた人達のうち何人かが、きっと、この落下で、えらいことになったんだろう。骨折した人もいるかも知れない。


そして、エレベータ内の照明がちらちらして、やがて、その照明は、同乗している人々が事態を認識する前に……ゆるやかに瞬いて……まるで季節はずれの蛍のような頼りない感じになり……そして、消えた。消えてしまった。

「な、な、な、何だ！」

「地震よっ！　ついに来たのよ、直下型の大きな奴が」

「エレベータのボタンを押せっ。すべてのボタンを押せっ。どこでもいいから、とにかく最寄り階に、このエレベータ、止めないと……」

止めないと、酷いことになるよね。どっかの階でとにかく止まって、ドアをあけないことは……只今、このエレベータにのっているあたし達、全員が、震災下のビルの中のエレベータに、閉じ込められることになる。

……そして……実際……そうなった。

照明が消えてしまった今となっては、エレベータのボタン（って、つまり、停止階を指示するスイッチね）は、すべてまったく反応がなくなってしまっていて、あたし達は、気がついたら、真っ暗な空間の中に、閉じ込められていたのだった……。

「緊急連絡用の電話がある筈っ！　おい、操作パネルの近くにいる奴、まずそれを確かめて……」

「駄目だ、誰もでない。というか、これ、通じてないんじゃないのか？」

「あの、じゃ、私達……？」

「痛い……痛い……痛い……どこか骨が折れてる気がする……」

「ど、どうなるのっ、わたしっ！」

「携帯っ！　通じないって、何なの通じないって。どうして通じないのっ！」

「……うう……ううう……」

☆

と、まぁ、こんなことになってしまった訳だったのだ。

えっとね。状況を、整理するね。

まず、あたしは、里山多恵（さとやまたえ）っていう。ん－、身分は、フリーターってことにしておこうかな。ま、そんなもん。

そんで、ここは、東京の、とある高層ビル。とはいえ、別に大したビルって訳じゃなくて……只今の東京なら、六十階建てやそこらは、普通でしょ。その、普通の高層ビルの、エレベータの中。このビル、五十七階から上が、レストラン街になっていて、あたしは、五十九階のイタリアン・レストランで、ちょっと前に知り合った男の子に、色々あって御馳走してもらう予定で、だから、この日、ちょっとおめかしして、約束の時間に、問題のイタリアン・レストランへ行こうとして、エレベータに乗ったのだった。高層階、それも、レストラン街直通の奴だから、ばかっ広くて、結構豪勢な奴に。

んで、そうしたら。

いきなりの地震。

とまってしまったエレベータ。真っ暗になってしまったエレベータ。

そんなのが、只今の状況、かな。

☆

ぼおっと。

そこら、ここらが、明るくなる。

これは、殆どの人が、すでに何人もの人が試して、通じないって判っていても、それでも携帯電話を開いた、あるいは、電源をいれた為、携帯の照明で、ちょっと、その辺が照らされたんだよね。

すると。

「携帯を切れ」

いきなり、とても強い声がした。あ、この声は、さっき、「すべてのボタンを押せ」って言った人だ。

「只今携帯がまったく通じない状況になっていることは、みなさん、お判りだと思う。そして……とりあえず、私が携帯の電源をいれる。だから、他の人は、みんな、携帯の電源を切ってくれ」

「……って、何を言ってるんですあなた、そんな勝手な……」

「私が勝手なことをしていると思うなら、あとで、いくらでも糾弾してくれ。ただ、今は、すべての携帯の電源を切れっ！　電気は、とても、貴重だ」

「だから何をあなたが言っているのか……」

「判らないのか？　今、地震が起こって、このエレベータはとまった」

この男の声が、何かとってても頼りになりそうだったので、この瞬間、二つ程、携帯電話の電源が落ちた。

「これから先、私達は、救助を待つことになる。その時、明かりである携帯、連絡手段である携帯は、とても貴重だ。だが、今、いたずらに携帯の電源をいれ続ければ、そう遠くない将来、すべての携帯が、電池切れになってしまう。私は、それを、避けたいと言っているのだ」

　また、いくつかの携帯の電源が落ちた。

「我々は、十五分後に救出されるかもしれない。だが、救出に、三日かかるかも知れない」

「いや、そんな、三日だなんて……」

「あり得ないとは、言えないだろうが。その場合、携帯の電池が生きていることは、非常に重要だ」

　うーむ。

　人間って、結構、凄いよね。私は時々、ほんとに時々、この生き物のことを尊敬してしまう。

「でも、じゃ、何だってあなたは、自分の携帯の電源だけ、いれてるんです？　人には携帯の電源を切れって言って、自分だけは携帯の電源をいれてる。これは一体……」

「怪我をした人がいるようだから、その確認を、したいから。その為……これは確認なのだが、ノートパソコンやｉＰａｄを持っている人はいないか？　しばらくの間だけ、それの電源をいれてくれれば、照明としては、それらは携帯電話よりかなりましだと思うのだが……」

　この言葉で。

　文句を言っていた人、黙った。また、この人の携帯電話を除く、すべての携帯電話の電源が切られて、そのかわりに、もっと大きな明かりがついた。ノートパソコン。

　そして、この人の携帯の明かりの下、二人程いたノートパソコン所有者のパソコンの明かりの下、呻いていた人達が照らされて。

　一人は。見事に肩が変な風にまがっていた。脱臼……で、すむんなら、いいんだけれどね。んで、現時点で、この場にいた人の中には、肩の脱臼を治すことができる人はいないみたいで……まあ、でも、この人は、痛みを訴えながらも、何とか自分で立つことができた。

　でも。もう一人は、もう、ぜいぜい言っているだけだったんだけれど……この人は、どうやら、肋骨やられたかも。とりあえず、この場には、医療関係者がまったくいなかったので、この人は、近くにいる女性が座って、その膝の上にその人の頭を載せて、あとは、体をさすってあげるだけで……それ以外は放置っていうことになった。（というか、他にできることが何もなかった。）折れた肋骨が、肺にささっていないこと、心臓と肺っていう、生命維持に必要な器官に損傷がないことを、祈るしかない。

「エレベータのボタンの側にいる人。そのボタンは、本当に全部反応しないんだな？」

重々しい声がする。たった一人、携帯の電源をいれている男の声。

「ええ……残念ながら」

「そこに、緊急連絡用の電話があるよな？　それも、反応しないのか？」

「とても、残念ながら」

「ならば」

この人が、重々しい声で何かを言うと、それだけで、この場の雰囲気が左右されてしまう。

「パソコンの電源をいれてくれた方、どうもありがとう。電源を切って下さい。私も、自分の携帯の電源を、切るつもりでいる」

この言葉を聞いて。消える、この状況では大きな照明だった、パソコン二つ。そしてこれから、あたりがほんとに暗くなったので、起こる抗議。

「何で。何でこんな暗い処に……」

「救助がくるまでの時間がまったく読めないから、電気はできるだけ温存しておきたいからだ」

「んな……だって……そんな……それじゃ……あなたまで携帯の電源を切ったら、ここは、真っ暗になってしまう」

「そうだ。だから、私は、言っている。これから、私は、電源を切る、と。私がこの携帯の電源を切ってしまえば、間違いなくあたりは真の闇になる。あたりが暗くなっても、余計なパニックをおこさないよう、みなさんには、お願いする」

かくて、こうして。この台詞を最後に。

あたりは真の闇になった。

☆

「ないと思うのっ！」

ふいに、こんな言葉が、闇を切り裂いたのは、あたりが闇に包まれてから、どのくらい経った時だったろうか。

もうだいぶん時間がたっているような気が、闇に包まれていた人には、するんだろうけど、でも、では、実際、どのくらいの時間がたっているのかは、まったく判らない。

この台詞と同時に、あたりはほわっと明るくなった。この台詞を言った女性が、自分の携帯の電源をいれたのだ。

「キョウちゃん、出て、出て、キョウちゃん、何やってんの、出て」

女性は、まるで呪文のように、こんな言葉を言い続け、だが、この電話に出る人は、いない。というか、電話がかかっている感じがしない。

「携帯の電源は、とても大切だから、節約しなければならない、と、私はお願いした筈なのだが」

重々しい男性の声が、こんなことを言ったのだけれど、この女性、それを、まるで、無視。というか、多分、彼女には他人の台詞がまったく聞こえていない。

ただただひたすら、呪文のように。

「キョウちゃん、キョウちゃん、キョウちゃん……」

「お願いを、聞いて頂けなかったのなら……しょうがない」

ぼんやりとした視界の中で、男が、動いた。

そして、次の瞬間。

呪文のように、キョウちゃんっていう名前を唱えていた女が、くずおれる。

どうやら、動いた男が、彼女に当て身を食らわしたらしい。

それから、ぼおっとあった、明かりが消える。彼女の携帯が、切られたらしい。

そして、また、続く、闇。

☆

「すみません、駄目だ、もう我慢できない」

こんな男の台詞があったのは、あれからどれ程たってからだっただろうか。

「俺、トイレに……」

「大変尾籠（びろう）なことを聞くが、それは、大か、小か？」

言ってることは尾籠なのに、まったく自分では尾籠なことを言っているつもりはない、そんな感じで、重々しく台詞を口にするのは、あの男。今までリーダーシップをとってきた男。

「いや……大なんで……ちょっと前からお腹が痛くってたまらなくて……えーと……でも、それが、何か？」

「では、このエレベータの、コントロールパネル……というか、非常用電話がある処から見て、対角線上の角の処で、トイレを済ませて欲しい。もし、新聞や雑誌などをお持ちの方がいたら、それを床に敷いていただいて。そして、これから先、大を催した方は、みなさん、そこでトイレを済ませて欲しい。そこを、このエレベータ内における、トイレだということにしたい」

ざわざわざわ。人が、動く。かなり広いとはいえ、それでもエレベータという限られた空間の中で、今、この男によりトイレと決められた処の近くにいる人が、トイレに行きたい人へと場所を譲る。というか、こんな局面になっちゃっても、トイレの近くにはあんまりいたくないのが、普通の人の普通の気持ちだよね。

「でも……何で、わざわざ、大小の確認を？」

「救助までの時間がまったく読めないので、〝小〟は、リサイクルしたいと、私は思う」

……って！　おい、何てことを言うんだろう、この人。うわあ、あたし、ほんっとに尊敬しちゃうわ、この人。凄いなあ、ここまで危機管理ができる人間って、いるんだ。

「小便をしたい人が、もし、今、いるのなら、それはちょっと待って欲しい。小便は、かなり、水だ。水に近い。腎臓で漉されているから、ある意味、清潔と言って言えないこともない水分だ。だから、場合によっては、飲用することが可能かも知れない」

「い……飲用が可能って、あなたっ！」

「人のしょんべんを呑ます気か？」

「いや。別に、呑みたくない人にわざわざ呑ませるつもりはない。ただ、人の小水は、それなりに飲用水に近いということを言いたいだけだ。そして、それはこの先、飲用水がなくなった時、とても大切な資源になり得る」

「……い……飲用水がなくなった時って……」

「この籠城がいつまで続くのかは、まったく判らない。三分後に電気が回復して、私達は救出されるのかも知れないが、あと三日かかるのかも知れない。すると、水が、まったくなくなってしまう可能性もある」

この瞬間。

あっちこっちで、何か、音がした。

まっ暗な中だから、よく判らないんだけれど、こう、鞄の中を探っているような音が。そして、何かを飲み干すような音が。ごくごくごくって音が。

「今の音でよく判ったと思うのだが、水の問題は、それから先、とても大切だと思う」

「……って？」

「今、ここにいる人の中には、ペットボトルの水を持っている人が多数いるに違いないということだ」

ああそりゃ。

いるに違いないんだよね。

普通の人間は、只今、普通の生活をしていれば、ペットボトルを所持している可能性がある。(日常生活で、喉が渇いた時、昔の人間なら、近くの水道で水を呑んだ。だが、昨今の人間は、そんな場合、近所のコンビニや駅や自動販売機でペットボトルを購入するのであって……ペットボトルは、内容量にもよるけれど、購入した時、購入した人が、その全部を飲み干すことは、普通、あんまり、ない。ということは、飲みかけのペットボトルを持っている人が、いる可能性があるっていうことだ。) そして、そのペットボトルの中には、水がはいっている。うん、純粋な水ではなくとも、水分が。(お茶とか、その他とか。)

そんで、今、この男の台詞を聞いた瞬間、それに思い至った、飲用水を持っている人達が、暗闇に紛れて、自分が持っている水を呑んだ。そんな音がする。勿論、それは、言われて初めて、自分の喉の渇きに気がついて、それで水を呑んだ音なのかも知れないし……言われて初めて、自分が持っている〝水〟が没収されてしまう可能性があるから、その前に、水を呑む、呑みためる、そんな音なのかも知れない。

……ふ……くすっ。

この音を聞くと、男は喉の奥で笑った。それは、失笑というか……ちょっとした諦めを内包した、微妙な笑い。「まあ、しょうがないか」、とでも言うような。

また。

それと同時に。

☆

「違うだろう、つーか、なんだよ、おまえ、おまえはどんだけ偉いんだ！」

いきなり、こんな声がした。

「携帯の電源切れだの、何だの、おまえはどんだけ偉いんだよ。どんな権利があって、俺に命令してんだよっ。なんだって、んなこと言ってるんだよっ」

聞こえてきたのは、多分、まだ二十代くらいの、若い男の子の声。

「いや、私は、別に、自分が偉いとは特に思ってはいないのだが……」

「偉そうだよ、偉そう以外の何物でもないよっ。この状況下で、勝手に人の携帯の電源を切らせて」

「でも、他にどうしようもあるまい？」

「い、いや、言われっちゃったらそうなんだろうけど、だからって、水まで、あんたの支配下か？　このまんまだと、あんた、水も勝手にしちまうだろう。〝すべての水は自分のもとに集めた方がいい、だから集める〟なんて、勝手なことを、あんたは必ず言い出すにきまってる」

おおお。

誰だか判らないこの男の子、結構鋭いな。

でも。

最初にリーダーシップをとった段階で、この男のアドバンテージは大きい。

あとから、この男の子がどうしたって、この男のアドバンテージを乗り越えることは難しい。

ただ。

男の子がこう言ってしまったせいで、男は、水の集約が非常にやりにくくなってしまった。

ここで、しばらく、時間がたつ。

☆

くうう。

音がした。

鳴ったのは、誰かの、お腹。

普通、日常生活をしているのなら、まず見過ごされてしまう（というか、そんな音なんて大抵の人が気にしない、もしくは、たとえ聞こえても礼儀として無視する）ものが、全員に聞こえてしまうのは、今が、あくまで闇の中だから。

「腹が減ったな」

リーダーである男がこう言うと、それにうべなう気配があちらこちらで。

「ここで、久しぶりに電気をつけたいと思う」

この瞬間、

あたりはとっても明るくなった。

いや、現実の照明で言えば、携帯の明かりをつけた人が数人いただけであって、これはまったく、〝明るくなった〟訳ではないのだが、照明の度合いから言えば、ほんのちょっとの明かりがついただけなのだが、今、ここにいる人にしてみれば、これは〝とっても明るくなった〟。

「明かりを、ありがとう」

さらりと言われた、この台詞は、あきらかに変だ。

人々が明かりをつけたこと、それに、この男は感謝の意を表明していて……でも、これは、あきらかに、とても〝変〟だ。今までの男のスタンスから言えば、「明かりは貴重なのだから、一度に二人の人間がつけるな」なんてことを言いそうなものなのに。

そして、それを裏書きするように……男はとんでもないことを、言い出す。

「ここで、食べ物のことを話題にしたいと思う。先程の水の時と違って……これだけ明るいと、さすがに人の顔や何やは判別できなくとも、シルエットは判ってしまうので、こっそり、自分が持っているものを食べることは、不可能になったのではないかと思うので」

ぎくっ。

そう思った人が、どのくらいいるのかは判らない。瞬時、二つ三つの携帯の電源が、落ちた。だが、暗闇に慣れた人の目にとっては、あたりはまだ充分明るくて……。

「私としては、できれば、この先、食料と水は、この仲間で共有をしたいのだが」

この状況。

真っ暗な時間がだいぶすぎてから言われた台詞。

これに対して、表立って文句を言える人は、多分、いない。先程、水の時、文句を言った若い男、それが誰だかは判らないのだが、その人だって、言った人が特定できるだけの明かりがある今、とても文句は言えないだろう。

「これは人によるとは思うのだが……ペットボトルを持っている人、お茶でもミネラルウォーターでもジュースでもいい、習慣か、なりゆきかで、ペットボトルを只今所持している人は、それなりの人数、いるのではないかと思う。そして、私は、そういう人達にお願いをしたい、どうか、そういう水分を、共有のものとして、供出して欲しい。また、食料をもっている人にも、同じく。できれば、水と食料を、供出していただけるとありがたい」

バッグから、お茶の五百ミリリットルペットボトルをだした人が、ここで、一人。(ただし、半分以上飲まれている。)

んで、あたしもまあ、ひとくち飲んだだけのウーロン茶のペットボトルを出す。(ここに来る為の地下鉄に乗った際、ちょっと喉が渇いて買ったんだけれど、あんまり飲んでいなかった奴。)

それから。

喉飴を出してきた女性、チョコバーを出してきた女性、半分あいたクッキーの袋を出してきた女性、もの凄く嫌そうにチョコレートを出してきた男性。(「賞味期限のことなんか知りませんからね！　これ、今年のバレンタインに憧れていた女性にもらった奴で……勿体なくて勿体なくて、どうしても食べられなくて、ずっと持ち歩いていて、んで、こんな時期になっちゃった」。ただ、リーダーの男性——と、いうことにする——は、とても簡単に、「チョコレートは、カロリーがあり、非常食としてはとても理想だ。しかも、日持ちがする。今年のバレンタインに貰ったものなら、充分食用になる筈だ」の一言で済ませた。)

白眉は。中年と呼んで差し支えない年頃の、女性。

「レストラン街の二階下に、うちのオフィスがあるんですけど」

だからこの女性、レストラン街直通のエレベータに乗ったのだそうだ。最初から素直にオフィスがある処までエレベータで上がるのより、一回、レストラン街まで上がってしまって、それから非常用階段を下りた方が早いので。

「うちのオフィスには冷蔵庫と冷凍庫があるんで、だから、外出のついでに、自宅用の買い物をしたんですけれど……でもこれ、調理しないとなかなか食べられないんじゃないかと……」

てんで、でてきたのが、四パックに小分けされたハム(一パック四十グラム相当)。卵十個入りパック。人参三本入りパック。じゃがいも一袋(六個はいっていた)。タマネギ一袋(三個はいっていた)。アスパラガス一袋(五本入り)。ブロッコリー一個。ビニール袋の中で保冷剤につつまれた冷凍のシーフードパック二袋(エビやらほたてやらアサリ剥き身など)。

「こ……これは、素晴らしい食料だ」

リーダーの男性、こう称賛。あたしも、そうだと思う。……ただ……どうしたって、じゃがいもとアスパラガスとブロッコリーは、火を使う調理をしたくは……なる……よ……ね？　つーか……確かに人参とタマネギは生だって食べられるんだけれど……この状況下で、生のタマネギ齧るのって……どうなんだろう。

「あとは……水、だな。……ここで質問なのだが、空になったペットボトルは、ないのだろうか？」

今、ここで、この質問。

ああ、これ、この人、感情的な逃げ道を用意してくれたんだ。

「空になったペットボトルを持っている人は、それも供出して欲しい。先程も言ったが、人間の小水は、飲料水たり得る。だから、それを溜める為の容器が必要なのだが、空になったペットボトル程、それに適した容器はないと思う」

これは、多分、さっき、真っ暗闇の中で、水の話題がでた時、こっそり水を飲んでしまった多数の人への逃げ道なのだ。ここでこうして、空になったペットボトルを出すことが善だという雰囲気を作っておけば、その人達、自分が一人で水を飲んでしまったっていう罪悪感を抱える代わりに、自分は必要な空ペットボトルを供出したって気分になれる。

そして、でてきた空のペットボトルが二つ。

これはまあ……あの時の、水を飲んだ人の音から考えると、あきらかに少なかったので……。（というか、あの時、空になっちゃうまでごくごく水を飲んでしまった人が二人いたんだな、っていう話かな。）

これは、いるよね。

まだ、水が残っているペットボトルを所持していて、でも、それを供出していない人が。それも、一人や二人ではなく。本当にいざというときに、自分が呑む為に、それを隠し持っている人が、何人も。

勿論、男だって、そんなことは百も承知の筈。だが、男は、そんなことには触れない。そのかわりに。

「今、明かりがついている間に、このエレベータ内に名前をつけよう。その……コントロールパネルの前、非常用電話がある処、そこを本部と呼ぶことにする。……そこの前にいる君、君を本部責任者にしていいかな？」

そこに立っていた四十男、慌ててうなずく。

「君にお願いしたいのは、コントロールパネルの注視だ。もし、非常用の電話が繋がれば、それは救助への何よりも得難い道しるべなので、君はとにかく、本部として、それを管理して欲しい。常にそこに注意をしていて、少しでも電話が通じる可能性ができたら、それに邁進して欲しい」

「判りました……判った」

何か気押されて、最初は敬語で答えてしまった四十男、別に相手が上司でも何でもないことに鑑み、普通の口調で言いなおす。

「そしてそれからその対角線上の……えーと、トイレだと、決めた場所」

そこは、このエレベータの中で、最も人口密度が薄い処だった。というより、排泄されたモノのまわり、五十センチは、人がいない。

「そこは、トイレだ。大を催した人がいる場合は、そこで始末をお願いしたい」

それから男、トイレだとされた空間からすぐ手が届く処に、只今手にいれた空ペットボトルをおく。

「そして、これから、小を催した方は……女性の場合、排泄器官の構造の為、かなりやりにくいかも知れないが……できれば、小水を、この容器に溜めて欲しい。基本的に、このエレベータの中は、暗闇であるのが常態だから、これは、それ程酷いセクシャル・ハラスメントにはならないと思う」

……というか、暗闇であるなら、男性だって、ペットボトルの中に小便を溜めるのは難しいような気がするんだが。

「そして、こちら」

男性が示したのは、このエレベータのもう一つの角、階数表示と、ボタンはあるものの、非常用電話がない処。（ちなみに、ボタンはドアの両側、二か所についている。）ここには、座った女性と、その女性の膝の上に頭を載せた男性がいる。んで、あたしも実は、このすぐ側に立っていたのだ。

「そこが、医療本部だ」

と言うか、そもそもこの人は、ここで怪我をして倒れたので……怪我をしたその直後から、この人は動いていない。というか、動かしていいのかどうかが判らない。だから、動かせない。

「みんなは、とりあえず、本部とトイレと医療本部の間を、好きに移動していい。……では、御飯にしようか。供出してもらったものの、日持ち具合を勘案するに……まず、ハムから」

　ここに至るまで。男は、水のことに、一言も触れなかった。

　そして。

　ちょっとは明かりがあるので判った、この、結構広大なエレベータに、只今乗っているのは十四人。

　うち、一人がリーダーの男で、一人があたしで、すると、残りは十二人。

　うち、一人がお茶のはいっているペットボトルを出してきて、空のペットボトルを出してきたのが二人、まあ、倒れている人もいるし、そもそもペットボトルなんか持っていなかった人もいる筈なんだから……。

　ま、どうでもいっかあ。

　このエレベータは、相当広くって、十畳くらいの面積がありそうだ。

　この面積に、十四人なら、まあ、融通し合えば寝っころがる余地もありそうだし、いっかなあ。

　そんで、はむはむはむ。

　一人あたり一枚のハムを噛みしめて（一パックには四枚のハムがはいっていたから、これでもう残りわずかなのよ）、あたし達は食事を終え、あたりは、また、真っ暗になった。

☆

「……すみません……わたし……」

「悪い、トイレだ」

　こんなことが、数回、あった。

　その度ごとに、真っ暗な中で、トイレ相当部分のそばにいる人達は移動して、排泄をする人をトイレ部分に誘導してきた。そして、その人達は、トイレ部分で、トイレに相当することをしたのだろうと思う。（あくまで推測形。だって、これを〝確定形〟にすることは、できないよ、誰にだって。）

　勿論、状況が状況だ、逼迫していない訳はないんだけれど、でも、それなりの秩序は、保たれていた。

だから。

☆

「すみません！」

この言葉があたりの空気を切り裂いた時、みんなは驚いたのだった。

だって、「すみません！」

これは、さっきまであった、トイレを要求する、「すみません」って言葉と、ニュアンスっていうものが、まったく違っているんだよ。切迫感っていうのが、まったく違っているんだよ。

んでもって。

自分の台詞が、あたりの空気を切り裂いてしまったことが判ったのか、次の瞬間、この台詞を言った人は、縮こまった。実際に、体としての彼女がどうしたのかは判らないのだけれど、少なくとも、彼女の気分としては、縮こまって……。そして。

「すみません、あの、ごめん、あの、変、あの、ちょっと誰か……」

これを言ったのは、医療本部にいる女性。つまり、最初に怪我をしてしまった男性の頭を、ずっと、その膝の上に載せていた女性。

「あの、誰か……その……ちょっと……あの……」

「どうした」

「あの……この人……気がついたら……ちょっと前から、苦しそうな息がなくなって、そのかわりに眠っている感じになってたから、だから油断していたんだけれど、今、ふっと気がついたら……気がついたら……」

気がついたら、どうしたんだ？

「息を……して、いない、の、かも……」

え？

なら、それは。

あたしが色々なことを思う前に、リーダーの男性がまず、言う。

「パソコンを持っている人、明かりをつけてくれないか」

この瞬間、パソコンの電源が二つはいり、これによりあたりはかなり明るくなり、ここで、医療本部に、人が殺到。

「……脈が……ない……な……」

女の人の膝の上に頭を載せた、そんな男性の手首を握ったリーダーが、重々しく、こう言う。

「え、やっぱ？　やっぱり……この人、死んじゃいました？　あの、でも、それは」

「あなたのせいではないから」

リーダーは、膝の上で男が死んでしまった、そんな女性に対して、少し柔らかい口調で、こんなことを言う。

「いや、むしろ、まったく関係がない瀕死の男性の頭を、実際にその人が死亡するまで、膝の上に載せていてくれたこと、辛いだろうに、それをやってくれたこと、それを我々は、あなたに感謝しなければいけないと思う」

「……え……でも……んと……けど……もうちょっと何かやりようがあったかもって……」

「思わない方がいい。それは、ほんとに、まったく、あなたのせいでは、ないのだから。あなたがやってくれた以上のことは、誰にもできないと思う。ただ、みなさん……三十秒くらいの間、この人の為に、黙禱を」

うわあ。かっこいいかも。こんな状況じゃなかったら、あたし、この男性に惚れてたかも知れない。(でも多分、こんな状況じゃなかったら、この男性の魅力にはまったく気がつかなかっただろうとも、思うんだけれど。)

そして、黙禱。

それが終わると、〝医療本部〟は解散することになった。

「ほんとは……あくまで能率から言えば、この死体はトイレ区画に送るべきものではあるのだが……さすがに、それは、まずすぎる。感情的に、あまりにも反対が多くある筈だ」

こんな男の独り言を聞いていたのは、多分、彼のそばにいた、あたしだけ。

そして、あたりはまた、真実の闇になる……。

☆

んで。

ここで。

ちゅっ。

あたしは、暗闇に紛れて、すでに死んでしまった男の人の頸筋に、キスをした。只の死骸になってしまった、そんな男の頸筋に、キスをした。

ちゅっ。

……まあ……死んでるんだから、ねえ、こんなもんなんだろう……ねえ。死ぬちょっと前ならもっとずっとよかったんだけどねえ、この場合、死ぬまで待つしかなかったんだしねえ。

☆

……やがて。

いずれ。

………。

「……喉が渇いた……」

と、いう、言葉が、あちらこちらから、聞こえた。聞こえる事態になってきた。

喉が。

渇いているのである、みんな。

そりゃそうだ。

先程ハムを食べた時から、もう、どのくらい時間がたっているんだろう。

いい加減みんな、喉が渇き、だが、今回の場合は、どんなに喉が渇いていても、勝手に自分が持っているペットボトルの水を呑む訳にはいかない。ペットボトルの水分は、みんな、共有財産として供出された筈なのだ。今、水を飲んでいる音がしたら、それはそれだけで裏切りものの印であり、人にそう思われることは避けたい。(というか。今、闇の中で、水を呑んでいる音がしたとして、その瞬間、みんなが携帯の電源をいれたり、パソコンの電源をいれたりして……そんな中で、自分こそが、今、一人で水を呑んだ人間だって特定されてしまったら……おそらく、ほんとに究極の事態になるまで、これを絶対に避けたいのが人情だろう。）

「みなさん、喉が渇いていることだと思う」

ごっくん。この男の台詞を聞いて、みんながつばを飲み込んだ。ごっくん。

「みなさんから供出されたペットボトルは二つだ。百ミリリットルくらい残っている緑茶と、四百ミリ以上残っているウーロン茶。そして、今、ここにいる人は、十三人。……一人あたりの水は、四十ミリリットルくらい、という、話になるな」

そう……なるのか。

「これを、今から、みなさんに分配したいと思う。これから、みなさんの処に、ペットボトルをまわすので、どうかみなさん、ここから、ひとくち、水を飲んで欲しい。そして、ひとくち以上、水を飲まないで欲しい。……四十ミリリットルなら、それは、多分、ひとくちには相当しない。ふたくちくらいになる筈。だから、みんながひとくちだけ、呑めば、それでも、まだ、水は半分残る筈」


そして。

ごくっ。

ごくん。

ごくっ。

闇の中で、水を呑む音だけが、響く。

……これで。

これで、この闇の中、分配された水は、もう半分しか残らないっていう話になる。（そんでもってあたしは、ごくんって、水、呑むふりだけ、した。いやあ、この状況下で、あたしが、残り少ない水を呑んでしまったら、それは、やっぱ、あんまりってものでしょうが。）

……ただ。

ペットボトルが一周した処で、残量確認の為、一回だけ明かりがつき、その時、残っていたのは……あたしが供出したウーロン茶のペットボトルの中の、本当に、底の方にちょっぴり残った、茶色い液体、だけ。

いや、音は、聞こえていたから、
ごくんごくんって、ふたくち水を呑んだ人は、確かにいなかったから。

だから、多分、みんなが……「この機会にできるだけっ！」って思い、それを実践したんだろうなあ。

普段、ひとくちで二十ミリリットルの水を呑む人が三十ミリリットル、もっと呑む人は四十ミリリットル、ひたすらひとくちで、沢山の水を呑もうとしたんだろうなあ。

その結果。

人々の間を一周したペットボトルは、もう、底にほんのちょっとウーロン茶がたまっている、それだけのものに成り果ててしまった……。

☆

この後。

もう一回、お食事タイムがあった。

今回はチョコレートひとかけか、ハム一枚か、好きな方を選べるってお食事。

それから。

トイレにゆく人が何人か。一回、みんなで水の回し飲みをした後は、小水をペットボトルに溜める計画は、全員の熱い支持を得られていた。男性も女性も、とにかくこの計画に積極的に参加しようとしていたんだけれど……いかんせん、むずかしいものは、むずかしい。特に女性は、生理的な構造からいって、これ、無理に近くて……「なんで！　やってるのに！　やろうとしてるのにっ！　なのに、駄目なの、どうして私のおしっこ、ペットボトルの中にはいらないのっ！」。

ついには泣きだす女性もいたんだけれど、でも、これは、しょうがない。構造的に、要求されていることが、無理なんだから。

そして。

そして、こんなことをしている間も。

どうしたって、人々の思いは、切迫してくる。

二回、食事はした。でも、水は一回しか呑んでいない。

食料は、まだある。だが……水は……供出されたペットボトルに、残りは殆どない。次に水を呑みたくなった時、ペットボトルの争奪戦が起こったら、唇をしめらす程度ならともかく、ごくんって水を呑めるのは、ほんの二人か三人だろう。みんなそれが判っているから、だから、意識はひたすら水に集中し……。

誰も、水については触れない。

けれど、触れられないからこそ、みんなが水に集中していることが判る。

そんな状況下で。

また、リーダーが、口火を切った。

☆

「リクリエーション・タイムにしようか」

こう言うと、携帯の電源をいれる。かすかにともる明かり。

「り……りくりえいしょんんん？　この、状況下で？」

「いや、必要だと思うので。……さて、我々がこのエレベータに閉じ込められてから、一体どのくらいの時間がたったと思う？」

そういえば、どのくらいの時間がたったんだろう。あたしは、もともと、腕時計を持っていないから、携帯の電源を落としている今、時間経過がまったく判っていなかったんだ。これは、どうやら、他のみなさんも、同じだったみたいで。

「あんたが偉そうに携帯の電源切らせるから、んなの、判る訳ねーだろーがよっ」

あ、これ、結構最初の頃に、リーダー役の男性につっかかった二十代くらいの男だ。今回は、たった一つの携帯とはいえ、多少は明かりがあるので、その男のことが少しみてとれた。顔の輪郭が判る程の光量はないんだけど、雰囲気、ヤンキーはいってる感じがするな。まだ若くて、男っていうよりは、男の子に近いかも。

「蛍光塗料の腕時計をしている人は……ああ、どうやら、一人もいないのか。ということは、携帯を切っている以上、時間経過は、みんな、判っていないんだな」

「って、あんただけが判ってるんだろうがよー、偉そうに」

リーダーのまわりの人と、ヤンキーのまわりの人が、ちょっとおどおどしている気配。こんな処で、こんな状況下で、喧嘩でも発生されたら困るっていう気分は、とてもよく判るんだけれど、リーダーの男性は、男の子がつっかかってきてくれたのが、なんだか嬉しそうで。

「では、君。君は、一体どのくらいの時間がたったと思う?」

「ってそりゃ……もう、二日か三日か……。三日もたつのに、救出されないって、それ、なんなんだろうって……」

うん。暗闇の中にずっといると、体感として、そんな感じになるよね。でも、三日もたっているとしたら、まだ、トイレに一回もいっていない人がいる、トイレに二回行った人がいないっていうのは、人間の生理的事情から言って、あり得ない訳で……。

「驚く程時間はたっていない」

こう言ったのは、リーダーではない男性。どうやらパソコンの所有者らしい。

「二回パソの電源をいれて、その度に時刻表示を見て驚いた。その……医療本部にいた方が、亡くなった時でも……まだ、事故から、八時間もたっていなかった」

「えええっ!」

これは、誰の台詞っていう訳でもない。この場の、ほぼ全員の驚きの声。

「そんな莫迦な」

「そのパソコンの時刻表示、おかしくなっているのでは?」

「まったく電話が通じないんだもの。無線LANかなんかがおかしくなっちゃってて……」

「だって、あの時でまだ八時間って、あり得ないでしょう」

「そう思う方は」

リーダーの男の声が響く。

「一回、自分の携帯の電源をいれてみるといい」

　ここで。ぱあっとあたりは明るくなった。勿論、光量としては大したことがないのだが、数人が携帯の電源をいれると、真の闇に慣れていた人達の目には、それはとても明るく感じられる。

　そして。一様におきるのが、驚きのあまり、息を呑む風情。

「自分の目で御確認いただけたかな？　実は、事故にあってから、まだ半日ちょっとしかたっていないのだ。……別に大きな……それこそ、名前がつくような大きな震災でなくとも、ごく普通の、小さな地震であっても、エレベータがとまってしまった場合、その救出に二十時間くらいかかったケースが、過去、いくつもあったのは、みなさん、御記憶だろう？」

　すごいっ。すごいぞ、このまとめ方っ。その場合、携帯がまったく通じなくなっちゃったことがあるのかだの、非常用電話が通じなくなったケースがどのくらいあったかだの、そういうときに止まって救助が遅れたのは、小さなビルの小さなエレベータばっかりだっただの、悲観的な要素を一切無視した、おそろしい程素晴らしいまとめ方。

「また、もう一つ注意をうながしたいことがあるのだが……半日くらい、水を飲まないことは、普通の人の、普通の生活の中で、よくある事態なんじゃないかと思うのだが……どうだろう、これはそんなに変な話ではない筈」

　そりゃそうだ。

　みんなが一斉にそう思う気配。

　でも、ヤンキーの男の子だけは、リーダーにひたすら対抗したいのか。

「じゃ、何だって俺達、こんなに喉が渇いているんだよっ！」

　ただ、これは、リーダーの思うつぼだったみたいで。

「そのとおり。今、私達が思っている、感じている、この喉の渇きの方が、むしろ、おかしいんだ。そしてそれは何故かと言えば、まっ暗な状況下、できることが何もないからだと、私は思う。例えば、本を読んだりゲームをしたり、時間をつぶすことがまったくできず、近い将来どうなるかがまったく判らず、なのに不安だけがある。只今、私達がおかれた状況はそういうもので……だから、他に考えることがない私達は、ひたすら、只今の心配事のみに心が向いてしまう。判りやすく言えば、『水はあるのか、食料はあるのか』だ。だから、必要以上に、喉が渇いたという気持ちがしたり、お腹が減ってしまった気持ちがする」

「……な……成程。……言われてみれば……俺、さっきから水のことしか考えてない……」

うわあ、素直だ、ヤンキー君。いや、彼が、素直な思考をするって判っていたから、リーダー、彼に話を振ったんじゃないかとは思うんだけど。

けど、ヤンキー君が同意してしまうと、あたりに漂うのは、納得の気配。

そんで、リーダーは、一拍間をおき、納得の気配が、全員の間に行き渡った時期を見計らって。

「それで、リクリエーション・タイムだ」

「……って？」

これは、誰からともない、質問。

「しりとり、でも、しようかと思う」

「へ？」

「あの？」

「みなさんの携帯の電源を切らせたのは、必要なことだったと今でも私は思う。けれど、真っ暗な中、時間経過も判らず、ひたすら空腹と喉の渇きばかりに思いを向けているのは、決して健全なことだとは思えないので……携帯を持っていない人は、いるかな？」

リーダーが全員を見渡す。でも、手は一つも挙がらない。

「ということは、みなさん、携帯を持っている訳で、これから先、三十分に一回、携帯の電源を一人ずつ順番にいれることにしよう。私から始めて、時計まわりに、まず、隣の、あなたから」

「あ、僕、ですか？」

「うん、君だ。これから、みんなでしりとりを始めて、それが始まったら、私は携帯の電源を切る。そして、三十分たったと思ったら、君は自分の携帯の電源をいれる。そして、その時の時間を告げてくれ。その次は、さらにそのお隣にいるあなた、とても素敵な食料を提供してくださった方。彼が電源を切って、三十分たったと思ったら、あなたが自分の携帯の電源をいれてください」

……って……あの……それはどういう……。

と、みんなが不思議に思っていると、男、補足説明。

「つまり、これは、しりとりであると同時に、体感時間を計るゲームだ。みんなはしりとりをする。タイム係は、自分の体感で三十分を計る。三十分がきたと思ったら携帯の電源をいれる。しりとりとは別に、これは、タイム係の体感時間を計るゲームであり、また、同時に、三十分に一回は明かりがつくということでもあり、また、明かりがつく毎に、只今が何時だか、みんなに判るというゲームでもある」

ぐわあああっ。

も、あたし、惚れちゃったぞこの男。

これ、そもそも、人間か？

人間って、こんなすごい〝もの〟だったのかっ！

☆

「ね……ね……猫、なんてとっくにでてる、葱も駄目だ、練馬って言った人もいますよね、うんっと、ね……年金、じゃなくて……あああっ！　ねずみ！　ねずみ、まだ、でてませんよね、あれ、そうだ、まだねずみ、でていないんだ。んと、だから、ねずみっ！」

「み……みかん、は、なし、これはなし、み、み、ミドリムシ！」

……って……〝ミドリムシ〟って、それは何なのだ。いや、単語だし、生き物の名前だし、しりとりのルールとして、これを言ってはいけない訳はないんだが……でも……ミドリムシって、あなた。

なんて思っていたら。次にきたのは、もっとすごい。

「し……し……鹿、は、でちゃったし、塩、も、でちゃった、し、し、……シーソーもでたか、じゃ……し……し……四十九日！」

四十九日！　しりとりでこれって、ありなのか？　これは、いや、単語ではあるよな。でも、固体でも物体でもないし、そもそもが概念だし……。

「ち……チーズ。うお、自分でこんなにすうっと言っといて自分で不思議だ、まだチーズは出てなかったんだよな？」

「ず……ず……ず……ず……ず……」

とても続く長い沈黙。そして。

「ず。頭陀袋（ずだぶくろ）」

「ろ……ろってえーと、あなた、ただでさえ、しりとりで〝ら〟行はきついのに、この局面で〝ろ〟って、それはもう、ないでしょうって言うか……」

しりとりを。

十時間以上も続けていれば、これはもう、辛いぞー。しりとりで普通でできそうな言葉は、当然だけれど、最初の一、二時間で出尽くしていて、でも、続いているしりとり。すでに十数時間も。

勿論。

リーダーの男がやりたかったのは、「一体何時間しりとりを続けることができるのか、チャレンジ・ザ・ギネス！」なんてものではある訳がないので、リーダーは、ここにいるみんなが眠ることを、ひたすら推奨していた。眠くなった人はとにかく眠れ、その場合、しりとりは、眠っている人を避けて続けられる、こう言われて、十数時間のうちに、ぽろぽろと人は眠りにつき、起き、人によっては、また、眠りについた。

ただ。

この状況下では、ずーっと起きている（というか、どうやったって眠れない）人だっている訳で、そんな人と、起きてきた人達との間で、とにかく、このしりとりと、三十分毎に携帯の電源をいれて、只今の時間を知るゲームは、続いていた。

そして、その間に。

リーダーの男が言う処の、〝天使の贈り物〟が、いくつか、あった。

天使の贈り物。

まだ、残っている、お茶や水のペットボトル。

リクリエーション・タイムが始まって五時間後、もう一回、お食事タイムがあった。(この時だけは、リーダーの男、眠っている人を全員たたき起こした。食事だけは、全員が、とにかく平等にとること、というのが、男の主張だった。)

今回、みんなに回されたのは、冷凍のシーフードパック。これ……厳密に言えば、このまま食べていいかどうかは、謎なんだよね。加熱調理用って書いてある訳だし。(ということは、やっぱ、このまま食べちゃ駄目か。でも、凍ってた訳だし、とりあえず、腐ってはいないだろうし、細菌と寄生虫は、あんまりいないか、死んでるんじゃないかな……。この場合は、食中毒より、もっと心配しなきゃいけないこともある訳だし……。)

だから。むしゃむしゃと食べないで欲しいっていうのが、男の主張だった。じゃ、何だってこれをこの段階で配ったのかと言えば……保冷剤に包まれていた為、でも、時間がたった為、まだ半ばは凍っていて、そして半ばは溶けかけたシーフードは、早い話、食料というよりは、〝水分〟だったのだ。冷凍から溶けかかったアサリを、ほたてを、エビを、ぎゅっと噛みしめると、微妙に水がでてくる気持ちがする。溶けかけた氷を口に含んだようなもので、飲み込める程の量の水はないにせよ、口の中を湿してくれることはできる。飲み干すという程の水分はなくっても、冷たさは、水の気配を、口の中に齎(もたら)してくれる。

また。

これと同時に、男は、喉飴をみんなに一個ずつ配った。

「今回、配布する水はないのだが、飴を舐めていれば、唾がでてくるのではないかと思う。だから、これは、水のかわりだ。ただ、これは、シーフードを思いっきり口の中で転がして、転がして、噛みしめて……そして、時間がたってから、舐めて欲しい。この二つで、水の代用にして貰いたい」

こんな男の台詞があり、みんながシーフードをぎゅっと噛みしめ、お食事タイムが終わり、また、あたりが闇に包まれ、しりとりだけが続いていたら……。

　次に、

「三十分たったと思う」

　って、順番の誰かが、携帯の電源をいれた時、本部でもトイレでもない、まさに、エレベータのど真ん中に、忽然と、半分くらい残っている、お茶のペットボトルがおいてあったのだ。

　これを見た瞬間。あたり前だけど、エレベータの中の人達の間に、動揺が走る。が、リーダーの男は、まったく揺らがず。

「ああ、天使の贈り物だね」

「……って？　あの……？」

「私達には、水がない。今、ここに、水がある。なら、これは、天使の贈り物だろう、そうじゃないかな？」

　……こう……言われてしまうと……。

　何故ここにお茶のペットボトルがあるのか。

　それは、供出してくださいってリーダーの男が言った時、供出してくれなかった人がいたっていう話だ。一人で、一人だけ、自分の飲み水を確保しようとした人間がいたっていう話だ。全員が水なしで渇水死する時、一人だけ生き残ろうとした人がいたっていうことだ。

　けれど。

　その人は、今、その水を、全員に供出してくれた。

　多分。

　シーフードと飴を配った、このリーダーの動きに、感動したのか、感謝したのか、自分が恥ずかしくなったのか、それは判らないけれど。

　うん、リーダーである男は、その人が水を供出しやすくなるよう、リクリエーション・タイムに事寄せて、只今の状況と時間経過をあきらかにし、そして、冷凍シーフードと飴を配った。三十分に一回は、携帯の電源がはいるというルールを作り（逆に言えば、それ以外の時は、絶対的に真っ暗が維持されることに決まっている）、それを徹底させた。だから、ここに、こうして水がでてきた。今、水を出しても、「それを出したのは誰か」を、決してこのリーダーは追及させない、そんな信頼が、水を出した人に生まれたんじゃないかと思う。（思い返してみれば、定量を配る食事と違って、水を呑む時には、この男、明かりをつけなかったんだよね。ということは、一時にどのくらい水を呑んでしまったかが、他人には判らなかったってこと。暗闇の中で、水を呑む、ごくんって音だけを聞いていた時には思わなかったんだけれど……これも、結構、思いきりと覚悟がいる行動だよね。音が聞こえるのなら、どうせそんなにごくごく水を呑む訳にはいかない、ならば、自由裁量で、少しくらい多めに水を呑むことを許す、そして、それが他の人に判らないようにする……。水を呑む時、あたりが暗闇だったのは、きっと、そんな意味で、それもあって、人々が、無意識に男によせる信頼が、アップしたのではないかと思う。）

そして、実際。

リーダーは、この水を、天使の贈り物だということにした。

そうしたら。

次の三十分が終わった時には、中央に、四つ、ペットボトルが忽然とあらわれた。

あいにく、すべてのペットボトルは、残りが半分もなかったのだけれど、それでも、水がまったくない状況からすると、これはどれ程事態が好転したと言っていいのやら。

また。

みんな、あんまり見ないようにはしているのだけれど、小水ボトルにも、順調に小水がたまりだしていた。

この段階で、このエレベータ内部の、水分保有量は、一リットルくらいになった。

……ちょっと信じられない成果だと思う……。

☆

「は……は……は……初音ミク！」

「……って、それは、人の名前ですか？　人の名前は、しりとりにおいては禁じ手なんじゃないかと」

「いや、だって、さっき、織田信長があっただろ？

なら、これだってありだっ」

「織田信長は、誰もが知っている歴史的有名人であって、もはや固有名詞扱いではないと思うんだけれど……だから、ＯＫだったんじゃないかと」

「そうです。……私は……よく存じあげないんだけれど、その、初音さんという方は、織田信長くらいの歴史的有名人なんですか……？」

「いや、まあ、あの、有名人。だと……思う。じゃ、ないかな……って……（ここから先は、殆ど他人に聞こえないくらいの音量で）人じゃないかもしれないけれど」

「では、次、〝く〟」

「く……く……く……」

しりとりが、二十時間になると。

も、無茶苦茶である。

「く……く……クルクミン……は、〝ん〟がきちゃうから駄目か、じゃ、〝クルクミン法〟！」

「……って、それは……何ですか」

「いや、その前に、〝クルクミン〟が何だか判らない」

「いや、その、ウコンだ、ウコン！　ウコンは判るだろ？　あれの成分にはいっているのがクルクミン。んでもって、クルクミン法っていうのは」

ここまできちゃうと。

全員が、自分だけが判っているような、専門知識を駆使して、勝手なことを言い出してしまい……もう、すでに、しりとりとしては、収拾がつかない。

そして。

そして、この次の瞬間。

☆

ぱあっ。

ぱあっと。

なんだこれ、一体何があったんだこれ、なんなんだこれ。

ぱあっと。

あたりが物凄く明るくなったのだ。

明るく……眩しい……なんだこれ……あんまり眩

しくって、もう、目がよく見えない。

電気が、ついたの、だ。

エレベータの、照明が、いきなり復旧した。

あんまり眩しくって、あたし達、どうしていいのか判らない。

んで、あたし達がそんな感じで右往左往していると、今度は、いきなり、また、がっくん。

エレベータが、揺れた。

同時に、ちょっと、エレベータが下降している感じがして、すぐに、それは、止まった。

「あ！」

ずっと黙っていた、〝本部〟の男性が叫ぶ。

「なんか、エレベータのいろんなものが、復旧しました！　今なら、電話も通じそうな気がするんで、電話、とってみます」

それから。

「電話、復旧しました！　もしもし、もしもしっ！」

この台詞と同時に。

本部責任者の男性が、何をするのより早く。

エレベータが、下降しだした。下降して、下降して、下降して……。

下降したエレベータは、いきなり止まり、そして。

チーンという音と共に、扉が開いて、中にいるあたし達を、解放したのだった……。

☆

大騒ぎ、だった。

「大丈夫ですか、みなさん」

「ここに何人います、怪我人は」

エレベータ扉のまわりには、白衣を着た人達と、おそらくは消防であろう制服を着た人達が何人もいて、あたし達が、何が何だか、現状を把握できないでいるうちに、まず、肩を脱臼した男性が、白衣を着た人達に連れ去られた。それから……がらがらと音がして、ストレッチャーがあらわれ、白衣を着た男性と消防の男性が、亡くなってしまった方を抱きかかえてストレッチャーに載せて、どこへともなく去ってゆき。

その間にも、聞こえてくるさまざまな声。

んで、それを総合すると……。

どうやら、起こった地震は、東京の震度が六弱っていう、大きいって言えば確かに大きいんだけれど、想定外という程のものではなく、確かに、あちこちで火災や家屋の倒壊や地盤の液状化なんかは起こっていたんだけれど、幸いなことに、あたし達がいたビルは、それらのすべての難をまぬがれ……ただ、めぐりあわせが悪いことに。

このビルを含む、この一帯に電気を送っていた、何て言ったらいいのか判らないけれど、元締めにあたる処が、最初の一揺れで、倒壊してしまったらしいのだ。(切れ切れの人の会話から推測しているんで、判然としない処がやたらと多いんだけれど。)だから、この辺一帯は、地震発生直後から今まで、ずっと停電が続いていて……。

また、このビルが建っているあたりは、そもそも携帯の電波状況があまりよくなく(地震なんかなくても、エレベータの中では携帯のアンテナがたたないことで有名なビルだったらしい)、停電のあおりをくらって、このあたりをカバーしていた基地局が一斉にダウンし、あたし達は、停電になった挙げ句、まったく携帯が通じない、そんな特殊な状況におかれていたらしい。

だから。

あたし達がエレベータに閉じ込められていた間、あたし達は知らなかったことだったのだけれど、外ではそれなりに一所懸命、救出活動が続けられていたらしくて……。

「十人を越える人間が、丸一日以上も何の情報もなくエレベータの中に閉じ込められて……それで、お亡くなりになったのが、最初の地震の衝撃で一人だけ……。しかも、お亡くなりになった方と怪我をしたお一人以外、ざっとみた処健康状態は非常に良好なようで……」

白衣を着た人が、呟く。

「これ、凄いですよ。よく、パニックもおこさず、よく、みなさん……」

この言葉は、あたしも含め、このエレベータに閉じ込められていた、何人もの人に、聞こえたに違いない。だから。

「…………」

誰も、とりあえず、何も、言わなかったけれど。

この時、みんなは、一斉に、一人の男の方を、向いた筈だったのだ。

あの人、リーダーだった人。あの人がいたから、だからあたし達は……。

でも。

……でもっ！

これ、あたしも、とっても、驚いたんだけれど。

この時、リーダーは何も言わなかった。そして、彼がしゃべってくれないと……あたりがほんとうに明るくなってしまうと……。

えええ？

どの人が、リーダー、だった？

わ……わ……判らん。

リーダーの年頃である男性が、なまじ複数いるものだから（というか、救出された男性の過半数が、リーダーであっておかしくない年頃）、しゃべってくれないと、どの人が、リーダーだか、まったく判らないのよっ！　考えてみたら、リーダーは、自分の携帯を、あくまで全員の為の照明にしか使っていなかったから、逆に、その携帯を持っていたリーダーの姿形って、あたし達はまったく把握できなかった訳で。

「実は、その、あの……素晴らしいリーダーシップをおとりになった方がいたんです」

こう言ったのは、冷凍食品を持ってた女性。

「あの人がいなかったら私達……で、あの……あの方？　私達に色々言ってくださった方？　あの、どの人ですか？　すみません、あなた、名乗ってください」

この段階で。

名乗りをあげた人が一人もいなかったので。

あたし、判った。

リーダー、名乗り出るつもりが、まったくないんだ。

あれだけのことをやったのに。

ぐわあん。

惚れた。

今度こそ、完璧に、惚れてしまったぞあたしは、あの男に。

かっこいいじゃん、最高じゃん、これ、本当に人間かよ、絶対人間とは思えないよ、人間にもこんな男って、いたんだねー。それも、こうして、リーダーの可能性がある人達を見ている限りでは、普段は、まったく、冴えないくたびれた中年男に擬態して。

(というか……ああいうことがなければ、きっと、日常生活では、リーダー、冴えない、くたびれた中年男なんだろうなあ……。)

と。そんなあたしに。

「お嬢さん、大丈夫ですか、水です」

白衣を着た男が、ペットボトルにはいった水を、顎の処まで持ってきてくれる。ふと見渡すと、エレベータから救出された人全部に、白衣の人達がそれぞれ寄り添っている。ということは……ああ、救助が、次のフェーズになった訳ね。個々の、自力では動けるだろうけれど、でも、丸一日以上エレベータに閉じ込められていた被害者を救助しようっていう。

それが判ったのであたしは、まず、顎の処まで持ってきてもらったペットボトルから、ちょっと、水を呑む。そして。

「あの、すみません、まずあたし……その……」

で、なんだか顔を赤くして、うつむいてみせる。すると、白衣の男、慌てたように。

「あ、洗面所、ですか？」

「はいっ！」

あたし、思いっきり、強い感じで。

「大丈夫ですか、一人でいけますか、連れてゆきますよ」

「いえ！　……あの、いえ、そんなのいいです、あの、トイレの場所さえ教えてもらえれば……」

ちょっと、顔を赤くして、そして、もじもじして、口ごもって、こんなことを言ってみると、案の定、白衣の男は、勝手に納得してくれた。あたしが、もうずっと、トイレを我慢していて、それの限界が近くて、ほんとにトイレに行きたくて、でも、恥ずかしいから男性についてきて欲しくないって思っている、若い女性だって。いやまあ、救助された成り行きを考えれば、これはとてもあり得る話ではあるんだけれど。

そこで、白衣の人に教えてもらった洗面所まで、あたしは一人でゆき……それから。

さあて。

ここであたしが逃げちゃうと、後の帳尻あわせがぐちゃぐちゃ面倒なことになるのは判っているんだけれど、あたしが、人間社会の帳尻あわせに気を遣ってあげる必要もないでしょう。

それに大体、あたしは、ちゃんとした機関に自分の名前を名乗る訳にはいかない。それに、このままトイレを出れば、まず間違いなくあたしは、他の人達と一緒に、手近な病院に送られることになり、そこで検査を受けることになると思うんだ。検査を受けること自体がまずいし、そもそも、フリーターの里山多恵って、嘘の身分だもん、これを記録に残すのはやばい。いや、まあ、こんな自然災害の被害者の身元確認を、いくら暇だって日本政府がするとは思えないんだが、万一されたら困るし、公式記録にこの名前を残すのもちょっとまずいかも。

それに大体。今のあたしには、もう、絶対にやりたいことができてしまったので、そんなやっかいごと、ない方がいいに決まってる。

ここは何階なのかな。

止まっていたエレベータの扉が開いたと思ったら、死体を載せる為にストレッチャーが来たってことは、一階かな。なら、トイレの窓から……でも、この手のビルのトイレって、窓がないケースが多々あって……ああ、窓、ないかあ。

トイレを出て、それから、多分あたしのことを気にしてくれている、白衣の人の集団を振り切って逃げるのも何だから……うーん、この場合は仕方がない、非常事態か。

んじゃ……とりあえず、清掃用具入れのドアを開けて、うん、上の方には空いている空間が結構あるよね、じゃ……。

えいやさっ！

☆

あたしがいなくなったので、どんな騒ぎが起こったのか、それとも、こんな極限状況だもん、そもそも騒ぎが起こらなかったのか。それは、知らない。あたしの知ったこっちゃない。

あれから十何時間かたって、このビルから人がいなくなった段階で。

蝙蝠に変態して、清掃用具入れの中に潜んでいたあたしは（ドアを開けてあたしのことを確認しようとする人がいたなら、空いている空間の天井に張りつこうと思ったんだよね。人が隠れているかどうか確認する為、清掃用具入れのドアをあける人は、まず間違いなく、清掃用具入れの天井を確認はしないだろうから。故に、蝙蝠のあたしが発見される可能性は、まず、ない）、人間形に戻ると、のび。

はい、これでもう、ばればれだよね。

あたしは、吸血鬼です。

だからまあ、普通の人間よりはるかに頑丈だし、ビルの十階くらいから落っこちたって、まず、死にはしない。それに、御飯を食べる必要も、水を呑む必要もないから（いや、趣味で食べたり呑んだりはするけどね）、エレベータに閉じ込められたって、パニックになることもない。大体が、人間が十人以上も一緒にいたのだ、あたしにしてみれば、いざという時の食料が何年分も同時に閉じ込められているって話になるんだもん、これで慌てろっていう方が無理。

だからまあ、一人、やたらと客観的にあの状態を俯瞰していたんだけれど……そうしたら、思わぬめっけものが、あっちゃったんだよなあ。

あのリーダー。

ごっくん。

☆

吸血鬼は、そんなに頻繁に人を襲わない。あたしにしてみれば、二、三年に一人から、吸血させていただければ、それで充分。しかも、只今、普通の吸血鬼は、人を襲って血を吸ってしまった場合、その人を放置しない。血を吸われて仮死状態になってしまった人を隔離して付き添い、その人が吸血鬼として覚醒する直前、その人の胸にくいを打ち込んで、塵にしてしまうのが普通なのだ。(吸血鬼は、胸にくいを打たれた場合、塵になって消えてしまう。死体がなければ、それは失踪。ま、こうしないと、吸血鬼人口があまりに増えすぎてしまうので、これはしょうがないことだと思って欲しい。)

地震があった日。

あたしがレストランで待ち合わせた男の子は、まだ十代だっていうのに、こんな高層ビルのイタリアン・レストランで、あたしに御馳走をしてくれようって程はぶりがよく(長い付き合いなので、無理してあたしの歓心を買おうってした訳じゃない、これが普通だって感じだった)、にも拘らず、家出をしていて、友達の家を転々としてるって言っていた。

これはなあ、カモだと思ったの。

この状況から判ることは、この男の子、かなりあやしいことをしている筈。叩けば埃は一杯でそうだし、そもそも家出して随分たっていそうなのに、親が探している気配もないし、ああ、塵にしちゃっても大丈夫かなーって。

うん、こんなことを思うんだ、あたしは、この時、とても人の血が吸いたかったんだよね。(前に吸血してから、もう二年はたっていた。)

でも。

あの地震のおかげで、あたし、すでに死んでしまった人からとはいえ、ちょっとは、血を吸うことができた。

いや、これ、ほんとは、避けたいことなんだけれどね。

吸血鬼が吸っているのは、実は人間の血液ではない。

うん、栄養成分のみを問題にするのなら、人間の血液と同じか、より一層栄養価があるものを、他のものから、とることはできる。でも、吸血鬼は、それじゃ生きてゆけない。

あたし達が吸っているのは、人間の、ま……なんと言いましょうか、〝生気〟みたいなものなのだ。

その観点から言えば。生きている人間なら、たとえ瀕死であっても、まだ、〝生気〟は充分あるんだけれど……死んでしまった人間には、生気がまったくないの。今回の場合、死亡直後だったから、多少は生気の残りはあったんだけれど、でも、それは、あくまで、〝残り〟。名残りって言ってもいいか。

ま、でも。

それでも、吸血は、吸血だ。

これであたしは、多分、あと半年くらいは、吸血しないでも大丈夫。

この、ゆとりの、半年で。

探そうじゃないか、あの時の、リーダー。

そんで、リーダーを探しあてたとして。

勿論、あたしは、わくわくどきどき、彼から吸血。

ああ、思っただけで、すっごい、楽しみ。

しかも。

しかも、で、ある。

あたしは、彼のことは、塵にしないのよ。

ここ数十年で初めて、ほんっとに久しぶりに。

彼は、同族に迎え入れるだけの価値がある人間だ！

人間って、捨てたもんじゃない、心からそう思わせてくれた人間だ。

だから。

あたしは、空にかかった、お月さまを見て、思う。

あたしは、絶対、彼を手に入れる。

人間って捨てたもんじゃない、だからこそ、彼を、手に入れる。

うおおおおっ。

がんばるぞおっ！

菊地秀行

吸血鬼ハンター
D－岬のセイレーン

A SWEET AND PAINFUL KISS
VAMPIRE
COMPILATION

菊地秀行（きくち・ひでゆき）

一九四九年生れ、千葉県出身。幼少期より怪奇映画とH・P・ラヴクラフトの幻想小説に親しむ。青山学院大学法学部卒業。フリーライターを経て一九八二年、『魔界都市〈新宿〉』（朝日ソノラマ）でデビュー。八五年、『魔界行』（祥伝社）三部作が大ヒットし、伝奇小説の旗手として人気作家の座を不動のものとした。「魔界都市」や「吸血鬼ハンター」など多数のシリーズを持ち、ヴァイオレンス・官能・ゴシックといった様々な要素が融合した独自の世界観で今なお多くの読者を魅了する。

「D－岬のセイレーン」は本書のために書き下ろされた、「吸血鬼ハンター」シリーズの新作短編。ある「過去」に怯える海辺の村をDが訪れる本作は、極限の状況におかれた物語が痛烈な印象を残す。

（編集部）

　街道と枝道の分岐点に近づく前から、海鳴りがかまびすしかった。

　右に折れればジギタの村だ。分厚い木の立て札に、真っ赤なペンキ文字で名前が記されている。距離は一キロ半。今のペースなら夕暮れ前に着く。

　Dはサイボーグ馬を進めた。海に関心はなかったし、流れ水の代表ともいうべき潮は、〈貴族〉の血を引く者たちに禁忌より死を意識させてしまう。

　馬の足が止まった。手綱を引きしぼった耳に届いたのは、確かに歌声であった。女だ。Dの鼓膜にそれは他のものとは異なる響きを立てた。

　枝道を折れ、やがて百メートルほど松林をくぐるとすぐ、〈東部辺境区〉の縁に幾らでも見られる鄙びた家々を露わにした。

　風はあるが、空には重い雨雲が広大な荒地のように敷き詰められて動かない。

　右方の海は凪いでいる。白い歯を剝くのは、村の下に広がる砂浜にのし上がるときだけだ。

　家々の向うに急な坂があり、登り切った先に岬が突き出ていた。

　家々に沿って走る左手の崖は、岬の後ろでようやく途切れる。

「あそこじゃな」

と左手が渋い声で言った。岬のことである。

だが、距離は。

　聴こえるはずがない。

　Dの耳だけが覚えていた。

　緩やかな代わりに長い坂を下って、Dはジギタの村へ入った。

平地や山間部の町村に比べて、海辺の村の暮らしは豊かだと言われる。気象によって大きく質と量が異る陸地の作物に対して、海の生物はその影響をほとんど受けない。海産物を近隣の土地や遠く〈都〉へと運ぶ海上ルートは、ある意味航空ルートより安全で、地上輸送よりも近道であった。現実的な危険は、いつの世でも得体の知れぬ大海洋——そこに隠れ潜む不気味な生物と海の神秘それ自体なのである。

だが、石畳の通りの左右に並ぶこれも石造りの家々は、屋根瓦が落ち、壁には蜘蛛の巣のごとき亀裂が走って、補強の痕も生々しい。

それでも窓に点る微かな灯と夕餉の香りが住民の——生の証しであった。

窓には人の顔が貼りついていた。そのどれもが馬上の旅人を眼にすると動かなくなった。

ずっと見ていたい——そう思う暇もなく、恍惚が身体の自由を奪ってしまうのだ。

それでも、家と家とをつなぐ連絡手段でもあるのか、馬上からもわかる三階建ての、ひときわ大きな家から、三人の男が現われ、道の上に立った。

ひとりは白髭を胸まで垂らし、杖を手にした老人であり、後の二人はその子供と孫と思しい壮漢と若者であった。

無論、Dはサイボーグ馬を止めぬ。

間隙が二メートルほどに狭まったとき、老人がDに杖を突きつけた。

「ひょっとして——Dか？」

返事はない。Dは進んで行く。名乗るいわれはないのだった。

ぶつかる寸前、三人は左へ跳びのいた。老人が背後から叫んだ。

「わしは、村の長のグーキ・ジェゾリだ。この二人は倅のグァッツオと孫のヴェンデ。会えて光栄じゃよ。なあ、この先は行き止まりだ。何処へ行くつもりか知らんが、戻って来たら寄ってくれ。〈辺境〉一のハンターに仕事の依頼があるのだ」

返事があった——と三人は思った。

騎馬の姿が遠去かってから、

「聞こえたか？」

とグーキが二人の方を見ずに訊いた。

「ああ。〝聴こえるか〟、って聞こえたよ」

答えた息子と孫も、すでに落ちて来た闇の彼方に去った後ろ姿を見送るグーキに加わった。耳を澄ませたかも知れない。


岬への坂を登り切って、Dは馬を止めた。皿を二つに割ったような土地の端、海原を見下ろす位置に、白い少女が立っていた。

右手を耳に当てている。耳と手の間には、小さな貝殻がはさんであった。

「ケルタ？」

少女が訊いた。

「私の歌が聴こえたのね？　あなたが教えてくれた歌が？」

「おれはD――旅の者だ」

少女の姿はそのままだが、何かが失われたような気配があった。

「そう。でも、私の歌が聴こえたのね。ケルタに教えられたケルタへの歌が？」

「そうだ」

「なら、ケルタと会えるかも知れないわ」

Dは奇妙な行動を取った。

「彼は何処にいる？」

と訊いたのである。

「海の向うよ。決まっているわ。そこへ追い出されたのだもの」

「村の者にか？」

「そうよ。反対したのは、私だけだった。みんなで追い出したの――でも」

「……」

「じきに帰って来るわ。私の歌声があなたに聴こえたんだもの。ケルタにも聴こえるわ」

Dの脳裡に皺だらけの声が甦った。

依頼があるのだ。

娘がこちらを向いた。

ひたすら美しく愛らしく造られた人形のような美貌は、潮風の中で暮らしたものとは思えなかった。

これも海のものではない白い肌が桜の色を刷いた。

足が止まった。

だが、秒瞬の後、少女は俯いて歩き出した。坂を下りる手前で、

「フリージアです」

と聞こえた。

打てば響くように、

「用心せい」

と左手が言った。

Dは海を見つめた。この天気この時刻にはあり得ないことだが、水は鉛色をしていた。そこを通ってかつてひとりの男が沖へと追いやられ、

「この海なら、還って来れるかもしれんな」

と左手がまた言った。

返事はなかった。


村長の家で、Dはすべての事情を知った。

二一歳の若者ケルタは、三年前の秋のある日、貴族に吸血されたのだ。

「みな漁に出ていたが、ケルタだけが高熱を発して家にいた。漁は夜にまで及び、闇が貴族を招いたのだ。一緒にいた母と妹は殺害され、彼だけが血を吸われた。理由は〈貴族〉が打ち明けた。おまえは若く美しい、と。貴族は女だったそうだ」

岬の娘——フリージアはケルタの恋人であった。

若者は赤銅色の身体を持ち、娘は村の存在すら否定しかねぬ透きとおる肌をしていた。二人がいつ知り合い、どうやって思いを育んで来たかはわからない。だが、村の者たちは、その成就を疑っていなかった。フリージアは岬の向う側に家を持つ船大工の娘であり、母を加えた三人暮らしであった。幼い頃から胸を病み、抜けるような肌はそのせいであった。

ケルタは事情聴取の後すぐに筏に乗せられ、沖へと放逐された。

「決めたのはわしだ。ケルタは血を吸われてはいたが、〝もどき〟止まりだった。平地の村なら一生石の牢に閉じこめておくのが普通だが、わしらは海に流す。貴族も〝もどき〟も流れ水には弱いからな。そして、一年を過ぎて戻って来たら、改めて〝もどきの家〟に入れてやる手筈になっていた。この土地の外海へ出れば、奇怪な化物が待っている。〝もどきの家〟は、それを切り抜けた褒美なのだ」

「心洗われるのぉ」

嗄れ声に、村長たちはひっくり返った。

「死の待つ荒海へ放り出し、戻って来たら鎖をつけて閉じ込めた上で飼い殺しにしてやる、か。いや、慈悲深いことだ」

言い草よりも、眼前の美麗な若者との声の落差の凄まじさに、村長たちは声もない。

「用件を聞こう」

とDに言われ、我に返った。呼吸を整え、

「フリージアに会ったかね？」

「確かに」

「では、予言も聞いたな」

倅――グァッツオがつぶれた声をふり絞った。

「いや」

とD。グァッツオが続けた。

「あれは確信だ。彼は戻って来る」

「処分して貰いたい」

とグーキが言った。

Dの視界の隅で、グァッツオが唇を歪め、ヴェンデが眼を閉じた。

グーキが足元から皮袋を持ち上げ、テーブルに置いた。

「千ダラスある。貴族よりは処分しやすかろう。貧しい村だ。それで何とか頼む」

「よかろう――だが、いつ戻るか、だ」

「それはすぐわかる」

村長は異様な表情になって、奥のドアへ呼びかけた。

「フリージア」

と。

開いたドアの向うから、岬の少女はひっそりと入って来た。家庭用の衣裳に替え、白い肌にも照明の影が滲んでいる。あの歌声は健在だろうか。

「孫の嫁だ」

村長はDの驚きを探るような眼つきになったが、眼を逸らしているので、Dには知りようもなかった。

少女が長椅子の隣りに坐ると、ヴェンデはそっとその手を握りしめた。少女は逆らわなかった。

「いつ戻る？」

とDは訊いた。表情にも口調にも変化はない。眼前の若い夫婦の間には、千万言の物語があるはずだったが、彼には無縁だった。

「はっきりとはわかりません」

白い貌は眼を閉じていた。

「でも——数日のうちに」

「知らせがあったかの？」

左手の声に娘は沈黙した。驚いたのではなかった。

後は沈黙が——

続くと誰もが思う前に、Dは立ち上がり、

「空き家でも納屋でも一軒空けてもらうぞ」

と言った。


Dは石製の桟橋の端にいた。翌日の正午近くである。空は同じく煙り、海鳴りが絶え間なく聞こえた。

風は強さを増し、遠い波頭が幾すじも白く砕けて見えた。沖には数個の船影が揺れている。砂浜にも数艘。後は小屋の中だろう。

「昼でも歩けるのね」

背後からフリージアの声がした。海鳴りに混って消えてしまいそうな声であった。

「貴族の血を引くダンピール——でも〈辺境〉一のハンターは平気なのね」

「用か？」

とDは応じた。

「いえ」

「夫が心配する。戻れ」

「海鳥がいないわ」

とフリージアは返した。

「昨日の昼までは鳴き交わしていたのに」

「わかるのかも知れんな」

秒瞬の間をおいて、

「あの人が還って来る、と？」

「他にあるまい」

「あの人も、あなたと同じだった。血を吸われても、生きている。なのに、あの人だけ海へ追われたわ。でも——」

娘の声は風を弾き返した。

「やっと還って来る。海の向うから——新しい力を得て、私を迎えに還って来るの」

「行くか？」

Dの問いは短かい。さらに短く、

「——行きます」

きっぱりと答えてから、

「昨夜の歌——あなたなら聴こえたかも知れないけれど、それだけであなたがやって来るとは思えません。どうして、ここへ？」


答えにならない別の声が、娘をふり向かせた。

「フリージア」

突堤の反対側からヴェンデが駆け寄って来た。

細い肩を摑んで、何してる？　と激しく揺すった。

「何も。話してただけよ」

こちらも揺れる声には、感情がこもっていなかった。

「海に近づくな。明日は奴を流した日だ。きっと還って来る。おれたちを殺しにな」

「あの人にしたことを考えて。仕方がないでしょう。みんな滅びるのよ。私もあなたも、この村も」

「そうはさせんぞ」

若い夫は声を張り上げた。その眼はフリージアからDへと移り、恍惚と——かろうじて、海原を見た。

「家へ戻れ」

とDが言った。この意味を、ヴェンデがまず理解した。

「——船が!?」

遠い波間に揺洩する小船の一艘がその半ばから垂

直に立ち、一気に引きずり込まれるのを、彼は見たのである。

他の船が気づいて、こちらへ舳先を向ける間もなく、もう一艘が天に挑むや同じ運命を辿った。こぼれ落ちた船人たちは、夢中で他の船へと波を切り――おお、消えて行く。

「海の中に何かいるんだ!」

ヴァンデは当てもなく指さして叫んだ。

「奴だ――ケルタが戻って来たんだ」

サイレンが鳴り響いた。家々の間からそびえる監視塔には、人がいたに違いない。家から人々がとび出して来た。砂浜との仕切りの岩壁に立って、手をかざした。

「いねえぞ――どうした?」

「船を出せ。助けにいかにゃ」

何人かがとび下り、砂浜の小船に駆け寄った。

少年もいる。

ひとつの波が寄せて来た。それまでの波を易々と超えて、船と人々の足下に迫った。

Dが消えた。

若い夫婦が見たのは、闇のごとく虚空に翔る漆黒のコートであった。

悲鳴が上がった。

波を被った人々が海へと引きずり込まれていくのだ。

その中に少年が加わったとき、舞い下りた黒い人影が、少年の爪先にあたる波の一点――逆手の白刃を突き通した。

波がのけぞった。

少年の襟首を摑んで岩壁の上へと放り投げると、Dは跳躍した。

のけぞった波が押し寄せる。その端とDの爪先は数センチ――波の中にDは何を見たか。ふたたび突き入れる一刀――波が上げる悲鳴を、突堤の二人のみならず、岩壁の人々も聞いた。

次に打ち寄せた波は、定位置で引き返し、数艘の小船や人々を砂上に残した。

夫や父の名を呼びながら走り寄る人々の間に立っ

て、Dは海の彼方を凝視した。

グーギとグァッツオが急ぎ足でやって来た。

「ケルタか？」

と老人が訊いた。

「わからん――だが」

二人は恐怖と憎しみさえこめてDを睨んだ。Dは気にもせず、

「彼は出て行った姿では戻っては来ない。日没までにみなを避難させろ」

「わかった」

いまの一戦で敵の恐ろしさとDの実力を理解した村長親子は、一も二もなくうなずき、村へと駆け戻った。

突堤のこちらの端に若い二人が立ち尽くしていた。

「光だ」

海の魔が去った一刻の祝いか、雲を裂いて数条の光が浜辺と村をさし恵んだ。

だが、これは二人を外れ、抱き合った姿は、やはり薄明の中にあった。

荷車の轍のきしみ、燃焼車のエンジン音、人馬の声――避難の喧騒が去ると、すぐ闇が支配の腕を広げる。

それは、やはり波の間からやって来た。

砂浜を滑る様(さま)は途徹もなく太い蛸か烏賊の触手を思わせたが、朧な月の光が、表面の血色の輪をおぞましげに照らし出していた。

それは岩壁を越え、先端をもたげて扇状に家並みを睥睨するや、明りのついているただ一軒の家へとうねくりはじめた。

居間の壁にもたれていたDに、嗄れ声が、

「人間じゃ」

と話しかけた。

玄関は開いている。居間はドアの向うだ。入って来たのはヴェンデだった。

「戻れ」

とDは言った。避難所の意味だ。ここはDの借りた空き家であった。

「敵は上陸した。じきにやって来るぞ」

「そうか。おれはただ――話を聞いて欲しくて。親父にも祖父さんにも話せねえことなんだ。ケルタがやって来る。もう黙っていられねえ」

「来たと言ったら、地下室へ隠れろ」

「わかった。おれ――」

と詰まったが、たちまち、

「結婚してから、フリージアと一度もしてねえんだ」

溜息をついたのは、左手であった。

「何回求めても、あいつが拒みやがる。あいつのこころは、ケルタと一緒に今も海の向うにあるんだ」

Dは窓の外を見つめている。

「それだけか?」

と訊ねた。

「え?」

「あの娘に、こころが合わないだけの相手への気遣いがないとは思えん――何をした?」

「それは……」

若者は眼を伏せる。

「来るぞ」

と左手が言った。それがヴェルデの背を押した。

「ケルタは柩に納められて流された。乗せた筏が浜を出る前、おれはケルタの柩を点検するふりをして、奴の胸に鉄杭を打ちこんだ。みんな、フリージアのためにやったことなんだ。おれは子供の頃からずっと、あいつを……」

「戻れ」

とDが命じた。

ヴェルデは従わなかった。

「だけど……フリージアは見ていたんだ。最後までずうっとケルタ見送っていたから、おれのしたことを見逃さなかった。なのに祖父さんと親父から結婚を勧められたら、その場で承知した。何故だと思う? その晩、ベッドの中で打ち明けられたよ。自分がそばにいる限り、おれはおれのしたことを思い出さざるを得ない。そうやって苦しめ、と」

　その刹那、窓ガラスを突き破ったものは、赤い輪を散りばめた触手だった。

　Dの刀身が回転した。侵入した分の半ばから、床上に斬り落とされつつ、それは斬り口からおびただしい血の糸を吐いた。糸は窓外へと走った。

　Dはコートで顔を覆ったが、ヴェンデは血にまみれた。

「ようやく会えたな、ヴェンデ」

　正しく海底から響くような声は、斬り口からした。それは人間の——若い男の顔に変わっていた。

「ケル……タ」

　硬直するヴェンデを見据え、若い死者の顔は唇の端から白い犬歯を剝いた。

「暗く冷たい海の底で、おれはある生物に食われた。だが、おれとおまえのために喜んでくれ。貴族の血がおれを救った。おれはそいつの血を吸い、おれの奴隷にした。幸い、そいつは餌を獲るために、ある力を持っていた。三年かけて、おれはその力を増幅し、この日のために温存してきたのだ。今夜の狙いはおまえの家族だけだったが、うーむ、痛いぞ苦しいぞ。この礼はしかし、もう果たした。明日だ、ヴェンデ、明日を待て」

　笑いとも苦痛ともつかぬ歪んだ顔へ、一条の光が走って、眉間を貫いた。白木の針である。顔は消え、触手自体が凄まじい速度で後退し、闇に吞まれた。

「明日じゃな」

　と左手が言った。

「この若いのはやられた。しかも少々厄介な手で——いいや、牙でな。Dよ、こいつの管を切れるか？」

　管とは何か？

　床上にへたり込んだヴェンデの鼻先を刀身がかすめた。

「切れぬな」

　と左手が苦しい声で言った。Dは何の管を切り、そしてしくじったのか？

「こいつだけではあるまい。千本以上、それはその窓から出て村中に広がったぞ。いいや、村の連中が逃げ出したところまで」

「何にしても明日、か」

ヴェンデに近づき、Dは血の糸を引きつつ彼を抱き起こした。

ヴェンデを地下へ寝かせてから、Dは朱色の居間を出て、水際へ下りた。
岩壁に身を寄せたまま目を閉じた。
長い時間が過ぎた。薄闇でも水平線は見えた。
「聴こえるの」
と左手が声をかけた。
「あの歌じゃ。あの娘――また歌っておる」
「何の歌だ？」
とD。
「愛の歌とやらじゃ。
霧の中で渦に巻かれたのは
君の待つ港の少し沖
もう還れない。
歌っておくれ、その歌が
船に『路』を作ってくれる
歌っておくれ　少しでいいから
そしたらおれは、還って来る」

「還って来たぞ」

Dが岩壁から身を離した。

左手がこう返した。

「いや、その前に」

左手の言葉の意味をDは心得ていた。

始まりは六時間も前だ。

避難場所から村人たちが起き上がって、街道へ出た。そして、やって来た。暗夜の下を。幽鬼の群れか〝夢旅人〟のように歩き続けて。

村へ入り、通りを歩いて、ほら、いま岩壁の上だ。

ざっと砂を鳴らして、人影がとび下りて来た。それが合図のように、次々に、いや、一斉に。

　ぞろぞろと水辺に進む村人たちの中から、しなやかな影が走り寄って来た。

「ほう、惚れた女は別か」

　フリージアはDの前で止まると、

「みんなが急に隠れてたところを出て、歩き出したの。私もついて来たわ。あ、義祖父(おじい)さんと義父(とう)さんもあそこに――一体、何が？」

「ケルタが招いた」

　とDは言った。フリージアは信じられないという表情になって、

「どうやって？」

　左手が少女の鼻先に持ち上がり、拳を握りしめた。

「この手の中に百本以上の血の管(くだ)が入っておる。おまえ以外の村の者に刺さっている分とは別にな」

「……」

　先夜、触手の斬り口から放出された血のすじが、数十万本の管であり、〈貴族〉に吸血されたごとくに、数十キロ遠方の人々を操り寄せたと、この娘に告げても始まらなかった。Dの剣を持ってしてても切断不可であるとも。

　この間も、村人たちは次々と砂浜を進み、波打ち際へ辿り着こうとしていた。

「ケルタね。ケルタが来たのね？」

　フリージアは海の方を向いて叫んだ。

「そうだ、ヴェンデはどこにいるの？」

「そこじゃ」

　左手が人々の群れを指さした。

　ひとり血まみれの若者も、海へと向かっていく。先頭は腰まで水に漬っている。

　フリージアは彼らを追って走った。

　波打ち際に来て、絶叫した。

「やめて、ケルタ――やめて！　この人たちは村の掟に従っただけよ。彼らに罪があるなら、あなたを見捨てた私も同罪だわ。私ひとりを海の底へ連れて行って」

　叫びは波音に掻き消された。

「来るの」

　と左手が言った。

Dは突堤へ走った。先頭の人々の胸は波に濡れている。

海が盛り上がった。

沖ではない。浜辺から十メートルほどの地点だ。

そこから現れたものを、フリージアは見た。

「ケルタ!?」

涙が溢れた。忘れたことはない。一刻(いっとき)もない。彼は柩に納められたままの姿で、波間から立ち上がった。そして――さらに上へ。

操られる人々の足が止まった。その顔が虚ろなままなのは、幸せといえた。

ケルタの腰から下は、ぬらつく球体と融け合っていた。それはみるみるおぞましい緑青の全身を現し、この世界に挑みかかってきた。ほぼ半円の胴の周囲は二〇メートル超、水に隠れた部分も、間断なく浮上しては、太い触手の一部を隆起物のように見せていた。

「還って来たぞ、ジギタの奴ら。おまえたちが海の彼方に追放した男は。いま、還ってきた。ただし、遠い海の彼方からではなく、深い海の底からな」

虚空の男は哄笑した。それを見て驚くはずの人々は、虚ろな仮面を被って身動ぎもしない。彼らはすでにケルタの術中に陥っていた。

「こいつらに話しても仕方がない。フリージアのそばにいるのは、昨夜の戦闘士か。いいや、その美しい顔は――この身になっても、恋焦がれそうだ。Dだな」

異界の声に緊張と――恍惚が伴った。

「昨日、二度も痛い目に遭った。だが、この身体のお蔭で助かった。今日こそ怨みを晴らして、村の連中もろともフリージアを連れて行く。邪魔するな」

「……よさんか……よせ」

村人の中から、きしるような声が上がった。苦鳴ともいうべき低声も、魔性の耳には聴こえるのか、

「グーキか。グァッツオもいるな。おれに船出を命じた二人か――おまえたちの子供もろとも海の底に来い。そこで生き血を吸って、おまえたちもおれの仲間にしてやろう」

彼はまた哄笑を放とうとした。あるひと声が、それを中止させた。

「フリージアもそうするか？」

Dである。一刀を受けたかのように、ケルタは苦悩の表情を浮かべた。すぐに言った。

「勿論だ。連れて行く」

「行きます」

とフリージアが水しぶきを上げて、水中へ潜り込んだ。

「だから、他の人は帰して。あのときは——仕方がなかったのよ。村の掟だったでしょ」

「そうとも」

とヴェンデが激しく胸を叩いた。

「みなはそれに従っただけだ。おまえの胸を刺したのはおれだ。おれだけを連れて行け」

波が激しくなったのにDは気がついた。人々の胸が水中に消え、波頭は喉を洗っていた。

波を破って一本の触手がフリージアに巻きついた。

「フリージア!?」

ヴェンデの悲痛な声が、突然、うっと呻いた。その左胸に三〇センチほどの鉄の杭が背まで抜けていた。彼は水の中に倒れ伏した。

「こいつがおれを刺した杭だ。仇は討ったぞ。残りの奴は——」

海辺を睥睨するケルタの顔が翳った。

数十本の触手が空へと躍ったのは、頭上に跳躍したDを認識したからだ。その数本を難なく断ち切って、Dは水中に没した。水が赤い。こと切れたランジュのかたわらであった。

数本の触手が彼を追って水中に消えた。

「見ていろ、すぐに……」

潮騒に打ちのめされたかのように、ケルタはよろめいた。そのぼんのくぼに白い光が突き刺さっている。空中でDの放った白木の針であった。

それを腕を廻して抜き取り、ヴェンデは、フリージアを指さした。同じ触手が巻きついて、少女を恋人の下に運んだ。

「一緒に行くわ」

「いいとも」

「みなを助けて」

「駄目だ。奴らは生きたまま海底に沈め、そこで――」

彼は足を呑みこんだ球体を指さした。

「――こいつが全員の血を吸って、みなをおれの仲間にする。いいや、下僕だ。奴らは何年か後の月のない晩に、一斉に地上に現われて、人間どもを変えるのだ。おれとおまえと同じ〝もどき〟にな」

「やめて――どうして、そんな……」

「おれは変わった。海の中で。こいつらも同じにしてやる――何が悪い？　残るは――」

愕然とヴェンデは波間に視線をとばした。Ｄは彼の眼前にいた。したたる海水は赤い。ヴェンデの血であった。

Ｄの眼光と唇から洩れる二本の牙を見た刹那、ケルタは彼の正体を知った。

Ｄの右手がふられた。

ケルタの胸を貫いていた杭は、寸分の狂いもなく同じ場所を背まで抜けた。

次の瞬間、白光がその首を横に薙ぎ、噴出する血潮に押されるかのように、その首は宙に舞った。

もう帰れない
歌っておくれ　少しでいいから
そしたらおれは

「還って来た、か」

沖へと去っていく巨体をＤは少しの間見送った。首を失い楔を打ち込まれた頭頂の身体は、むしろ胸を張っているように見えた。

幾つもの声や悲鳴が上がった。死の管の招きから解放された村人たちのものである。夢中で陸へと戻ろうとするその間に、ひとつの身体が揺れていた。

陸に上がったＤの耳に、幽かな歌声が届いた。

突堤の端にフリージアが膝を折っていた。

虚ろな表情に正気の翳はない。

Ｄは石壁の方へと歩き出した。

村長と倅が何か話しかけて来たが、見向きもしなかった。仕事は済んでいた。
岩壁の上に、サイボーグ馬が待っていた。
鞍にまたがって村の端へと歩き出したとき、
「あの娘の声——似ておったな」
と左手が言った。
似た声の主を誰が知ろう。

左手がまた何やら口にした。
母と聞こえぬこともなかった。
二股の地点に来た。ためらいもせず、Dはもう片方の道へ馬首を向けた。
海鳴りは止まぬ。
歌声はもう聞こえなかった。

（完）

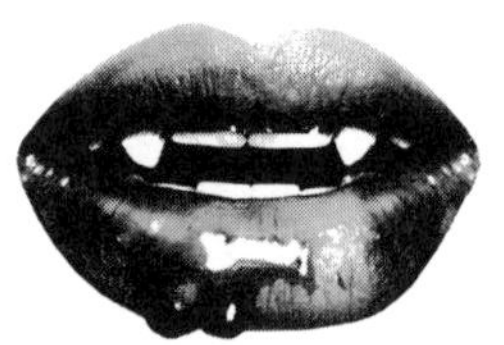

丸尾末広

啼く吸血鬼

A SWEET AND PAINFUL KISS
VAMPIRE
COMPILATION

丸尾末広（まるお・すえひろ）

一九五六年生れ、長崎県出身。十五歳で上京し、様々な職業を転々とする。一九八〇年、官能劇画誌『エロス'81』に掲載された「リボンの騎士」（掲載時のタイトルは「リボンの蛇少女」）でデビュー。八二年、初の単行本『薔薇色ノ怪物』（青林堂）を刊行。以降、漫画雑誌『ガロ』を中心に漫画・イラストレーションなどを次々発表。その独自の作風により、日本のみならず国際的に高い評価を得る。二〇〇九年、江戸川乱歩『パノラマ島綺譚』完全漫画化作品で第十三回手塚治虫文化賞・新生賞受賞。

「啼く吸血鬼」は、丸尾の代表作のひとつ『笑う吸血鬼』の前日譚として執筆された作品。関東大震災直後の、すべてが瓦礫に埋もれた帝都のパニックを背景に、『笑う吸血鬼』で強烈な印象を残すキャラクター・駱駝女の「登場」を描く。

（編集部）

啼く吸血鬼

大正十二年九月X日

犬に殺られたのだな
犬!?
鬼だ!
口の周りにべっとり血をつけた鬼が居たそうな

瓢箪池で口を洗ってたそうだ
鬼が出る！
血を吸われる！
何を馬鹿な！
この非常時流言蜚語は処罰されますよ

鬼なんぞ…………

皆無事
義男
公園ニ居ル
マス

グチャ
グチャ
ゴゴ
あぁ
ひどい
………
泥棒!!
目の
見えない者から
食い物を
盗るなんて

おえっ
ゲロゲロ
ちえっ
やり直しだ
なんだ！
腐ってる
じゃねえか
アイツ
こんなもの
うまそうに
食ってた
のか
どなたか
食い物を
私は目が
見えません
家族も
ありません

ややっ!?
悲鳴!
はぁ
はぁ
はぁ
はぁ
あっ
死んでる!

これも鬼の仕業か？
お〜〜い！
向こうにも血まみれの死体が——！
血まみれ!?

あぁ……
腹がへったなぁ……
その鳥と……
食べ物を交換しない？

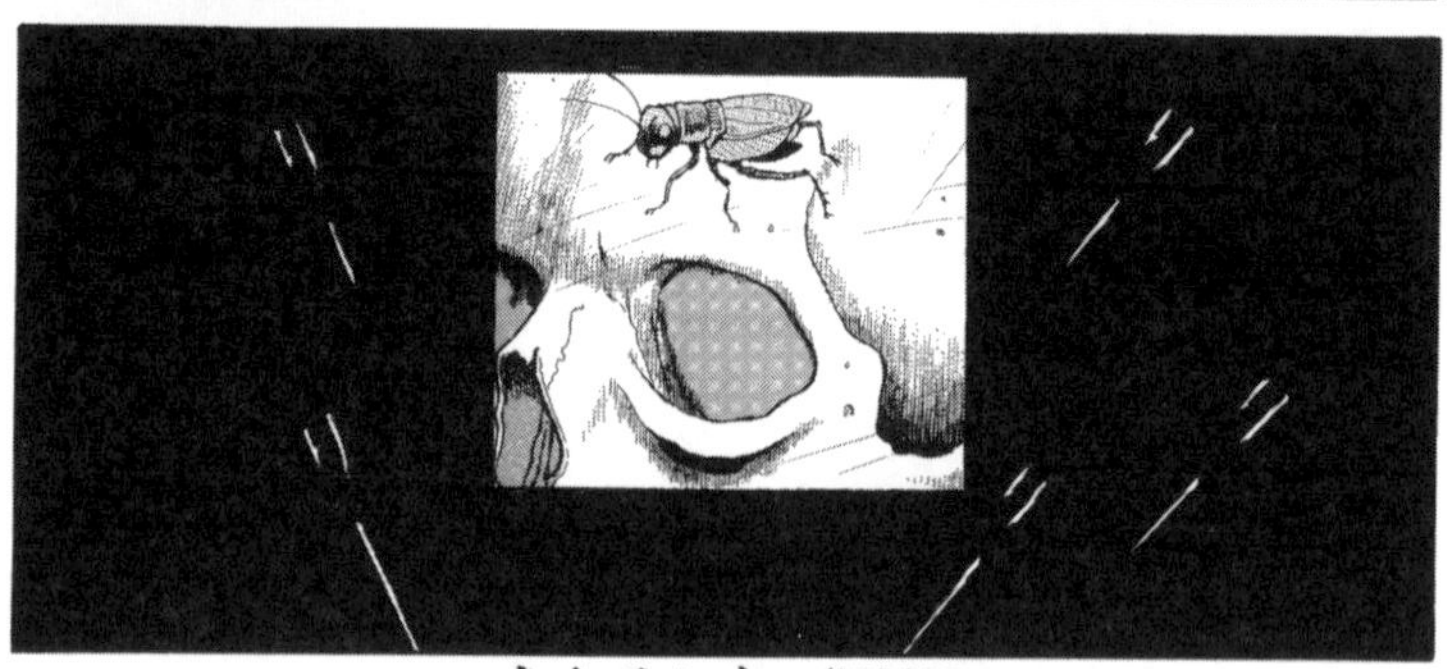

啼く吸血鬼／END

contents

A SWEET AND PAINFUL KISS
VAMPIRE
COMPILATION

Mystery Discの中に潜むヴァンパイア
——Vampire in Music

山口雅也

Intro. 古典詩歌からロック・ポップスへ

吸血鬼伝説に材を取った文芸作品は数多い。詩歌の分野に限っても、ゲーテの長篇譚詩《コリントの許嫁》やボードレールの《吸血鬼》が挙げられるし、詩人の顔も持つE・A・ポオが《ベレニス》を、詩人バイロンはディオダティ荘の怪奇談義の主催者として《断章》を書いている。これらの古典詩歌関連作品は、須永朝彦氏責任編集の決定版アンソロジー《書物の王国　吸血鬼》（国書刊行会）に収録されているので、そちらを参照されたい。

——と、ここまでは、吸血鬼文芸の淵源に敬意を払って書いてきたが、ここで少し気分を変えてみる。

本書は「ゴシックな吸血鬼からポップなヴァンパイアへ」をコンセプトとして多種多様な媒体について紹介することを目的としたコンピレーションだ。だから、詩歌を取り上げるのなら、20世紀以降にリリースされたロックやポップスの中からヴァンパイア・イメージを体現する楽曲やバンドを採録・吟味していこうと思い立った。ボブ・ディランがノーベル文学賞をとる時代である。これこそ、今、自分が書くべきテーマかとパソコンに向かった次第。

ロックンロールは悪魔の音楽

先ずは、吸血鬼の元締めとされる悪魔と音楽の関係から。私が小学生だった時代。音楽の教師が「ロックンロールなんて悪魔の音楽です」と言ったのを今でもはっきり覚えている。当時は、若者たち

の間でグループ・サウンズ〜エレキ・ブームが巻き起こり、ビートルズが来日する一方で、街中では右翼の街宣車がビートルズへのヘイト・スピーチをがなり立てていた。保守層の大人たちは依然として長髪の不良が奏でる騒々しい音楽に眉を顰めていたわけだ。こうした不見識な物言いは洋の東西、ジャンル如何を問わず、いつの時代も存在していた。世代間闘争、宗教的偏見、人種差別等から、ロックンロール以前のジャズやブルースも「悪魔の音楽」と呼ばれていた時期があったし、当時の教師たちが擁護したクラシック音楽の中ですら、19世紀に《悪魔的スケルツォ》を作曲・演奏したアルカン（本書収録の『夢魔で逢えたら』の中で詳述）のように、超絶技巧というだけで過剰に悪魔と結びつけられて冷遇された音楽家もいる。

だから、翻って考えてみると、日本の音楽教師が言った「悪魔（ワル）の音楽」の真意は、「悪魔崇拝の音楽」というような深い意味はなくて、「騒々しくて、大人には理解不能な若い不良の音楽」という程度の世代間断絶発言に過ぎなかったと思う。

その証左として、アメリカン・ロックンロール草創期の名曲の中で「悪魔」を歌ったミッチ・ライダー＆デトロイト・ホイールズの《Devil with the Blue Dress》の歌詞を読んでみると、ゴージャスな青いドレスで着飾ったファムファタール的悪女について歌った他愛ないもので、「悪魔」はレトリックとして使われているに過ぎない。

悪魔を憐れむ歌

50年代半ばから始まったアメリカのロックンロール・ムーヴメントも、諸般の事情（差別・賄賂）・事件・事故によって、60年代初頭には早くも下火となる。ロックンロール・スタイルはその後、イギリスの地で、発展形としての「ロック」と名称を変え、ビートルズらブリティッシュ・ロックが台頭してくる。そうしたブリティッシュ・ロック・シーンの中で、60年代後半になると、ミュージシャンの間で本格的な悪魔崇拝への関心が高まってくる。アメリカの前衛映画

の監督にして神秘主義者・儀式魔術師でもあるケネス・アンガーとミュージシャンたちとの交遊がこの頃に始まり、彼に感化されたローリング・ストーンズのミック・ジャガーがアンガーの映画《わが悪魔の兄弟の呪文》に、レッド・ツェッペリンのジミー・ペイジが《ルシファー・ライジング》の製作に、それぞれ協力している（ペイジは《法の書》で知られるオカルティストにして儀式魔術師アレイスター・クロウリーの城を購入するほどの入れ込みよう）。

なぜ、こうした事態になったか。——それは、当時のロック・シーンは、ドラッグによってもたらされるサイケデリック感覚による作曲・演奏が流行の最先端であり、そうしたミュージシャンの精神面での意識拡張の欲求が、アンガーの神秘主義や悪魔主義と合致したからだろう。そうした潮流の中でローリング・ストーンズはアルバム《Their Satanic Majesties Request（悪魔陛下のリクエスト）》（67年）を発表、翌68年、遂に「悪魔ロック」の聖典となる《悪魔を憐れむ歌》（《Beggars Banquet》収録）を生み出すことになる。

《悪魔を憐れむ歌》の歌詞はミック・ジャガーのペンによるもので、アンガーの悪魔主義（サタニズム）との直接的な関係はないようだが、ミハイル・ブルガーコフの反体制小説《巨匠とマルガリータ》（1966年）から着想を得ていることが確認されている。

歌詞の大意は次の通り——資産家で贅沢な男の自己紹介から歌は始まる。彼は、キリストの処刑に始まり、ロシア革命、第二次世界大戦……ケネディ大統領（兄弟）の暗殺まで、人類の殺戮の歴史を語り、自分が悪魔の王ルシファーであることを明かす。そして、自分は制御が利かない、自分を丁重に扱わないのなら、お前らの魂を滅ぼす、と警告する（ルシファーが殺戮に関与したか、傍観者なのかは明示されていない）。

《悪魔を憐れむ歌》は案の定、物議を醸し、ストーンズは悪魔主義者ではないかとの批判も起こったが、ミックは戸惑いながら自分らは悪魔だけをテーマにしているわけではないと反論し、キース・リチャーズは「誰もがルシファーじゃないか」と皮肉で返した。

だが、ストーンズ側の思惑はともかく、ミックが一人称で、自ら

をルシファーと語ったことによって、ロック・スターが悪魔の預言者であっていい――という認識が、聴衆にも、後続のミュージシャンにも生じたことは確かだ。

そんなわけで、《悪魔を憐れむ歌》は今に至るまでストーンズの名刺代わりのライヴ定番曲として歌い継がれ、また、多くの後続アーティストによってカヴァーされる「悪魔ロック」の聖典（アンセム）となっている（好個の例が《インタビュー・ウィズ・ヴァンパイア》のエンドロールでながれるガンズ・アンド・ローゼズのヴァージョン）。

Beggars Banquet／The Rolling Stones

SYMPATHY FOR THE DEVIL／GUNS N' ROSES

悪魔ロックのもう一つの潮流

《悪魔を憐れむ歌》がロック・シーンに強烈な一発をかましてから二年後の1970年２月13日の金曜日（そう、不吉な日）、アンガーとは別のルートから「悪魔＝ロック」をセルフイメージに掲げたバンドが登場する。《黒い安息日》でデビューしたブラック・サバスである。デビュー前のバンド・メンバーは、当時アメリカ発のサイケデリック・ロックを苦々しく思っていた。「アメリカの金持ちヒッピー連中がフラワームーブメントの（ラヴ＆ピース）で浮かれていた頃、俺たちはその日暮らしを生きることに精いっぱいだった」とは、ヴォーカ

ルのオジー・オズボーンの弁。また、ギタリストのトニー・アイオミは鉄工所の過剰労働により、ギタリストとしては致命的な指欠損のハンディを負っている。しかし、アイオミは負けなかった。同じく火傷により二本の指に障害を負ったジャズ・ギタリスト、ジャンゴ・ラインハルトのレコードを聴き、感銘を受けたアイオミは、自作の指サックを嵌めて押弦し、ハンディを逆手にとって独自の奏法を工夫して、後進のギタリストに多大な影響を与えることになる（アイオミ師匠の根性に万雷の拍手を！）。

そんなバンド・メンバーは、自分たちの不遇からくる反体制の想いを募らせ、それが反社会的な悪魔と合致するのは、必然のことだった。ある日、ベーシスト、ギーザー・バトラーが目にしたマリオ・バーヴァ監督のホラー・オムニバス映画『ブラック・サバス　恐怖の三つの顔』（『吸血鬼ヴルダラック』を含む！）からバンド名をブラック・サバスに決定、オジーが万引きしてきたと言われる16世紀の魔術書を基に、バトラーは一度聴いたら悪夢に観るような歌詞（悪魔、魔道士、魔女、死者の内臓……etc.）を書き、アイオミたちは、後進に大きな影響を与えるヘヴィでメタリックなサウンドを生み出し、それを写真家キーフの撮影による荒涼たる田舎町に佇む魔女めいた黒衣の女の写真を用いたジャケットに包んだ（まるでハマー・ホラーのワン・シーンのような）デビュー・アルバム《黒い安息日》は、「13日の金曜日」めでたく（いや、不吉にも）、発売にこぎつけたのだった。

ブラック・サバスの後進に与えた影響は絶大で、後のヘヴィメタル（デス・メタル、ブラック・メタル、ドゥーム・メタル、スラッシュ・メタル）の隆盛に繋がっていくことになり、ブラック・サバスは「ヘヴィメタルの祖」として称えられているが、「人を恐怖に陥れる音楽」というコンセプトは、ヘヴィメタル以外のジャンル——ハードコア・

BLACK SABBATH〈黒い安息日〉／BLACK SABBATH

パンク、ニルヴァーナなどのグランジ・ロックの源流と見做されることも多い。まあ、歌詞の面ではストーンズの《悪魔を憐れむ歌》を全ての祖としてもいいのだが。

歌詞と言えば、その後の「悪魔崇拝主義」騒動について――1992年、チリのカソリック教会の反対によって、ヘヴィメタル・バンド、アイアン・メイデンのコンサートが中止に追い込まれている。また、本家ブラック・サバスのアイオミ師匠も楽屋で狂信者にナイフを突きつけられるという事件も起こっていた。元祖、《悪魔を憐れむ歌》にしても、69年のオルタモント・コンサートの観客殺害事件と関連付けて（ガセです）語られたりと、枚挙にいとまがない。悪魔関連バンドのマネージャーさん、ツアーの前に、お祓いでもしてもらっといた方がいいのでは？

悪魔ロック追記／ブラック・ウィドウ

ブラック・サバスより一か月遅れでレコード・デビューしたブラック・ウィドウというバンドも、悪魔主義、オカルティズムを全面に標榜し、悪魔学では高位の魔女レディ・アスタロトの復活を願い、ステージで生贄女性に剣を突き立てる黒魔術儀式を敢行するなど、そちら方面への入れ込みようはブラック・サバスを上回るものがあったが、サバスほどの影響力を後進（ヘヴィメタル勢）に及ぼさなかったのは、歌詞の過激さに比べて、彼らの楽曲・演奏が多数楽器主導のシンフォニックなもので、サバスほどのメタリックな重量感・迫力を持たなかったためかと……だがしかし、ブラック・ウィドウのライヴ映像を観ると話は違ってくる。コンサード中盤の楽曲《呪い》から屍衣（シュラウド）をまとった女

SACRIFICE／BLACK WIDOW

性が登場、踊ったり、魔法陣の中のヴォーカリストをバラ鞭で打ったりするのだが、ラストの《生贄》で全裸にされ、「生贄」として胸に剣を突き立てられる。こうしたシアトリカルな場面では、シンフォニックな演奏が生きてくるし、ブラック・ウィドウが後進に与えた影響というのはライヴ・パフォーマンスにあったのではないかと考え直した次第。尚、彼らのダークサイドへの関心は、イタリアン・プログレに継承されブラック・ウィドウというレーベルが生まれている。

Mystery Discの中のヴァンパイア

以下、いよいよ、音楽の中に潜むヴァンパイアについて、ジャンル別に吟味・紹介しておくことにするが、ここで一つお断りを。

これまで、クラシック音楽やヒッピー主導の西海岸サイケデリック・ロックに対する否定的見解を書いてきたが、それは他者あるいは一般の見解を書いたまでで、私自身は全ジャンルの音楽を分け隔てなく愛聴してきた。私にとっては、ベートーヴェンもアルカンもベニー・グッドマンもブラック・サバスもジェファーソン・エアプレインもピストルズもバーナード・ハーマンも伊福部昭も等し並みに感興を与えてくれる「Good Music」なのである。

そこでまた一つお断りを。

本稿のタイトルにある「Mystery Disc」という呼称——これは、私独自のジャンル指標として用いてきたもの。その中身は、ミステリ、SF、ホラー等の小説・映画に関わる音盤は何でも蒐集してきたという個人的成果である（詳しくは拙著『ミステリーDISCを聴こう』〈メディアファクトリー〉を参照）。——ということで、以下、私の蒐集してきたMystery Discの中から、ヴァンパイア関係の音盤を紹介していくことにする。尚、レコード番号等のデータについては音楽誌ではないので省きました。ご容赦の程を。興味を持たれた方は検索等でお調べください。

ロック篇 歌詞の中のヴァンパイア

1) ヴァンパイア・イン・ロックの一番手は、やはり、ロックの魔王(ルシファー)・ローリング・ストーンズ。73年のヒット・アルバム《山羊の頭のスープ》の劈頭を飾る《ダンシング・ウィズ・ミスターD》の一節を引用してみよう（以下、歌詞は拙訳による）。

俺たちは墓場で逢う
吐き気を催す、甘ったるい匂いが漂うあの場所で
あいつは決して笑いはしない　ただ口元を歪ませいるだけ
（中略）
あいつの名前は知っている。皆さん、ミスターDと呼んでるよ。
やがて俺たちを解放してくれる男さ
胸元には人の頭蓋骨の飾りが揺れている

俺は踊ってた　踊ってた　自由気ままに踊る
俺は踊る　踊る　好きに踊る
神様よ、俺を邪魔しないでくれ
俺はミスターDと踊るんだ　ミスターDと　ミスターDと

主人公が墓場で逢うミスターDが、ミスター・ドラキュラのことであることは、言うまでもないだろう。この曲にはPVがあって、それを観ると、ミックが眼の縁を黒く塗った「生ける屍(リヴィング・デッド)」のメイクで歌い踊っている。ルシファーから生ける屍に格下げになっても、ドラキュラとダンスに興じるストーンズは、やっぱり世界一の「ワル」バンドだと思う。ワルと言えば、このアルバムのナンバーを披露するはずの73年日本公演は中止に追い込まれている。理由は、メンバーの麻薬所持の前歴。バカな話である。私は、ミック・テイラー（Lead Gt）擁する73年のライヴがストーンズ史上最高のアクトだと思

っている。もし、来日公演が実現していたら、日本の不良どもが勇気を得て、音楽シーンだけでなく、社会そのものも変わっていたかもしれない……なんて、夢想に耽ってしまう今日この頃。ホント、神様、俺たちを邪魔しないでくれ！

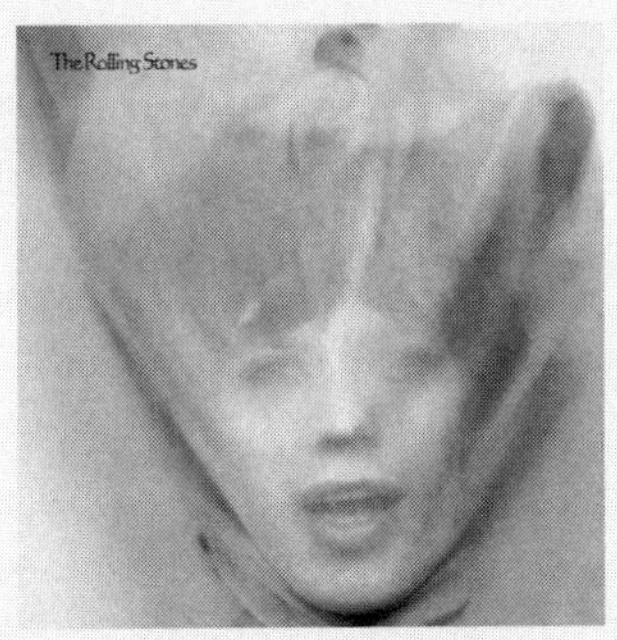

Goats Head Soup〈山羊の頭のスープ〉／
The Rolling Stones

2）《吸血鬼のブルース》（ニール・ヤング／アルバム《渚にて》74年）

オイラは吸血鬼
地面から血を吸い取っている
オイラは吸血鬼
地面から血を吸い取っている
オイラ吸血鬼だよ
20バレル分売ってやろうか

シンガー・ソングライター、カントリー、パンク、テクノ、ロカビリー、グランジ・ロック、R&B等、様々な貌で活躍し続けている純音楽ロッカー、ニール・ヤングの74年のアルバムより。72年の《ハーヴェスト》が全米No.1に輝いた直後、ニール・ヤングは公私にわたる様々な理由で低迷期入ったと言われていたが、《渚にて》は、その低迷期から脱するきっかけとなったアルバム。力強い歌と陰鬱な歌が混交している。《吸血鬼のブルース》は、けだるい感じのブルース調だが、上記の歌詞の「20バレル」の言葉でもわかる通り、ここで歌われている「吸血鬼」とは原油掘削のメタファーである。この楽曲がリリースされた74年は、第四次中東戦争による、オイル・ショックが勃発し、原油の供給逼迫と原油価格高騰に、世界が悩まさ

れていた時期に当たる。ニールの頭の中には、戦争を繰り返す人類の愚かさ、石油利権をめぐる人間の醜さを告発する意図もあったのだろう。《オハイオ》で当時の合衆国大統領ニクソンを名指しで糾弾し、つい最近も、遺伝子組み換え食品に警鐘を鳴らすという——常に社会問題に睨みを利かせているニール・ヤングらしい一曲。尚、ジャケ写の砂浜にキャデラックのテールフィンが覗いている構図とJ・G・バラードのSF小説『燃える世界』のPB版の表紙が似ているとの指摘があるが、これは、精確には『燃える世界』の別題『The Drought（干ばつ）』のPB版（74年刊）のことね。

On The Beach〈渚にて〉／Neil Young

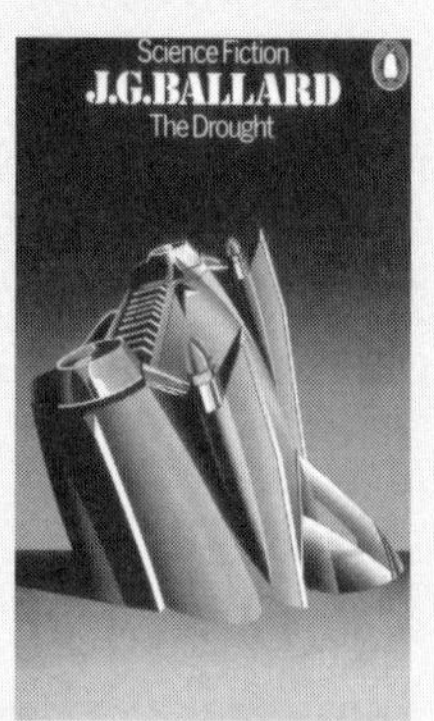

The Drought〈干ばつ〉／J.D.Ballard

3）《Bela Lugosi's Dead（ベラ・ルゴシの死者）》（バウハウス／シングル79年）

ホワイト・オン・ホワイト（半透明の白い屍衣）　半透明の黒いケープ
拷問台に逆戻り
ベラ・ルゴシの死者よ
蝙蝠たちは鐘楼を去ってしまった
黒い柩に赤いヴェルベットの滴り

ベラ・ルゴシの死者

ベラ・ルゴシの死者
不死者　不死者　不死者
不死者　不死者　不死者

シンプルな言葉で構成されている歌詞だが、冒頭に予備知識がないと理解不能な深い隠喩部分があり、直訳・意訳交えての苦肉の訳出となった。

予備知識① バウハウス……イギリスのゴシック・ロックの祖と言われている79年デビューのバンド。そのバンド名の由来は、1919年〜1933年の間、ドイツに開校していた美術学校Bauhausから来ている。Bauhausは、合理主義、機能主義に基づく世界初の「モダン」なデザインを確立した。

予備知識② ホワイト・オン・ホワイト（白の上の白）……ロシア・アヴァンギャルドの一翼を担い、精神と空間の絶対的自由を試みたウクライナのカジミール・マレーヴィチが1918年に発表した絵画作品。白く塗った正方形のカンバスの上に、傾けた白い正方形を描いたもので、意味を徹底的に排した抽象的作品を追求しており、戦前における抽象絵画の1つの到達点——無対象を標榜するスプレマティズム（私自身は、この思考の極北としてのスプレマティズム概念を東洋の禅の円相図と比較対照して体得した）として評価される。

予備知識③ マレーヴィチ……戦前の抽象絵画の先駆者であり、「スプレマティズム」により、有史以来の絵画の概念を刷新したマレーヴィチは、その応用として、巨大建築物を想起させる造形物を設計・構成したり、織物工房も作ったりしている。縦糸と横糸だけでできている織物はスプレマティズムに近接する感度があったからと思われる。やがて、スターリン政権下のソ連で美術に対する考え方の保守化が徹底され、前衛芸術運動も否定され、芸術家は弾圧された。「生産主義」に走った多くの同志たちと袂を分かったマレーヴィチは一介の絵師として写実的な具象絵画に戻り、その

一生を終えている。しかし、そうなる以前の1927年、49歳のマレーヴィチは初めてヨーロッパへ赴き、ドイツの美術学校Bauhausを訪れる。それがきっかけで、Bauhausからマレーヴィチの教育資料が出版され、同年のベルリン大美術展でマレーヴィチのスプレマティズム絵画三点が展示され、世界の美術界に一大センセーションを巻き起こすことになる。

以上の予備知識から、《ベラ・ルゴシの死者》の歌詞一行目冒頭の「ホワイト・オン・ホワイト」が、美術学校Bauhausで再評価されたマレーヴィチのスプレマティズム絵画《白の上の白（の正方形）》のことを指しているのは間違いないだろう。ならば、後半の「半透明の黒いケープ」という句との関係はどうなるのだろう？　黒いケープがドラキュラ伯爵のトレードマーク的衣装であることは明白なので、その句に対置する「ホワイト・オン・ホワイト」が衣装の隠喩であろうことが容易に推察できる（これは、マレーヴィチがスプレマティズム織物工房を作っていたことからも導き出せる結論だ）。ヴァンパイア関係の「白い」衣装と言えば、吸血鬼の眷属たちが纏う屍衣（シュラウド）が、まさに半透明の白い織物だった。そこで、「半透明の白い屍衣（シュラウド）　半透明の黒いケープ」と意訳するのが適切かと考えた次第。

※ 尚、本稿を書くにあたって、welle designの装幀家の坂野公一氏からBauhausとロシア・アヴァンギャルドの関係について、いくつかのご教示いただいた。この場を借りて感謝の意を表しておきたい。

79年結成の英国のロック・バンド・バウハウスはゴシック・ロックの祖という位置付けで、後進に少なからず影響を与えている。だが、私のように、60年代からロックを聴いている者にとっては、デヴッド・ボウイら直前のグラム・ロックの継承者という認識がしっくりくる。事実、ボウイ主演の吸血鬼映画『ハンガー』冒頭で《Bela Lugosi's Dead》を演唱していたバンドはバウハウスだった。また、ヴォーカルのピーター・マーフィーは吸血鬼のイメージでステージ・

パフォーマンスをしていた。実際ソロになってから、ヴァンパイア映画『エクリプス／トワイライト・サーガ』に、人狼族と敵対するヴァンパイア族《コールド・ワン》役でカメオ出演している。《Bela Lugosi's Dead》というシングル・レコードは、後に《The Bela Sessions》としてEP盤にまとめられるのだが、その中に「尻に噛みつけ」《Bite My Hip》という曲があるのを確認しているのだが、歌詞を読むと、吸血鬼は直接出てこなくて、これは、単なる卑語スラングの類かも（例えば、Kiss My Assのような）。

ところで、このバウハウスのレコード盤のジャケ写に使われている大蝙蝠が翼を広げた大迫力のシルエット写真、以前は、古いサイレント映画から採用したものだと思われていたのだが、名だたるホラー・ファンの間でも長らく特定できていなかった。それが、今回、私の調べで突き止めることができた――何と、『國民の創生』のD・W・グリフィスが1926年に監督した《The Sorrows of Satan》の一場面だったのだ。奇跡的に残っていた一時間半の長尺のフィルムを観たが、ホラーというより、恋愛メロドラマの大筋に吸血鬼が絡むという退屈なシロモノだった。だが、大蝙蝠が翼を広げる影のシーンはホラー・ファンには堪らない名場面として記憶に残ると思う。ちなみにこの映画の原作者マリー・コレリの作品は、実は日本でも読まれていて、黒岩涙香と江戸川乱歩が、二度にわたって翻案した『白髪鬼』は彼女の作が基になっている。ヴィクトリア朝に活躍したコレリは、同時期のコナン・ドイルやH・G・ウェルズより本の売り上げが上回っていたという。まあ、現代で言えば、アン・ライスのような存在だったのだろう。

Bela Lugosi's Dead／bauhaus

それにしても解せないのは、《Bela Lugosi》の名前を歌っていながら、なぜ、ルゴシ主演の『魔人

ドラキュラ』の写真を使用しなかったのだろう？　美術学校Bauhausに由来するバンドだから、そんなベタなことはしたくなかったのだろうか。それとも埋もれた作品の名シーンの美学的な構図に、吸血鬼通人として、純粋に惹かれたからなのだろうか。

4）《ドラギュラ》（ロブ・ゾンビ／《ヘルビリー・デラックス》所収　98年）

人々が寝静まる間、蟲けらどもを支配しながら
ドブの中を掘り進み
魔女どもを焼き尽くす
俺が乗り込む車の名は
ドラギュラ！

歌詞の冒頭に「魔より生まれ、魔を狩りし者の子」とあり、また「魔女を焼き尽くす」とあることから、歌の主人公は、ヴァンパイア・ハンター的位置づけの人物かもしれない。

乗りこむ車の名前をDragulaと呼んでいるが、この造語のDragは、ドラグレースから来ている。これは、直線コース上で停止状態から発進し、ゴールまでの時間を競うモータースポーツのこと。引っ張られるように見えるくらい速いことから、そう呼ばれている。車とロックは親和性が高い。古くはビーチボーイズのホットロッド楽曲、ディープパープルの《ハイウェイ・スター》、ブルース・スプリングスティーンの《涙のサンダーロード》等、挙げれば、枚挙にいとまがない。

ロブ・ゾンビは、ヘヴィメタ、オルタナ・ロックのミュージシャン。1985年、ニューヨークのパンク系ライヴ・ハウスCBGBで出逢った女性ベーシストらとグループを結成、グループの名前をロブの敬愛する俳優ベラ・ルゴシの主演ゾンビ・ホラー映画『恐怖城（White Zombie)』からホワイト・ゾンビとした。

98年、ロブはソロ名義で活動を開始。ロブ・ゾンビ名義での1stア

ルバム「ヘルビリー・デラックス」が300万枚を超える大ヒットとなり（《ドラギュラ》は全米16位）、バンド活動の意義を失ったロブはホワイト・ゾンビの解散を決意する。

2003年には監督業にも進出、エクスプロイテーション・ホラー映画『マーダー・ライド・ショー』を、2005年に『デビルズ・リジェクト マーダー・ライド・ショー2』を制作している。両者共に主演は妻のシェリー・ムーン・ゾンビ。

最近は、久々の長編フィルム監督作品となるホラー映画の名作『ハロウィン』のリメイク『ハロウィン』が2007年に公開された。この作品はアメリカ国内の劇場において初日で1,000万ドルの売り上げを記録、2007年8月31日～9月2日の全米映画興行収入ランキングは2,650万ドルで初登場1位となった。2009年8月28日には『ハロウィンII』が全米公開され、全米映画興行収入ランキングでは初登場２位で前作同様、興行的にも評価された。容貌魁偉でホラー好きな割には、才人なんです、ゾンビ師匠。

Hellbilly Deluxe／ROB ZOMBIE

ヴァンパイア・モチーフのロック・バンド

◆London After Midnight

以前、海外のネットショップで、何の商品説明もない『London after Midnight』というヴィデオを見つけた。「おお、これは、焼失したというトッド・ブラウニング監督の幻の吸血鬼映画『London After Midnight』の修復海賊版だ！」と思い、速攻購入したVHSなのだが、中身を再生したらこいつらのPVで、脱力した覚えがある（ファン皆さ

ん、ごめんなさい、早とちりの私が悪いんです)。London After Midnightは90年代にロンドンではなくロサンゼルスで結成されたバンド。ゴス・カルチャーにファンベースを持つが、リーダーは「アーティストとして制限される」として、こうしたレッテルを忌避しているという。やはり、ちと立ち位置のはっきりしない、面倒くさいバンド。ライヴの動画を観る限り「ゴス」でいいと思うんだが。バンド命名の仕方もブラック・サバスまんまみたいだし。

Selected Scenes From the End of the World／London After Midnight

◆Mortician《Martin (The Vampire)》

The Morticiansという、イギリス80年代のアングラ・サイケ・バンドがあったが、こちらは、89年結成のアメリカのデス・メタル。このバンド、歌詞やアートワークの着想のほとんどを、ホラー映画から得ていて、この《Martin (The Vampire)》も、ジョージ・A・ロメロ監督のヴァンパイア映画『マーティン』にインスパイアされたものだが……これは、いくら私でも庇いきれん。あの繊細な映画(音楽はドナルド・ルビンスタインが適切なものをつけている)に、こういう粗雑な音楽ともいえないようなシロモノをインスパイア曲とするのは、適切ではないという裁定をしとく。イタリアのホラー系プログレを見習うべき。

◆ゴブリン《Wampyr》

——そうです。そのイタリアン・プログレの巨匠ゴブリンが『マーティン』の音楽をつけておりました！　その経緯は——。

ロメロ監督の『ゾンビ』のイタリア側のプロデューサーのひとりであるアルフレッド・クオモが同時期に『マーティン』の配給権も購入した。その際、ダリオ・アルジェント(『ゾンビ』の製作・監修・音

楽担当）のアドバイスにより、アルジェント作品にスコアを提供していたゴブリンの非サントラのアルバムの楽曲（『ローラー』『マーク幻想の旅』など）を中心に、本編の音楽が差し替えられた。また、ゴブリンが本作のために作曲した新曲も追加挿入された――その新曲がこの《Wampyr》というわけ。

同曲を聴いてみると、確かにゴブリン――ミニマル的なパターン音型の反復サウンドが恐怖を盛り上げる（このゴブリン・サウンドは、後進のイタリアン・プログレに多大な影響を与えている）。さすが、ゴブリンと言ってもいいのだが……あまりに個性が強いので、これを『マーティン』につけると、ダリオ・アルジェント監督作品に見えてしまうんじゃなかろうかと複雑な心境にもなる。そこで、非公式イタリア編集版収録の二枚組『マーティン』を取り寄せて観たところ、確かにタイトルバックからゴブリン・サウンドが炸裂していた。さらに、同バージョンは、冒頭の夜行列車での吸血シーンが物語中盤に移動されるなど、本編の映像自体も細かく編集されている。このイタリア編集版は『Wampyr』と改題されて1979年にイタリアで公開されたが、製作者のリチャード・ルービンスタインに無許可で編集されたものであり、ロメロ監督、ルービンスタイン共に、このバージョンを認めていない。そのため、日本版ブルーレイには収録の許諾が下りなかった。同バージョンは海外のArrow Video（私が観たのはこれ）他のDVDに収録されているが、製作者のルービンスタインによれば、いずれも「無許可で収録している海賊版」とのことである。感想としては、これはこれで悪くはないが、やはりアルジェント映画みたいな事になっている。

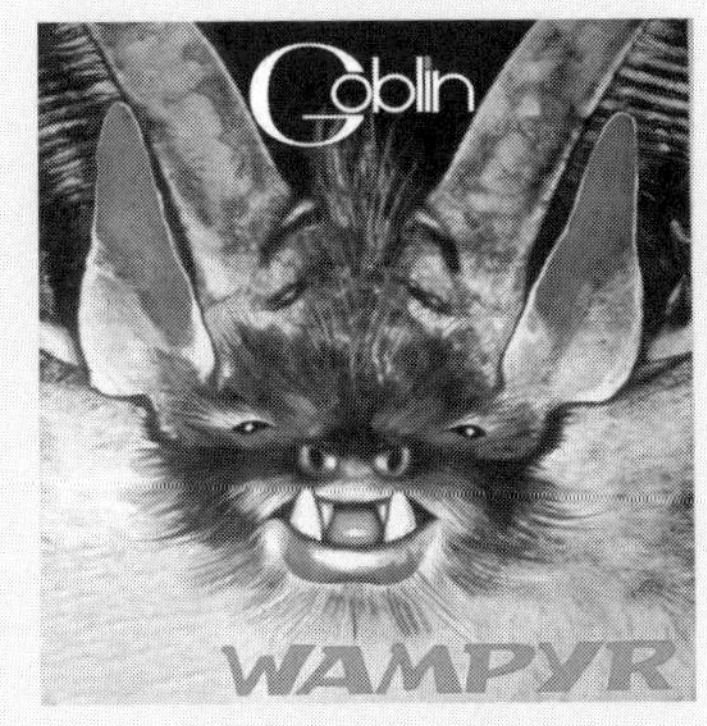

WAMPYR／Goblin

◆ソフト・セル《Martin》(83年『The Art of Falling Apart』ボートラ収録)

イギリスのシンセ・ポップ〜アヴァンギャルド・バンド、ソフト・セルが、この映画にインスパイアされた『マーティン』と題した10:16の曲を書いている。聴いてみると部分的ゴブリンを感じさせるが、ヴォーカル連呼がマーティン少年の応援歌みたいな感じ。気持ちはわかるが、熱意が空回り。

Soft cell／
The Art of Falling Apart

◆ヴァンパイアズ・エヴリウェア！《キッス・ザ・サン・グッバイ》

マイケル・オーランド(芸名マイケル・ヴァンパイア)によって2009年に結成された。バンド名はヴァンパイア映画『ロストボーイ』の中に出てくる、ヴァンパイアの弱点と滅ぼす方法を描いたコミック・ブック「吸血鬼はどこでも!」から採用している。かなりヴァンパイアに入れ込んでいるバンドで、メンバーの芸名もヴォーカリストのヴァンパイアを始め、クロス(十字架)、グレイヴ(墓石)というように、凝ってます。デビュー・アルバムのアートワークもブックレットにヴァンパイアの吸血マークが首筋についた美女をあしらうなど、本気度が伝わってくる。楽曲もヴァンパイア暗示(歌詞は意外に控えめ)するものばかり、音楽スタイルは典型的なメタルコア、ゴス・ロック。暑苦しいサウンドの中でツイン・リードgtが清涼剤的役割を果たす。ヴォーカルのマイケル・ヴァンパイアはホラー映画からの影響について、「『トワイライト』や『トゥルーブラッド』には全く触発されなかった。俺たちが影響を受けたのは古典——『ロストボーイ』、『吸血鬼ノスフェラ

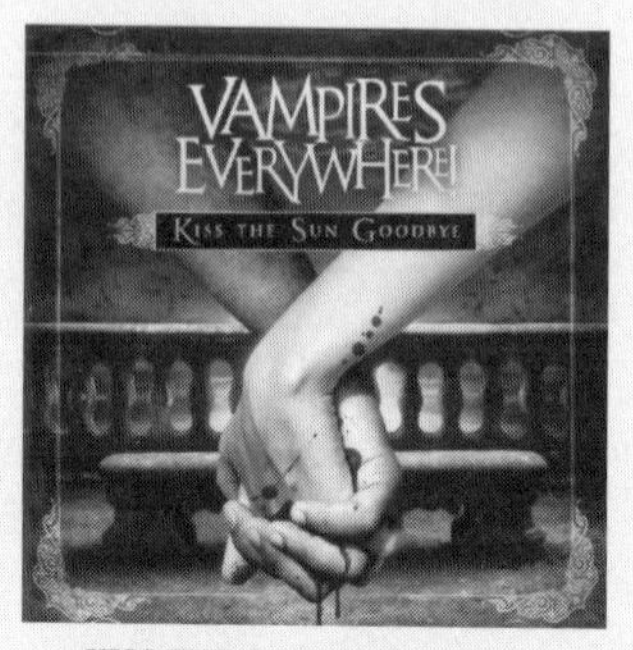

KISS THE SUN GOODBYE／
VAMPIRES EVERYWHERE !

トゥ』、ブラム・ストーカーの『吸血鬼ドラキュラ』、ベラ・ルゴシ、『フライトナイト』などだ」と発言している。彼らにとっては、『ロストボーイ』や『フライトナイト』が古典なのね。あと、相変わらずのベラ・ルゴシ人気……クリストファー・リー師匠はどうなってんだよっ！

◆**Rhapsody**(of Fire)《**The Magic of Wizard's Dream**》(シングル)

——そうです、もう一人のヴァンパイア・アイコン、クリストファー・リー師匠はどうなってるんだ、と思っていたら、イタリアのシンフォニック・メタルバンド、Rhapsody（of Fire）が、2004年のアルバム《シンフォニー・オブ・エンシャンテッド・ランズⅡ　ザ・ダーク・シークレット》でナレーションにリー師匠（魔術師の王役）を迎え、更に、翌年シングルカットされた《The Magic of Wizard's Dream》では、リー師匠をリード・ヴォーカリストに大抜擢、やってくれました。バンドの他、交響楽団、合唱団を従えて、まるで、オペラ歌手（リーの母親はイタリア名門貴族の出身なので、七か国語を操れ、当然、英語版の他、イタリア語、フランス語、ドイツ語歌唱の版も存在する）のように「永遠の夜と魔術師の夢」についての讃歌を朗々と歌い上げるリー師匠！　これは映像版も観たが、白髪・白髭のリー師匠が若い眷属たちに囲まれて魔術師の王として身振り手振りを交えて歌う姿には……もう、鳥肌が立ったね。ゴシック・ロックとかヘヴィメタの皆さんが全員ひれ伏すような威風堂々のゴシック・ヴォーカルなり！　元々深く重い声の持ち主のリー師匠、ポオの朗読をしたりミュージカル・コメディ映画『キャプテン・ザ・ヒーロー　悪人は許さない』の中で歌い踊ったりする（『ロッキー・ホラ

THE MAGIC OF THE WIZARD'S DREAM／Rhapsody feat Christopher Lee

ー・ショー』の音楽担当の楽曲）シーンがあるのは知っていたが、ここまで、やってくれるとは……リー師匠にオファーを出したRhapsody偉い！　さすが、歌唱民族、ホラー大好き民族イタリア人の見識に脱帽。――で、その後のリー師匠だが、2010年から2013年にかけて、ヘヴィメタル・シンガーとしても活躍（年齢88から90歳ですよ）。2枚のアルバムと2枚のシングルを残している。まあ、ヴァンパイアをモチーフにしてはいないが、稀代のヴァンパイア役者が歌った、このシングルを大推奨しときます（デジパック仕様CDに各国語版が収録されているのでループで浸れます）！

◆マリリン・マンソン《If I Was Your Vampire》

やっぱり、この人もヴァンパイア・ソング歌っていました。ポップ・アイコンとしてのマリリン・モンローとカルト殺人者チャールズ・マンソンの合体名を商標登録にしていることは、つとに知られている。コロンバイン高校虐殺事件でマスコミと対立するなど、様々な訴訟沙汰も起こしている業界お騒がせ屋だが、俳優、画家、慈善活動家など、才人であると同時に意外に「いい人」の貌も持つ。ヴォーカル・スタイルも多芸多彩（私はデヴィッド・ボウイに似てると思う）。思想的には、オカルティスト、アレイスター・クロウリーとニーチェ思想に精通し、反キリスト教のニヒリストであり「史上最高の悪魔主義者（サタニスト）」などと呼ばれているが、本人は、いろいろと理屈をこねて、これを否定している……まあ、いつものことですが。《If I Was Your Vampire》は、2007年のアルバム《イート・ミー・ドリンク・ミー》に収録。このアルバムはタイトルからわかる通り『不思議の国のアリス』に因んだ曲が散見するが、劈頭一曲目は仮想

EAT ME, DRINK ME
／MARILYN MANSON

ヴァンパイアのラヴ・ソングから始まる。ゴシック・ロマン調（静）とヘヴィメタル（動）のメリハリあるサウンドの中で仮想ボウイみたいに歌っております。これも推奨作。尚、マンソン導師は、後述のハリウッド・ヴァンパイアーズのお披露目ライヴにもゲスト出演しております。さすが、サタニスト・ロッカー！

◆アイ・アム・ゴースト《Pretty People Never Lie, Vampires Never Really Die》

アメリカのポスト・ハードコアバンド。2004年にアメリカで結成。《Pretty People Never Lie, Vampires Never Really Die》は、デビュー・アルバムの《ラヴァーズ・レクイエム》に収録。タイトルにVampireの名前が出てくるのはこの曲だけだが、他のほぼすべての曲の歌詞にも「（吸血鬼の）キス、噛む、死人が歩き回る、俺たちが分かち合った血」等のヴァンパイアを想起させる言葉があり、ヴァンパイア・コンセプトのアルバムと言っていい作品。本人たちもバンドのコンセプトについて「天使と悪魔、天国と地獄、善と悪のラブストーリー」と明言しているし、歌詞の人称も常に「We」でヴァンパイア・カップルの孤独な愛情生活が語られている。——それならば、せっかく、歌える女性メンバーを擁しているのだから、男女でリード・ヴォーカルを分け合うゴシック・ロマンス的方向性に舵を切れば、バンドの個性がより明確に出たのではと考えるのだが。このままじゃ、凡百のメタルと区別がつかん。メンバーも牙むき出しのおバカな写真をブックレットに掲げる入れ込みようなのだが、ジャケットのエレガンスなセンスと合っていない。今一歩の自覚と努力が足りない残念なバンド。

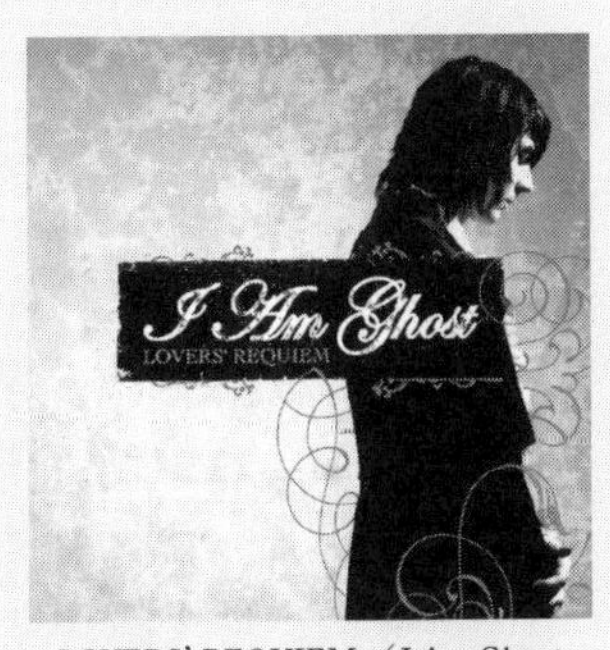

LOVERS' REQUIEM／I Am Ghost

◆**Abiogenesi《Abiogenesi》**(1st)**《Io Sono Il Vampiro》**(4th)

このバンドのファースト・アルバムは、西新宿の英国トラッド〜サイケ・プログレッシヴ・ロック専門店で、何の予備知識もなくジャケ買い。そのジャケットは、月夜の墓地で、黒いコートを着た長髪の吸血鬼がトップ・ハットを脱いで、「おばんです〜」って感じで挨拶している。中ジャケを開くと、イタリア語でH.P.ラヴクラフトの引用が掲げられ隣にはポオの肖像がデカデカと描いてある。666枚限定生産で、手にしているブツはNo.200。「こんなモン誰が買うんだ」と呟くも、「あ、俺か」といつものように思い直し、購入した次第。その後、Abiogenesiが1991年にイタリアのトリノで結成されたバンドと判明。前述の英国の悪魔主義バンド、ブラック・ウィドウ(AbiogenesiのレーベルがBlack Widow)やサイケ・ヘヴィなハイ・タイドなど70年代ロックのダークサイドを再現しているバンドと言われているが、メロディラインの部分的酷似などから、ゴブリン(『サスペリア』御用達)ら、イタリアン・プログレの継承バンドと見るべきだろう。全体にハードロック寄りの演奏だが、SEやテープループを入れたり、アコーディオン、シタール、フルートを入れたりするところにプログレ感が出ている。バンド名の意味は、生物が生きていないものから作られるとする仮説——自然発生説からきている。つまり生物でないヴァンパイアから作られるヴァンパイアの眷属を自分たちに擬しての命名だと思う。事実、4thアルバムのイタリア語原題は

ABIOGENESI／ABIOGENESI

Io Sono Il Vampiro／ABIOGENESI

《私はヴァンパイア》であり、全編にわたりヴァンパイア・モチーフの楽曲が散りばめられている。ジャケットのアートワークも凝っていて、ムンクを思わせるタッチの油絵の構図は月夜の教会の前に佇む全裸女性という、ブラック・サバスのファースト・アルバムの当初の構想を再現している。この項目の私の推奨バンド！

◆Bloodbound《Nosferatu》

2004年、スウェーデンで結成されたパワーメタル・バンド。2005年に映画『ノスフェラトゥ』に触発された1stアルバムを発表。ツイン・リードが活躍するアイアン・メイデンみたいなサウンド。メロパワとか呼ばれているそうな。尚、同曲には怪奇幻想なCG動画もあります。映画『ノスフェラトゥ』とは何にも関係ない話だけど。

◆Nosferatu《Nosferatu》(1970)

ジャーマン・プログレ・バンド。クラウト臭い独逸サウンド。今聴くと、ちと古臭い。

◆Nosferatu《Re Vamped》(1999)

上記と同名だが、こちらは88年結成の英国のゴシック・ロック・バンド。ノスフェラトゥだけで、これだけあるとは。

NOSFERATU／Bloodbound

NOSFERATU／NOSFERATU

RE VAMPED／NOSFERATU

◆ハリウッド・ヴァンパイアーズ《ハリウッド・ヴァンパイアーズ》

ハリウッド・ヴァンパイアーズは、俳優のジョニー・デップを仲介役に、アリス・クーパー、エアロ・スミスのジョー・ペリーを中心として結成されたスーパー・セッション・グループ。なぜ、ジョニー・デップが仲介役になったのかと言うと、彼は俳優になる以前はロック・ミュージシャンで（私も彼のバンドのアルバム持ってます。ギターうまいです）、元々、クーパーやペリーと交流があったのだ。そのデップがヴァンパイア役で出演した映画『ダーク・シャドウ』のプレミア・ショウのアフター・パーティーで、同映画にカメオ出演したクーパーとデップにペリーが加わってスーパー・セッションが披露された——これが、ハリウッド・ヴァンパイアーズの原点となる。

次にグループ名の由来について。70年代のロサンゼルスに、有名ミュージシャンたちが集う秘密クラブが存在した。場所はハリウッドのサンセット大通りにある「レインボー・バー・アンド・グリル」のロフト。入会の儀式は、他のメンバー全員が酔いつぶれるまで酒を飲むこと。ジョン・レノン、キース・ムーン（ザ・フー）にハリー・ニルソン他の名だたるミュージシャンたちが参加していた。この秘密クラブを主催していたのは、アリス・クーパーだったという。いつしかその参加者たちは、ザ・ハリウッド・ヴァンパイアーズと呼ばれるようになる——そのメンバーの多くが（ロック・ミュージシャンにありがちな）若死にをしているとことが話のポイント。

それから、40年の時を経たのち、アリス・クーパーは伝説のハリウッド・ヴァンパイアーズを復活させるべく、ジョニー・デップとジョー・ペリーと仲間たちを集め、ロックの殉教者たちのスピリットを甦らせるべく、ポール・マッカートニー、ブライアン・ジョンソン、ジョー・ウォルシュ、スラッシュ、デイヴ・グロールといったロックの生存者たちをセッションに迎えて、2015年にデビュー・アルバム《ハリウッド・ヴァンパイアーズ》を発表したのだった。

——ということで、本アルバムは「70年代の狂騒の果てに死んでいったロック・スターたちを称える」というコンセプトのもと、バン

ド・メンバーに死者の出ているザ・フー、レッド・ツェッペリンやドアーズ、ジミ・ヘンドリックス、T.レックスら、伝説のアーティストたちのカヴァーを多数収録しているのでした。オリジナルは冒頭の2曲とラスト1曲のみ。

そのオリジナル一曲目《The Last Vampire》……吹きすさぶ風音に遠い教会の鐘の音……聴こえてくるのは荘厳な語り……おお、「ラスト・ヴァンパイア」クリストファー・リー＝ドラキュラ伯爵の御声ではないか！　夜を領する最後の吸血皇帝は厳かに宣する。「風に渦巻く、すべての砂塵／胎児の内なる忌まわしき怪物／眷属どもの声に耳を傾けよ／夜の子供たちの／眷属どもの奏でる調べに……」——本物の「ラスト・ヴァンパイア」を召喚するとは、このセッション、スーパー過ぎる！　この吹き込み翌年に吸血皇帝は忌々しい太陽光によって灰塵に帰す（享年193歳 誤植じゃねーぞ）のだから、これは正に、クリストファー・リーのヴァンパイアとしてのラストの仕事になるのではないか。ついでに思い出したのだが、映画とロックの両分野でヴァンパイアを演じ、さらに共演までしたのは世界でも、リーとデップの二人だけなのではないか（『ハンガー』出演のデヴィッド・ボウイはヴァンパイアの彼氏役だからカウントしない）。

二曲目の《Raise The Dead》……「さあ、死人を甦らせようぜ／お前ら、みんなで叫ぶんだ／さあ、死人を甦らせやがれ」アリス・クーパーが叫び、ペリーとデップのギターが唸り、吠える！　カッコエエ！　次から始まるロック黄金時代の大晦日英米歌合戦の数々。この時期にロック小僧だったアタシにとっちゃ、頭脳崩壊しちゃいますよ、コレ。そうだっ、ガッコなんか、ぶっ壊せ！　教科書もロック嫌いの教師も消えちまえっ！（カヴァー曲・ラストのアリス・クーパーの《スクールズ・アウト》意訳）そし

Hollywood Vampires／
Hollywood Vampires

て、ラストのオリジナル《My Dead Drunk Friends》で、アリス・不死者（アンデッド）・クーパー尊師が、ロック殉教者たちへの鎮魂歌を酔いどれブルース調で……あぁ、オイラも呑みたくなってきた（って、もう呑んでるんだが）……そろそろ、夜明けじゃねーか。生まれついての夜型ヴァンパイア作家なんだよ、原稿書きしてる場合じゃねえぞ。文体乱れてきたし……そろそろ、棺桶入って寝るわ……（この項おしまい）

（追記）アリス・クーパー師匠

アリス・クーパー師匠はホラー・イメージをロックンロールのステージに導入した先駆者として知られ（ショック・ロックと呼ばれた）、ロックをモチーフにしたホラー小説アンソロジー『ショック・ロック』の序文も書いている。また、ヴァンパイア関係では、吸血鬼映画『地球最後の男』に触発された『ラスト・マン・オン・アース』という曲を書いている（『悪夢へようこそ 第二章』収録 2011年）。これは、クーパー師匠が『悪夢へようこそ』(1975) 発表時に『ザ・ナイトメア』というドラマ仕立てのテレビ・スペシャルを放映しており、同番組の中で『地球最後の男』主演者である怪奇役者ヴィンセント・プライスと共演（台詞を交わす場面もあり）したことによると思われる。尚、同番組は女蝙蝠吸血鬼などのホラー・モンスターも多数登場するというクーパー師匠のホラー好きをよく物語る内容となっている。

Alice Cooper／Welcome 2 My Nightmare

補遺／おまけ

①ガセ（ヴァンパイアを名乗っているが、騙されちゃいけません）

◆ヴァンパイア・ウイークエンド《吸血鬼大集合！》

コロンビア大学の学生が集まって、ナイーブにでっち上げた（2006

年）アメリカのバンド、バンド名の由来はメンバーが卒業制作で作った映画のタイトルから来ているのだと。だが、音楽の中身はヴァンパイアと何もカンケーない。ポスト・パンクのトーキングヘッズのエスノ・ファンクを緩くポップにしたような能天気サウンドなり。サブタイトルの「吸血鬼大集合！」ってのは、日本のレコ会社があざとい販売戦略でつけたんだろうが、こんなことしてたら、ゴス・ロックやヘヴィメタで頑張ってる皆さんにボコられますよ。

◆ザ・ヴァンプス

2013年、イギリスでCDデビューのバンド。これも、可愛い男子が可愛く歌うポップ・バンド。そういう音楽があってもいいとは思うが、ヴァンパイア・モチーフを安直に利用するなよ！　お前ら、ハリウッド・ヴァンパイアーズを正座して聴いとけ。

②日本編（ガセじゃないです）

◆VAMPS《VAMPS》

L'Arc～en～Cielのヴォーカリスト・hydeと、Oblivion Dustのギタリスト・K.A.Zにより2008年に結成されたロックユニット。上述のThe Vampsから定冠詞を取ったら、あら、不思議、ヴァンパイア甦りましたよ！　一曲目《BITE》軋む扉、狼の遠吠え、女の悲鳴のSE……そして始まる、《SEX BLOOD ROCK N' ROOL》（アルバム最後の曲名）の連打炸裂。はい、これぞ本格ヴァンパイア・ロックなり。来日したとかのイギリス産のザ・ヴァンプスの兄ちゃんたち、日本のVAMPSを正座して聴くように。

※この後、クラシック、ジャズ、ディスコ、サウンドトラック、ラウンジ・ミュージック等各ジャンルの音楽の中に潜むヴァンパイアについて書く予定だったが、原稿枚数大幅に超過してしまったので、またの機会にということにします。ドイツの電子音楽グループ、ポポル・ヴーについてもサウンドトラックの項目で取り上げる予定。

（時代に合わせてヴァンパイア・ムービーとかにしようかと思ったが、若ぶるなという天の声がしたのだ、クソ）

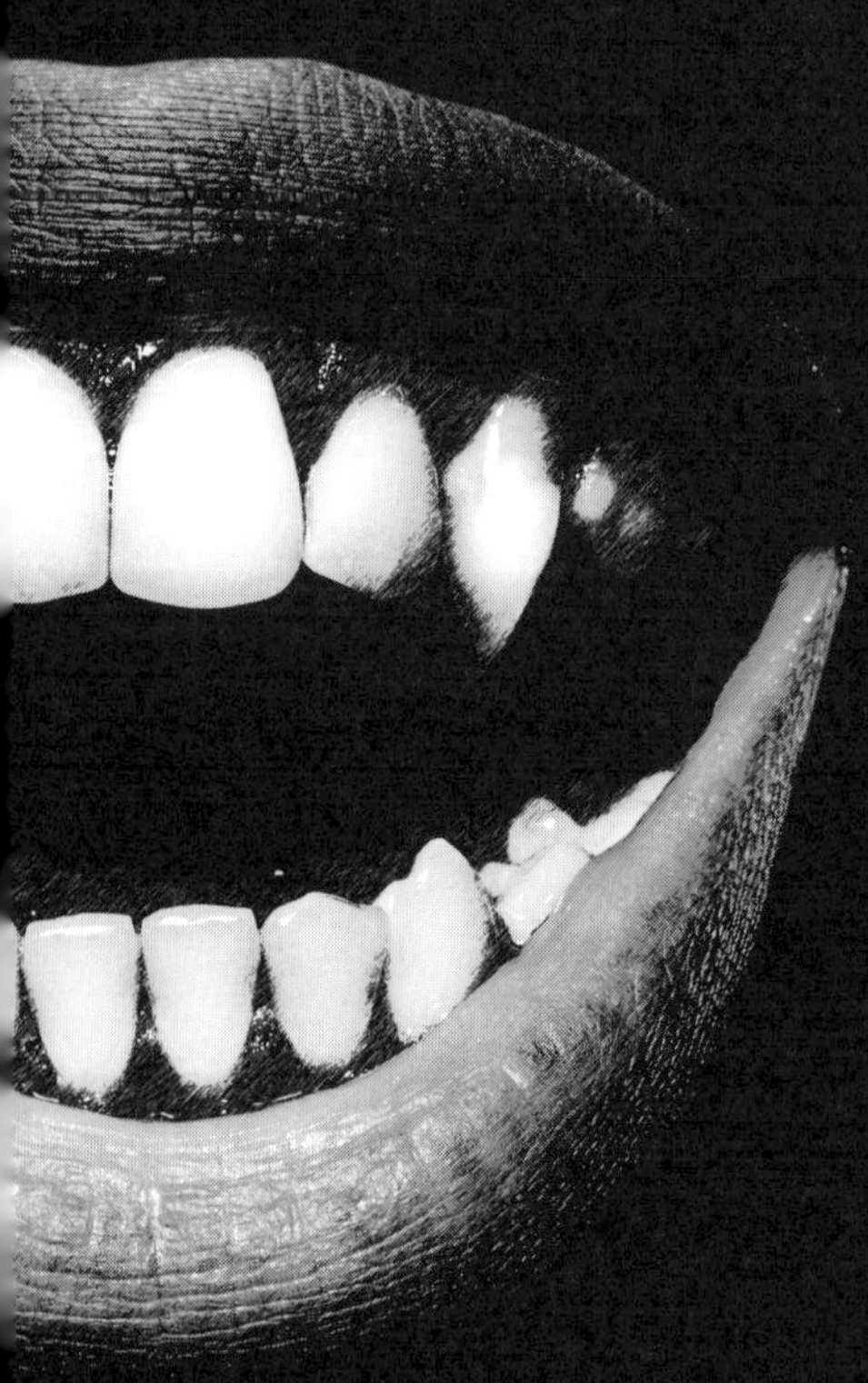

吸血鬼（ヴァンパイア）ハンターKが選ぶ吸血鬼映画

菊地秀行

A SWEET AND PAINFUL KISS
VAMPIRE
COMPILATION

古典篇

（クラシックとルビをつけたかった。天の何処かで、若い若いと笑いながら拍手をしているヤツがいる、むう）

①吸血鬼ノスフェラトゥ　恐怖の交響曲（1922）

映画史上初の本格的吸血鬼映画にしてドラキュラ映画第一弾。原作者の了解を得ずに製作したため、未亡人（美人！）が頭にきて訴訟を起こし、裁判所からフィルムの破棄を命じられたが、「あかんべー」と思った人物のせいで、プリントは残った。

独表現主義を標榜する監督ムルナウの傑作。荒涼たるトランシルヴァニアの風景、古城、怪異な風貌の城主の登場、棺を抱えてうろつく吸血鬼と、印象的なシーンが目白押しである。死の船と化した「デメテル」号がブレーメンの港に入ってくる光景は正に死の予兆。男どもは何の役にも立たず、ヒロインが明け方まで吸血鬼に血を吸わせ、陽光をもって灰となす。吸血鬼は陽の光に弱いという映画的約束はここから始まった（原作のドラキュラは、麦わら帽子で真っ昼間からうろつくのだ。）

お蔭で"D"シリーズの戦闘シーンの厄介なことと言ったら。渋谷のジャン

ジャンで初見。「わあ、ドラキュラに海が出た！」と驚いたがよく考えると原作通りであった。

②吸血鬼（1932）

本格的吸血鬼映画の第一作と言われ、原作も「吸血鬼カーミラ」と謳っているが、そう思わせるのは、名家の美女が犠牲者で、犯人も女性というところだけ。しかも白髪の婆あである。監督の狙いは夢物語だったらしく、カメラの前に薄いガーゼを垂らして雰囲気を出そうとしている。私はアメリカから買った長尺の8ミリで見たがよくわからず、名画座での公開にも駆け付け、さらに昏迷してしまった。冒頭に出てくる大鎌を持つ男のショットが有名だが、私はあれで吸血鬼の首を落とすのだと早合点してしまい、非常に腹が立った。主人公役は出資者の貴族。当然というか厚かましいというか。

③魔人ドラキュラ（1931）

大恐慌の只中に公開され、大ヒットした正当なるドラキュラ映画の第一弾。これと次作『フランケンシュタイン』及び『キングコング』（1933）の大当たりで、“不況に強い特撮キラー映画”という伝説が誕生したが、小説は全く無関係である。クソオ。古色蒼然たるドラキュラ城の大セットとルゴシの名演のせいで、原作通りの19世紀に見えるが、実は製作年度と同じ設定である。

舞台のドラキュラ役を演じていたルゴシが選ばれたのは“出演料が安く済む”からで、ユニヴァーサルは、“鉛筆一本さえケチろうとしていた”という。監督のブラウニングは、“千の顔を持つ男”ロン・チェイニーの主演を考えていたのに、チェイニーの逝去のせいで鬱になり、“演技を付けていたのはカメラマン助手のジェームズ・ウォン・ホウだったという。本作のドラキュラは杭を打ち込まれても灰にならないのが特徴。手すりもない大階段を転がり落ちる殺人シーンに、高所恐怖症の私は震え上がった。

④夜の悪魔（1943）

ユニヴァーサル・ホラー初の一大特撮映画。ドラキュラはワン・カットで蝙蝠や霧に変身し、白骨となって果てる。ヨーロッパの森に似せたアメリカ南部の沼湿地帯のセットがよろしく、ドラキュラが銃撃されるのも世界初。オリジナルストーリーをＳＦ作家のカート・シオドマクが担当。映画的見せ場も多く、監督の実兄ロバートを盛り立てている。残念ながら主役のチェイニー・jr.が善人面で迫力に乏しく、吸血鬼と化した悪女に嵌められて滅亡するというのが情けなくも珍しい。前作「女ドラキュラ」もそうだが、ユニヴァーサルのシリーズは、ドラキュラ本人よりもストーリー自体に重きを置いているのが、後のハマーとの違いである。

⑤凸凹フランケンシュタインの巻（1948）

『フランケンシュタインの館』(1944)『ドラキュラとせむし女』(45)に続くユニヴァーサル三大モンスター競演第三弾。76万ドルの製作費で320万ドルを稼ぎ出す大ヒットとなった。日本では56年公開。私が初めて眼にしたユニヴァーサル・ホラーである。Ｆモンスター役

はグレン・ストレンジ。西部劇出身なので初代ボリス・カーロフに劣らぬタフなモンスターぶりを発揮、後年TVの『ショック』でカーロフ版を見た時も、あまり驚かずに済んだ。三大モンスター（ドラキュラ、Fモンスター、狼男）が登場する導入部のアニメが楽しい。Fモンスターに脳を移植される寸前の主人公を助けに来た狼男が変身する。ここから始まる三大モンスターの大活劇も嬉しい（どうなるか見てごらん）が、本作の最高のギャグはラスト。この映画は四大モンスターの競演だったのだ。ドラキュラ役は初代ベラ・ルゴシ。これが二度目にして最後のドラキュラ役となった。合掌。

戦後篇

（単なる時代区分だが、ここも抑えておいたほうがいーぞ）

⑥吸血鬼ドラキュラ（1958）

衰退していた古典的吸血鬼に新しい血を注いだ英ハマー・フィルムの大傑作。この映画から受けた影響の大きさでは、私は世界の誰にも引けを取らない。この映画の怖さ、面白さを伝えるべく作家になったのだ。わずか84分に盛り込まれた映画的迫力を見たまえ。C・リー、P・カッシングの名演技とT・フィッシャーの演出の冴えよ。

ただし、この名作、実は矛盾だらけ

でいい加減もいいところ。ドラキュラ退治に乗り込んだジョナサン・ハーカーは女吸血鬼を見た途端、無知な司書になり下がるわ、女吸血鬼に血を吸われたときにはさして驚かず、後になって絶望するわ、長い旅の果てだったはずのドラキュラ城への道のりが、実は馬車で半日だわ、と、呆れるばかり。他にも色々ある。そして、それらを歯牙にもかけず永遠の名作として輝き続けるのが『吸血鬼ドラキュラ』という映画なのだ。

⑦吸血鬼ドラキュラの花嫁（1960）

前作の姉妹篇（懐かしい言葉だ）。リーはイメージの固定を嫌って降板。替わって起用されたD・ピールのマインスター男爵はあまり評判が良くないとか。とんでもない。四十代のピールはカツラをバンドエイドで固定しながら、二十代の男爵を見事に演じている。前作のリアル一辺倒からハリウッド式大活劇へと映画自体もイメージ・チェンジ。音もなく外れる棺の錠前、蝙蝠への変身、吸血されたヘルシングの焼きゴテを使った大マゾ治療や、魔性の顔を焼け爛らせる聖水等の見せ場も十分。その分チョンボも多く、特に男爵を死滅させる風車の十文字の影は、絶対にそういう形にはならないし、冒頭に現れる意味ありげな召使風の男はどこへ消えてしまったのか。ヒロインが勤める女子高校の経営者夫婦とマインスターのやり取りが笑わせる。

⑧血ぬられた墓標（1960）

イタリアン・ホラーの最高峰マリオ・バーヴァの処女作にして最高傑作。「吸血鬼ドラキュラ」を見たバーヴァが“もっと面白く撮れ

る”と豪語しただけあって、痛快さでは及ばないが、怖さでは勝るとも劣らない。“刺激が強すぎるから年少のお客さまには耐えられないかも”という出だしのナレーションで震え上がり、プロレスラーみたいな大男が、美女の顔へ刃だらけの鉄仮面をでっかい木槌で打ち込むシーンで逃げ出したくなった。

ああ、虫が出入りしてたミイラの眼窩から眼の玉がせり上がってくるよ。カメラの前進に合わせて椅子や衝立が犠牲者の部屋の方に倒れていくぞ。おいおい、美女が助けを求めた父の死体が起き上がってくるではないか。美女のドレスを剥ぎ取ったら――ゲッ、ミイラだ！　魔女と乙女の両役をこなしたB（バーバラ）・スチールは、世界中のSM男女をゾクゾクさせたに違いない。これ以降、彼女の魅力を引き出せる映画のなかったことが悔やまれる。

⑨血とバラ（**1960　仏・伊**）

　まだ「吸血鬼ドラキュラ」にどっぷり漬かっていた時代に見た。さすがに理解不能であった。美女二人の有名なキス・シーンも、おかしなことをさせる監督だなと思ったくらいである。有名な幻想シーンなど吸血鬼と無関係じゃんで終わりであった。今観ると阿呆なオレ。ヴァディムにも“現代”の吸血鬼は撮れなかったといわれるが、これは吸血鬼には森と古城と霧の世界がふさわしいと逆説的に証明している。フ

ランス版のタイトルは『死にいたる悦楽』。A・ヴァディムとE・マルチネルに、オードリー・ヘプバーンの亭主ではなく監督のヴァディム自身を配したら、この感じがもっと出ただろう。何にせよ、自分の美しい妻の裸をじゃんじゃん公開するヴァディムの姿勢は大いに頼もしい。エレナ・ポロンスカによるアイリッシュハープの旋律が美しい。

⑩女吸血鬼（1959）

日本映画史に残る新東宝怪奇映画の代表作。天知茂扮する吸血鬼の下から、彼の恋した美姫の生まれ変わりの女が逃亡してくる。すなわちジョナサン・ハーカーの帰還である。明らかに『吸血鬼ドラキュラ』の影響を受けながら、日本怪談の名手・中川信夫の演出が噛み合わぬ珍作となった。ドラキュラの黒衣に対して白マントで頑張る天知茂は小柄なせいで迫力に乏しく、部下ときたら一寸法師、禿の大男、白髪の妖婆と日本伝奇怪談の定番だらけ。歩くたびにきしむ安っぽい地下王宮のセットと現地ロケのリアルさが、奇妙なムードを醸し出している。

⑪イスタンブールのドラキュラ（1953：未）

トルコは特撮大好きな映画大国だそうで、トルコ式『スター・ウォーズ』や『スーパーマン』も存在するらしい。本作は何よりも、『吸血鬼ドラキュラ』以前、つまり史上初の牙出し吸血鬼映画として有名だ。ストーリィは原作に準拠――と書くと面白そうだが、これが無類に詰まらない。好きなだけでホラーは撮れないのだ。

おまけ

（サービスというより、お前これ見てねーだろう、
もう手に入んないぞ、というイヤガラセに近い）

⑫ポランスキーの吸血鬼（1967）

十字架を怖がらないユダヤの吸血鬼親父やホモの吸血鬼等が出てくるが、あまり笑えない。ポランスキーにはお笑いの才能がないようだ。ラストのシャロン・テートの変貌ぶりには息を呑んだ。

⑬吸血鬼ヨーガ伯爵（1970）

ハマーばかりに儲けさせるなと出て来たアメリカ製。工夫はしているが安っぽい分陰惨な出来である。

⑭ドラキュラ（1979）
⑮ドラキュラ都へ行く（1979）

片やF・ランジェラのドラキュラ、ローレンス・オリビエのヘルシング教授と堂々たる陣容の大作、片やジョージ・ハミルトン主演のコメディ。公開時期が同じで、ほとんど同時に見た。「〜都へ行く」は大入り満員、「ドラキュラ」は私を入れて3人きり。アンタンたる気分になった。

⑯吸血鬼と踊り子（1960：TV放映）

吸血鬼とエロスは車の両輪である。私が見たナンバー1はこれ。ボディ・ラインと太腿を露骨に強調した衣装で踊りまくりながら毒牙にかかるダンサーたちの官能性は、ハマーの全裸吸血鬼に勝る。吸血鬼？　出てるけど。

⑰呪いの館／血を吸う眼（1971）

山本迪夫監督のジャパン吸血鬼シリーズの第一作である（前作『血を吸う人形』は吸血鬼ものにあらず）。次の『血を吸う薔薇』（74）とともにハマーの影響を受けているといわれるが、ストーリィとムードは『血とバラ』に近い。シリーズのベストはこちらだろう。吸血鬼役の岸田森の適役ぶりは言うまでもないが、プロデューサーの田中文雄氏によると、第一候補は岡田眞澄だったという。ヨーロッパへ遊びに行っちゃったのでダメだったらしい。実現していれば、映画界ではあまり目立たなかった岡田眞澄のホームランになったかも知れない。非業の最期を遂げた江美早苗の代表作でもある。

⑱デイブレイカー（2009）

小説でも映画でも一度はチャレンジしてみたいはずの「人類・吸血鬼共存」ものである。『地球最後の男』の後日譚といってもいい。コーヒー・スタンドならぬブラッド・スタンドで、人血含有量の少ない合成血液を飲まされ暴れ出す吸血鬼たちがケッサク。

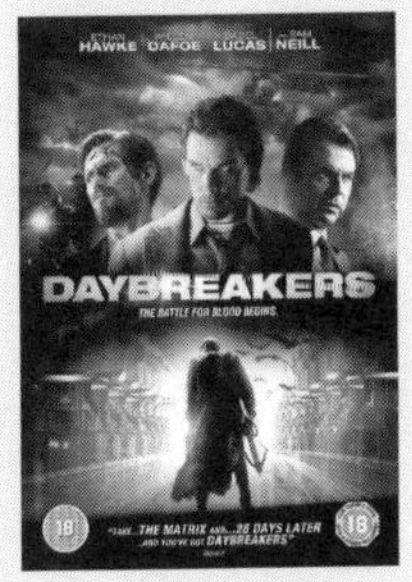

⑲地球最後の男（1964：未）

R・マシスンの同題小説の最初の映画化。埋葬時の服を着たままうろつく吸血鬼―というよりゾンビーは、G・A・ロメロの『生ける屍の夜』(1968) に影響を与えた。あるウイルスによって人間が吸血鬼化した世界。無人の街をさまよいながら、吸血鬼たちに杭を打ち込んでいく主人公の寒々しい日常、死んだ妻の帰還等、原作の持つ絶望感の表現は同じ原作の、『オメガマン』(71)『アイ・アム・レジェンド』(2007) を凌ぐ。コロナ禍でひと気の絶えた青山を歯医者へ向かう途中、「これぞ、あの世界だ！　杭を打ち込みたい！」と痛切に願ったが、もちろんダメだった。

⑳インタビュー・ウィズ・ヴァンパイア（1994）

ビッグ・ネームが主演を務め、莫大な政策費もかけて、原作者が大喜びした大作。誰に訊いても「素敵だわ」「傑作だ！」。嘘をつけ。全然ノれんじゃないか。原作が恋愛小説のせいだろう。吸血鬼の孤独や哀しみを描く前に、ホラーしろよ、ホラー。

㉑狂血鬼ドラキュラ（1973：TV放映）

TV『事件記者コルチャック』で有名なダン・カーティス監督のTVM。『インタビュー～』やコッポラの『ドラキュラ』(1992) より数倍面白い。ドラキュラとヒロインの恋愛ごっこを最小限に抑え、ドラキュラの迫力描出に集中したせいだろう。『シェーン』(53) の黒づくめの殺し屋で有名なJ・パランスのドラキュラは、鼻が広がりすぎて、ちょっとイメージが合わないが、それを補う出来映えである。吸血鬼にされたジョナサン・ハーカー暴れ廻るのも史上初（？）

㉒怪猫からくり天井（58）

ご存知、鍋島怪猫伝。なんでぇ化猫かよと侮るなかれ。日本でいちばん最初に、そして最も濃厚に『吸血鬼ドラキュラ』の影響をモロ受けした怪談である。もともと怪猫と吸血鬼は同じ特徴を持っていた。片や噛み殺した相手に化け、片や血を吸って犠牲者を仲間にする。今の今まで笑いあっていた家族が知らぬ間に別のものに変わっている—これは怖い。それでもこれまでだと（例外はあるが）、怪猫に咬み殺された犠牲者は殺されっぱなしだったのに、本編では怪猫の化身と化して暴れ廻る。もうひとつは修験者の扱いである。ヒーローに魔除けの札や法衣を与えるのがせいぜいだったのが、今回は陽光ならぬ不動明王の火炎を持って怪猫を天守閣まで追い詰める大役だ。和製ヴァン・ヘルシングここにあり。かくの如くハマーの大影響も露わな和製ドラキュラ映画だが、実は公開が『〜ドラキュラ』よりひと月以上早いのだ。

多分、『〜ドラキュラ』の試写を見た映画会社の何者かが、「こりゃ大ヒットする」と見込んで大車輪で作り上げたものだろう。『スター・ウォーズ』と『宇宙からのメッセージ』を思い出したまえ。20年近くたっても映画界の「いただきまーす」癖は不滅なのだ。多分、この先も。

ところで、題名の「からくり天井」は何処にある⁉

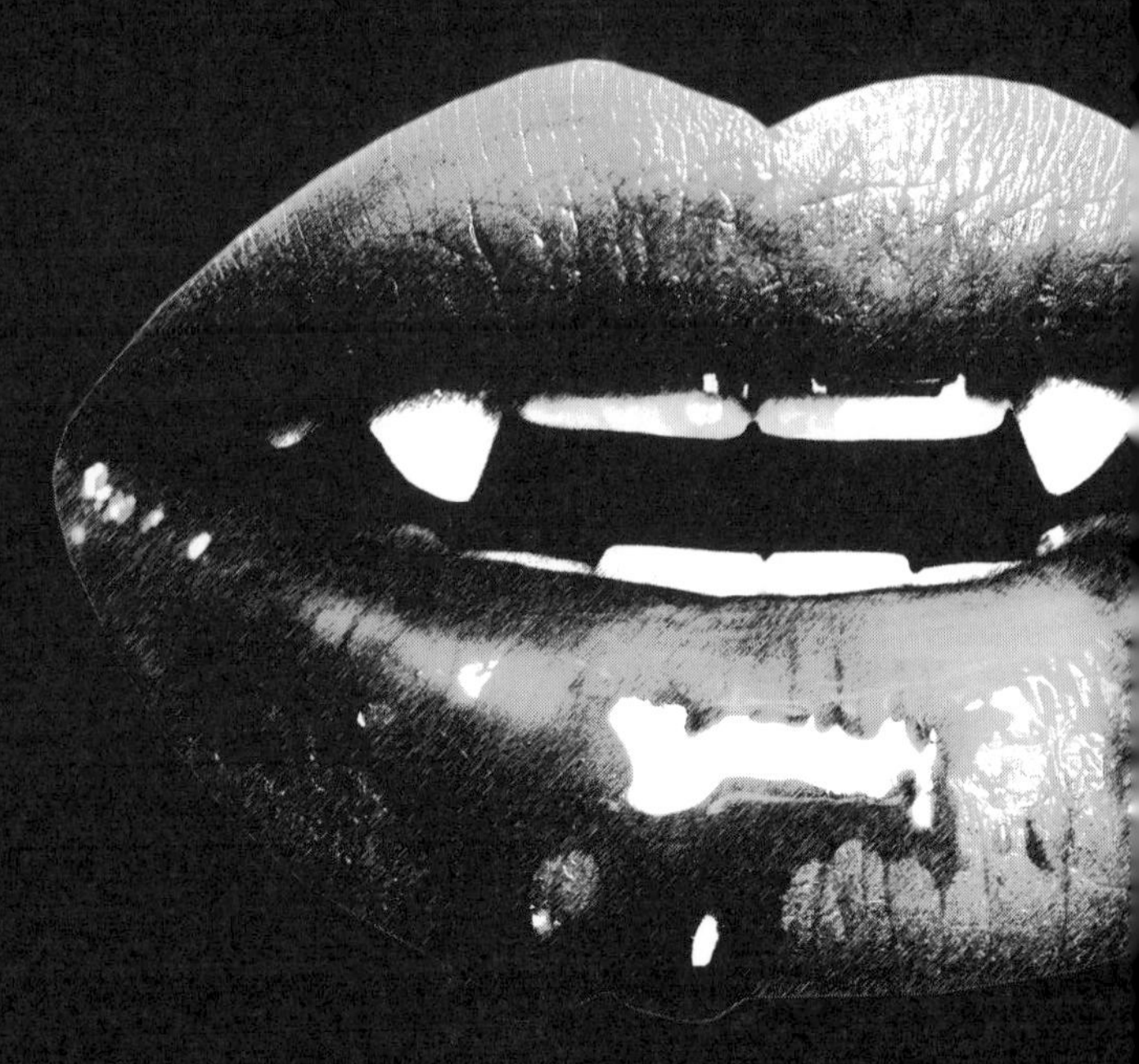

吸血鬼(ヴァンパイア)キラーMが選ぶ映像の中の吸血鬼

——吸血鬼の映像(映画・アニメ・ゲーム)
サー・クリストファー・リー
生誕99周年に因む99本!

山口雅也

A SWEET AND PAINFUL KISS
VAMPIRE
COMPILATION

A　古典・スタンダード

吸血鬼を語るなら、これは観ておけよ（ちょっと厳しめ）。

⓪『悪魔の館』（ル・マノワール・デュ・ディアブル）（1896　3分18秒）

アメリカで『呪われた城』として、イギリスでは『悪魔の城』として公開された、フランスのジョルジュ・メリエス監督のサイレント映画。劇場のコミック・ファンタジーのスタイルで簡単なパントマイムスケッチを描いたこの映画は、恐怖というより、観客に娯楽と驚きを提供することを意図している。ただ、本作が史上初のホラー映画でもあることは衆目の一致するところ。トリック撮影の創始者としてシネマジシャンと呼ばれたメリエスがSF分野（『月世界旅行』）だけでなくホラー分野も興味があったことが伺える。また、ブラム・ストーカーの『吸血鬼ドラキュラ』刊行より1年早い制作なので、本作は史上初の吸血鬼映画とも言えるかと。冒頭、中世の城の蝙蝠がマント姿の悪魔に変身、その後、骸骨、白装束の魔女やペストマスクの幽霊などが、次々に現れるが、ホラーというより、マジックショウを見せられている感じ。吸血場面はないが、ラストは騎士の十字架によって退けられるので、吸血鬼属性

はある。フィルムの長さも革新的。同時代のリミュエール作品が50秒ほどだったのに対し3分以上の尺は、その時代では異例の長さ。尚、1年後に「ル・シャトー・ハンテ」(呪われた城) というタイトルでリメイクが制作され、本作と混同されることが多い。この映画は、ニュージーランド映画アーカイブでコピーが見つかった1988年まで失われた作品と推定されていた。

①『吸血鬼ノスフェラトゥ 恐怖の交響曲』(1922　F.W.ムルナウ監督　独)

吸血鬼映画の先駆けの一つ。サイレント映画。ストーカーの『吸血鬼ドラキュラ』をベースにしているが、ドイツを舞台にして原作と異なる所も多々あり。ストーカーの著作権継承者との間で訴訟沙汰になっている。ペストの流行を明確に絡めている。禿頭のネズミみたいな吸血鬼の造形とそれを影で恐怖表現するドイツ表現主義の面目躍如。レンフィールドの狂気ぶりにも一票投じたい。吸血鬼がロンドンに行く際、コマ落としで棺の蓋が自動的に閉まる場面が唐突で印象に残る。ノスフェラトゥの風貌はドラキュラ伯爵よりモンスターらしく見える。

外国人のオルロック (吸血鬼) が船で、ドイツのウィスボーに到着。彼はネズミの群れを連れて来ていた。これは、原作にない話で、町全体に疫病を広げてしまう。このプロット要素については、オルロックとげっ歯類とユダヤ人が疫病を起こす原因――という考え方と関連付ける説もある。これに対し監督ムルナウは、同作で不動産業者ノックを演じたユダヤ人俳優アレクサンダー・グラナッハらについて、ユダヤ人の男女の多くは友好的かつ保護されていたと回答している。また、同性愛者であるムルナウは「おそらく、より大きなドイツ社会におけるサブグループの迫害に対してより敏感であっただろう」とも言われている。そのように、この映画と反ユダヤ主義的なステレオタイプとの間の関連は、ムルナウ側の意識的な動機付けとして可能性は低いとされているのが通説。

ヴァンパイアや不死者の意として使用されている“Nosferatu”とい

う言葉の語源は、“nosfur-atu”という古代スロヴァキアの言葉であり、それ自体もギリシャ語で「病気を含んだ」を意味する“νοσοφορος”が由来である。西ヨーロッパの人々に、ヴァンパイアは病気を運んでくるものと見なされていたことの証左である。

オリジナルの楽譜はハンス・エルドマンが作曲し、上映中にオーケストラが演奏した。しかし、そのスコアの殆どは失われており、『ノスフェラトゥ』上映の歴史を通じて、多くの作曲家やミュージシャンが、映画に付随する独自のサウンドトラックを書いたり即興で演奏したりしてきた。例えば、1950年代後半から60年代にかけて多くのハマー・ホラーのサウンドトラックを作曲したジェームズ・バーナードも、リイシューのためのスコアを書いている。

尚、79年に西ドイツのリメイク作『ノスフェラトゥ』(ヴェルナー・ヘルツォーク監督)が公開されている。ドラキュラ伯爵役でクラウス・キンスキー、ルーシー(何故かミーナと名前交換)・ハーカー役でイザベル・アジャーニ様♥の出演あり。また、本書収録の『吸血鬼の歯』の作者ローラン・トポールも、何とレンフィールド役で出ている。

②『Sorrows of Satan』(1926　D.W.グリフィス監督　1時間30分)

英国のゴシック・ロック・バンド、バウハウスのEP盤『Bela Lugoi's Dead』のジャケット写真を飾った幻の吸血鬼映画(サイレント)。アメリカ初の長編映画『國民の創生』を撮り、「映画の父」と呼ばれたD.W.グリフィス監督がパラマウントの命により嫌々撮った映画とい

うことだが、バウハウスのジャケ写に使われたコウモリの翼の影の禍々しいイメージはホラー・ファンの間に強烈な印象を残していた。原作はマリー・コレリの小説（映画と同題）、コレリの小説は同時代のコナン・ドイルやH.G.ウェルズを上回る売れ行きだったという（日本では、彼女の作品『ヴェンデッタ』を基に黒岩涙香が翻案、その後、江戸川乱歩によって再翻案された『白髪鬼』を読むことができる）。

恋人のいる貧乏作家の許に、シルクハットに口髭の謎の紳士（サイレント時代からの名優アドルフ・マンジューが演じている）が現れ、自分の助言に従えば親戚の莫大な資産を相続できると告げられ、俄か成金となった作家は、社交界にデビューして、ロシア貴族のプリンセスを紹介される。だが、これは、西洋によくある「悪魔の取引」で、富豪にする条件として、ロシア皇女と作家を結婚させ堕落させる目論見が悪魔にあった。作家は言われるがまま、恋人を捨て、プリンセスと結婚する。だが、結婚後のロシア皇女は怪紳士とトラブルを起こしたりする。それを目撃した作家が、怪紳士に詰め寄ると、彼は「ようやく正体を明かすときが来た」と言い、大蝙蝠の姿を現す。そのシーンは、1時間30分の尺の内、最後の6分まで来たところで初めて現れ、僅か1分程で終わる。しかも、ヴァンパイア本体は見せず、蝙蝠の翼の影で怯えさせるだけ。影にはルシファーらしい二本の角が生えていた。

原作が女性ベストセラー作家なので、後のアン・ライスの『インタビュー・ウィズ・ヴァンパイア』や同じく女性作家による『トワイライト』シリーズのような恋愛メロドラマにヴァンパイア要素を導入した話かと思いきや、原作者の意図は、福音に忠実なのは悪魔のほうで、富裕階級の堕落を

描きたかったのだとか。映画の中にルシファーという呼称は出てくるが、ヴァンパイアという言葉は出てこない。また吸血場面もないが、大蝙蝠に変身するところ、吸血鬼がウリのバウハウスがジャケ写で使っているところから、ヴァンパイア映画の古典として歴史的価値アリだと思う。何といっても「映画の父」グリフィスの監督作品なのだから。

③『London After Midnight』（1927 トッド・ブラウニング監督・原作）

サイレント映画。フィルムが焼失したとかで、長らく「幻の作」とされてきたが、当時のハリウッドにとっても本作が脅威の作品として評判だったことが映画『アビエーター』の中の映画関係者のパーティー・シーンで語られていた。近年、海外で修復版かロン・チェニーBOXで出たというので、取り寄せて観たが、動画でなく、スティル写真と文字情報を繋いだものだったので、がっかり。どちらかというとブラウニング監督の探偵小説好みを反映した作だが、内容についてはネタバレになるので言わない。でも、怪奇役者ロン・チェニーの吸血鬼姿は、ホラー信者にはお馴染みの恐怖アイコン。

④『魔人ドラキュラ』（1931 ブラウニング監督 ユニヴァーサル）

ゴシック調の古城セット、風格ある異国的な伯爵（ベラ・ルゴシ）の目だけにライトを当てた演出、レンフィールドの狂気、眷属の女吸血鬼の特撮等、ブラウニングの怪奇演出が光る。しかし、トランシルバニアの夜を領する魔人でもロンドンの土地を買うのに不動産屋の仲介を頼むところがトホホで笑えます。

⑤『ヴァンパイア』（1932　カール・ドライヤー監督　独仏
シェリダン・レ・ファニュの『カーミラ』『ドラゴンヴォラントの部屋』に基づく）
71分（英語字幕）版

トーキーだが、サイレント映画的静謐感あり。娯楽映画というより、夢幻意識の流れを追ったサイレントのシュールリアリスム映画に近い感触。棺桶の中の死者が蓋の窓から外を見上げるシーンが強く印象に残る。本作は様々な長さや編集版が存在していて、私が観た現行DVDには、脚本等にあるにある妖婆を焼く（直接的な）場面や共犯医師が廃工場で十字架を忌避する場面等が出てこないので、正しく評価するために現在2枚組海外版を取り寄せ中（溜息）。

⑥『吸血鬼ドラキュラ』☞吸血鬼ハンターK参照
（1958　テレンス・フィッシャー監督　英　ハマー・フィルム製作）

カラー初の吸血鬼映画。クリストファー・リーの伯爵はルゴシのそれより狂暴でいい。ピーター・カッシングのヘルシング教授がラストで吸血鬼に出来合いの十字架で対抗する戦法は、その後、長く引用されエピゴーネンを生むアイディアの勝利。あとはやっぱり、この時代らしいゴア・ゴア的血の赤！　リーは長身と噛みつき演技でドラキュラ役者として不動の地位を築き、カッシングも本作でヴァン・ヘルシング役の風貌とキャラクターを決定づけた。

⑦『血とバラ』（1960　ロジェ・バディム監督　仏伊）☞吸血鬼ハンターK参照

19世紀のゴシック作家、レ・ファニュが創造した女吸血鬼カーミラも押さえておかなくては。レズビアン、エロティシズムが濃厚な一作。原作『カーミラ』の18世紀から20世紀の物語に翻案されている。全体的に恐怖場面を最小限に抑えた仕上がり。ホラーというようより耽美的な時空を超えた恋愛ファンタジーといった趣の作品。

⑧『ヴァンパイア・ラバーズ』（1970　ロイ・ウォード・ベイカー監督　ハマー）

レ・ファニュの『カーミラ』が原作だが『血とバラ』より忠実に

作ってある。ハマーの路線転換期エロティック路線第一作（AIPとの共同制作）。なんと言っても吸血鬼映画最高のカリスマ女優イングリッド・ピットに尽きる。また、美術面の小道具として屍衣（シュラウド）が出てきて重要な役割を果たす。西洋の幽霊の白衣姿はシーツを被ることで代用されるが、このシュラウドのことだったことがわかる。本作でのカーミラは日陰なら日中でもダメージを受けない。また、カーミラが鏡に映っているシーンあり。これが意図的なものかミスなのかわからないが、女吸血鬼も化粧をするために鏡を使うだろうし、そういうルールにしたのだろう。尚、ハマー・アミカスの怪奇・SF映画で活躍した監督のロイ・ウォード・ベイカーは、スパイ・スリラー名作『デミトリオスの棺』で知られる作家のエリック・アンブラーとは第二次大戦中に従軍カメラマンをしていた時からの旧知の仲で、脚本の仕事などをしていたアンブラーの手引きで監督処女作品（アンブラー原作・脚本のスリラー『The October Man』）のメガホンをとっている。

B　フェイヴァリッツ（順不同）

（新古典、異色作、新傾向、パロディ、TVドラマ、日本版ソフトなしの幻の作、看板に偽りアリ、アンフェイヴァリッツ、正体不明作、クズ映画も、全部まとめて99本＋アニメ、ゲームも面倒見ます）

⑨『古城の妖鬼』（1935　脚本ガイ・エンドア他）

『London After Midnight』のトッド・ブラウニング監督自身によるリメイク。ともかく、ラストのサプライズに観ていてカウチからずり落ちるほど驚いた。プラハから来た警部と教授が吸血事件を捜査する探偵小説的展開にワクワクさせられるが（ブラウニング監督はクレイ

トン・ロースンの密室物探偵小説『帽子から飛び出した死』の映画化も手掛けている)、そのために、(ホラー目線では) 終盤の急展開が何のことやら話が見えないまま戸惑うこと必至。一応筋は通っているが、説明されていない点も多々あり (モーラ伯爵＝ルゴシの頭の銃創とか――ややこしい議論があるが略)。前半でハサミを入れられたのか？　どこかに完全版が存在するのか？　それにしても『魔人ドラキュラ』で当てたユニヴァーサルが、ルゴシ吸血鬼の二作目で、これを持ってくるとは……何を考えいるのか。

⑩『女ドラキュラ』(**1936　ユニヴァーサル**)

『魔人ドラキュラ』の続編。ストーカーの『ドラキュラの客』が原作だが、主人公のザレスカ伯爵夫人は、自分の吸血鬼としての境遇を軽蔑しながらも、それに囚われているという意味において、映画史上初の「同情型吸血鬼」とも言える。「同情型吸血鬼」はヴィクトリア朝期のゴシック・ホラー『吸血鬼ヴァーニー』に端を発すると言われ、その後、『Dark Shadows』や『インタビュー・ウィズ・ヴァンパイア』へと連綿と受け継がれていく。尚、『吸血鬼ヴァーニー』(1845-47) における吸血鬼属性 (鋭い牙を持ち、女性の首筋に噛みつき血を吸う) は、ストーカーの『吸血鬼ドラキュラ』に先んじていた。

⑪『ドラキュラとせむし女』(1945　ユニヴァーサル)

自分を治してくれと医者に行くドラキュラと狼男、情けねーぞ。それに引き換え「自分の治療はいいから、モンスさんたちを治してやって」と言う、健気な「いい人」のせむしの看護婦さん（ポニ・アダムス演 ポスターでもモンス扱い）。こんないい人をほっといて、フランケンの研究にかまける博士もヒドイ。せむし女さん以外、全員自己チューじゃねえか。こら、ユニヴァーサル、『せむし女の逆襲』作っといてやれや。

⑫『吸血鬼ボボラカ』

(1945　マーク・ロブソン監督　ボリス・カーロフ主演　RKO)

『キャット・ピープル』などノン・モンスターの低予算且つ斬新な心理的ホラー演出で知られるヴァル・リュートンが最高額の予算を投じて製作した作品。原題はベックリンの絵画『死の島』に触発された『Isle of the Dead』（当初のタイトルは『Camilla』）。

バルカン戦争の最中の1912年、ギリシャの小島で敗血症ペストの疫病が蔓延する。墓参で訪れていた将軍（カーロフ）の命で島は封鎖。島民はボボラカの仕業だという。ボボラカとは、人に取り憑いて精気を吸い取る狼の霊魂が人の姿をして島に潜む「悪霊」のこと指す。ボボラカは夜のみに徘徊する。ボボラカに殺された者はボボラカになり、葬っても棺から這い出して来る。更に疫病に感染した者は強硬症（カタレプシー）（吸血鬼の原因の一つ）に陥る等、吸血鬼要素が満載である。従って、吸血行為はないが、邦題の「吸血鬼」というのは、まったくの偽りとは言えない。また、当初のタイトル『Camilla』から、女吸血鬼を想定した作品（オリジナル脚本からメインの女性キャラが削られている）であることは明白。本作もリュートンのノン・モンスター主義に貫

かれ、興味の焦点は、感染の恐怖ということになる。手洗い励行、濃厚接触や三密を避けるなど、現在のコロナ禍を予見しているようで驚かされる。監督は、『キャット・ピープル』の編集を経て本作が初監督となるマーク・ロブソン。手洗い場面での多数の手のシークェンス、空っぽのベッド、風と波、島の埠頭に立つ地獄の番犬ケルベロスの像、香炉の炎、棺の中から漏れてくる死者の悲鳴等、象徴的カットを重ねることによって恐怖を煽り立てる。独裁的でありながら自己犠牲的でもあるという複雑な男（最後は狂人だと言われれてしまう）を熱演したカーロフにも、この異色ホラーの立役者として一票投じたい。

マーティン・スコセッシ監督が「身の毛もよだつ」ホラー映画のオールタイム・ベストの1本に選出している。『キャット・ピープル』より怖い、リュートン・ホラーの名作なり。

⑬『地球最後の男』（1964　米伊）

「最後の怪奇役者」ヴィンセント・プライスの、地球最後の男となった孤独感溢れる演技が素晴らしい。生ける屍たちがプライスの家を襲うシーンはロメロ監督『生ける屍の夜』に影響を与えているといわれているが、実は、本作の生ける屍たちは「不死者（アンデッド）」としての吸血鬼であり、本作は、リチャード・マシスンの小説『吸血鬼』を映画化した作品なのでした。マシスン原作にハズレなし。小説・脚本に多くの名作を残した尊敬す

べき巨匠です。

⑭『吸血鬼ヴルダラック』（**1963 伊**）

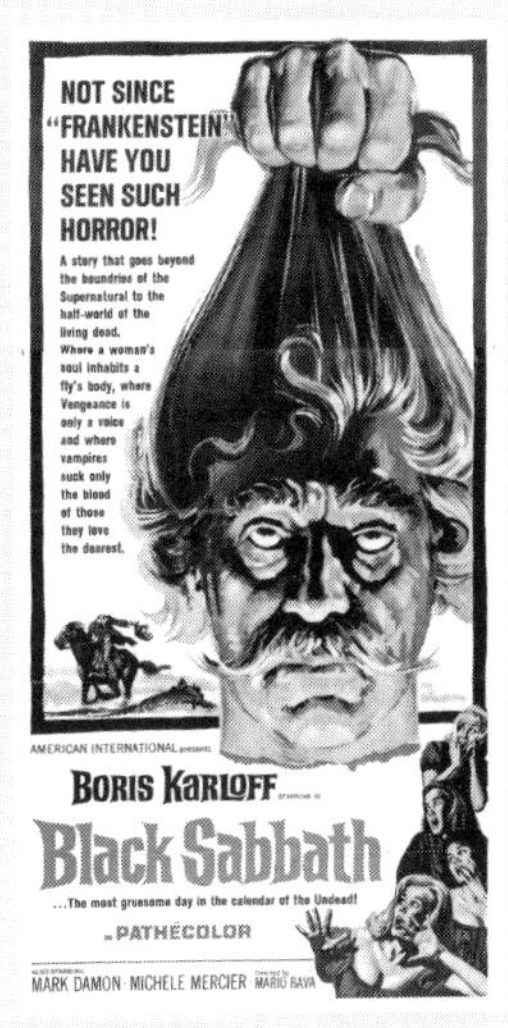

マリオ・バーヴァ監督のオムニバス『ブラックサバス　恐怖！　三つの顔』の第二話。トルストイ原作（『ヴルダラクの家族』）のスラブ・ヴァンパイア。珍しくボリス・カーロフが吸血鬼を演じている。吸血鬼となった者は、まず愛する者から襲うという性質は、後の『ストレイン　沈黙のエクリプス』に引き継がれている。原作前半の再現のみで、後半の吸血鬼一家が集団で襲ってくるシーンはない。尺30分なので許す。

⑮『ハンガー』（**1983 英**）

吸血鬼というより不老不死の願望、老化への恐れがテーマ。老化現象に対する科学的知見も投入。エンタメ路線とは一線を画するアート的ムードが横溢している。カトリーヌ・ドヌーヴ&デヴッド・ボウイという永遠の超美形のコンビの共演となれば、これは外すわけにはいかない。ボウイが劈頭すぐに年老いてしまうのが、ちと残念だが、異色の吸血鬼映画として推奨しておく。レズビアン・ラヴのシーンあり。ボウイには、歌ってほしかったが、冒頭に出てきて演唱するバンドは、イギリス・ゴシック・ロックのバウハウス（曲は『ベラ・ルゴシの死者』）。『ドラキュラ72』のストーングラウンド（米西海岸ヒッピー・バンド）、

『吸血鬼ブラキュラ』のヒューズ・コーポレーション（ディスコ）、『ハンガー』のバウハウス（ゴシック・ロック）と、吸血鬼映画を通して、約10年間の音楽シーンの目まぐるしい様変わりも知ることができるわけだ。

⑯『狂血鬼ドラキュラ』（1973　ダン・カーティス監督　米　TVM）

　この映画が制作される直前にヴラド・ツェペシュを弁護する歴史研究書が発表されているので、本作以降、ドラキュラ伯爵に同情・共感するような映画が現れるようになる。妻の死により悲しみに暮れるジャック・バランス（伯爵）の哀切の演技がイイ。その点を除けば、当時はストーカーの『吸血鬼ドラキュラ』に最も忠実な映画とされていた。カーティス監督はテレビ畑で吸血鬼ネタ（『事件記者コルチャック』にもありました）を使い稼いでいる人。

⑰『ドラキュラ72』（1972　英　ハマー&ワーナー）

　ハマー路線転換期の中では屈指の良作。本作では、初めて撮影時の現代（1972年）のイギリスを舞台にドラキュラ伯爵（クリストファー・リー）対ヴァン・ヘルシング教授（の子孫／ピーター・カッシング）の死闘を楽しむことができる。今回は若者風俗路線（60年代若者文化を体現するチェルシー族を中心に物語が展開）へ舵を切り、18世紀ゴシックから20世紀スウィンギン・ロンドンへ路線転換。冒頭、当時ワーナーと契約していたサンフランシスコのヒッピー・ファミリー・ロック・バント、ストーングラウンドの演唱を観ることができるのは、後述する『吸血鬼ブラキュラ』と同趣向で、黒魔術によるドラキュラ伯爵召喚、吸血鬼従者の若者（名字のアルカード

はドラキュラのアナグラム）が黒人女性と付き合っていることによるブラック・パワーの取り込みも考え合わせると、両作は「兄弟作」と言っていい感触を持つ。若者たちの根城にしているクラブの名前がビートルズかハコ・バンをしていた《キャヴァーン》（外装は異なるが内装は似ている）なので、ロケ場所はリヴァプールかと思ったが、事件の管轄がロンドン警視庁なので、これは違った。警視庁の警部が失血した死体を検分して、「カルト教団の仕業だ——アメリカで流行っている」と推察するところも、当時の英米の時代背景（マンソン・ファミリー事件）を色濃く反映している。クリストファー・リーが女の首に咬みつく演技は、やはり最高のドラキュラ役者としての地位を得るに相応しい迫力……おお、牙剥いて唸ってるぞ。実生活で妻を亡くしてやつれたカッシングの珍しい笑顔も見られる貴重な一作。

⑱『吸血鬼ブラキュラの復活』（1973　AIP他）

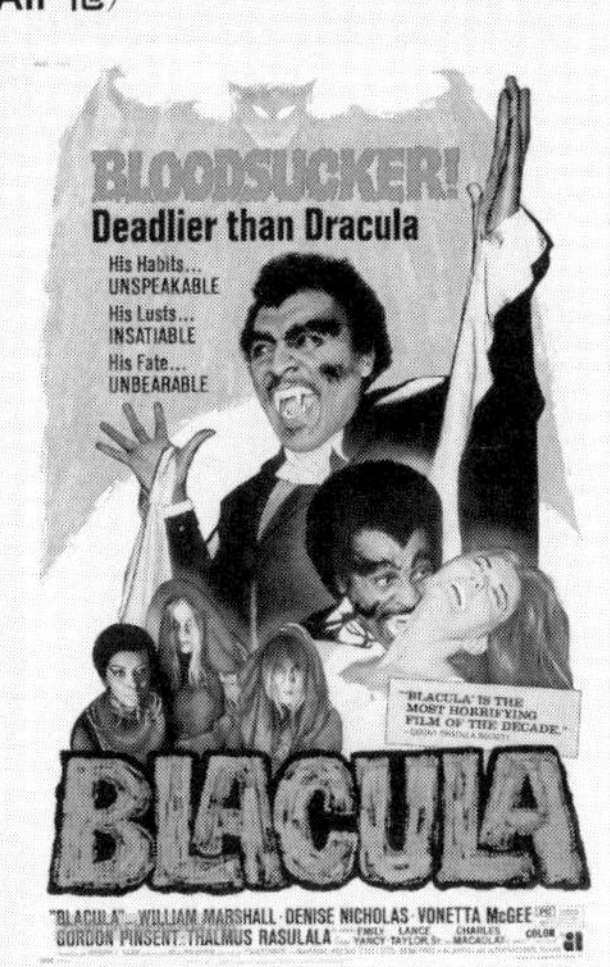

『黒いジャガー』(71)、『スーパー・フライ』(72) など、映画界にも「ブラック・パワー」の潮流が押し寄せていた70年代のブラックスプロイテーション映画。シェイクスピア劇出身の黒人俳優ウィリアム・マーシャルが主演した『吸血鬼ブラキュラ』(72) の続編。話は繋がってます。パム・グリアーの出演が嬉しい（『コフィー』と同年！）。しかし、グリアー、ブードゥー人形を刺してブラキュラ撃退するにとどまる攻撃性しか発揮せず、『コフィー』の銃撃アクション、タフ・キャラが出ていないのが残念。アフリカから奴隷解放のためトランシルバニアに来たプリンス（マーシャル演）が返り討ちに遭い、ブラキュラとなる。彼に罪はない。黒人が、かつて生ける屍＝ブー

ドゥー教由来のゾンビの始原だった歴史を勘案すると、このブラキュラは、ドラキュラの亜流というより、生ける屍としてのヴァンパイアの正統的継承者と言えるかも。エピゴーネンというよりオルタナ・ドラキュラ映画。作中でもブラキュラはブードゥーの魔術で甦るし。前作にはディスコ・ヒットの先駆けヒューズ・コーポレーションが登場、音楽もドラキュラのソウル（ジャズ）・ブラザー版！

⑲『キャプテン・クロノス　吸血鬼ハンター』（1974　ハマー）

Very Coool！　母と妹を吸血鬼に惨殺されたクロノス大尉が吸血鬼狩りの旅に出るという設定は、『鬼滅の刃』の淵源と見た。クロノス以外のキャラもいい。クロノスの相棒せむしの教授が、蛙の死骸を地中に埋める「アナログ吸血鬼センサー」（吸血鬼が通ると生花は枯れるが蛙は甦るという仕組み）のアイディア宜し。その教授が身体的な欠点をゴロツキどもに揶揄された時、遂にキャプテン、剣を抜く！　日本刀を持ってたから、やるかと思ったが、居合斬り一閃でゴロツキ三人を倒す。これ、座頭市じゃないの！　次の墓場での決戦では日本刀とサーベルの二刀流を披露。こっちは宮本武蔵ね。ラストは剣豪吸血鬼と十字架型の神剣で対決。剣豪吸血鬼のフェンシングの動きがあまりにいいんで（私は学生時代フェンシングを習っていたので、わかります）、もしやと思ったら、この人、役者じゃなくて、作品全体の殺陣指導の先生だったのね。ハマー末期の新路線――剣戟（チャンバラ）映画なのだが、アクションの他、笑いあり、恋愛あり、友情あり、恐怖ありの大娯楽作。なのに、興行成績振るわず、監督はシリーズ化を断念。更にハマーも劇場映画か

ら撤退（テレビでは継続）の憂き目に。なぜか？　この映画の前年に『エクソシスト』が公開、ホラー映画も新しい潮流に入っていたからなのでした。――だがしかし、アクション系ヴァンパイア全盛の今、続編作ってもいいのでは？　なんなら、私と菊地秀行先生で脚本書きましょうか？

⑳『マーティン』（1977　ジョージ・A・ロメロ監督）☞Mystery Disc参照

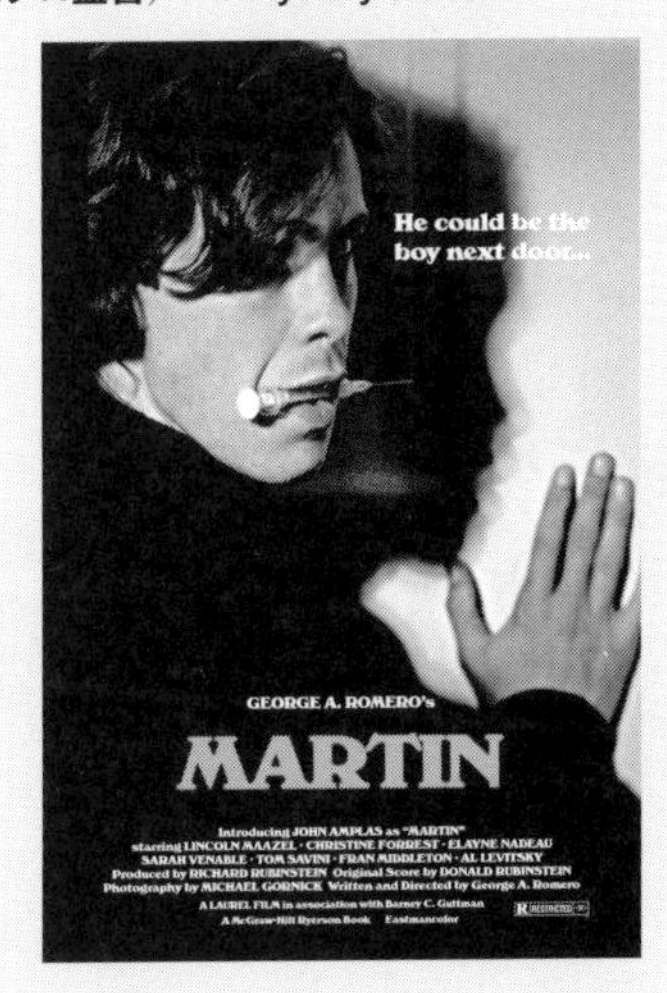

初見の時は、『生ける屍の夜』で心理的バイアスがかかっていたせいか、「恐怖・残虐」感に欠ける淡々とした展開に拍子抜けしたが、後続のヴァンパイア映画を観た後で再見すると、この映画の真価がわかる。主人公のヴァンパイア青年は、十字架も太陽光線も忌避しない。ただ、生血を求め永遠の若者として生き続ける。先に老いた従弟から「不死者（ノスフェラトゥ）」と罵られ、ラジオの人生相談で悩みを告白するという、ただの孤独なティーンエイジャー……そう、これは、後続の『インタビュー・ウィズ・ヴァンパイア』など、ヴァンパイアの「孤独」をロマンティックな綺麗ごとで描く方向の対極にある、リアルで切実なヴァンパイアの孤独感を描いた映画だったのだ。『生ける屍の夜』でゾンビ映画を刷新したロメロ監督は、吸血鬼映画も刷新していた。スパッと終わる幕切れの乾いた衝撃性もロメロらしくて鮮烈！　本作製作において俳優を含めて七人のスタッフ（低予算）で撮ってしまったロメロ師匠の天才性を見せつけた、真に「モダン」を名乗れるホラー。

㉑『Zoltan Hound of Dracula』(1977　米)

ルーマニア軍が誤って開けてしまった棺桶の中の屍衣の杭を抜くと、あら、跳び出してきたのは、ドーベルマンの吸血犬ゾルタン君。ルーマニア兵をさっさと噛み殺したゾルタン君、今度は飼育係の屍おじさんの杭を器用に抜いて、ドラキュラの末裔を新しいマスターにすべくアメリカへ渡る（ちゃんと船で棺桶入りという由緒正しいやり方で）。とにかく、吸血猟犬ゾルタン君の名演に尽きる。映画製作者は、『影なき男』シリーズのアスタ君並みのギャラ（つまり、新人時代のジェームス・スチュアート並）を支払うべき。ゾルタン君は十字架にもたじろぐ（つまり宗教も解するお利口さんなんだぞ）、最後は犬同士の戦闘で死骸が散乱——動物虐待映画だろ、これ。一匹残った仔犬のジャーマン・シェパード（眼が光るので吸血犬化してる）の行く末が案じられる。

㉒『ぼくのエリ　200歳の少女』(2008　スウェーデン)

思春期前の恋愛を描く『小さな恋のメロディ』の吸血鬼版という触れ込みで観たが、どうして、そんな温いものではなかった。残虐シーンもあるし、招かれなければ家に入れない、太陽光線に弱い等、吸血鬼の基本法則を踏襲している。雪と氷の北欧の白い風景に血の赤が映える美しくも新鮮な絵作り。テーマとしては、いじめられっ子も吸血少女も「孤独」なんですねえという

ところ。移民に対する恐怖と差別という吸血鬼の裏テーマもうまく描けている。吸血鬼の「孤独」という括りで言えば『マーティン』の影響大なり。

㉓『ドラキュラ』（**1992　フランシス・フォード・コッポラ監督　コロンビア**）

ストーカーの原作に忠実ということでは、これが一番だろう。語り口も、日記、デクタフォンによる録音、書簡など、原作の形式を踏襲している。終盤の冒険小説的追跡劇も宜し。ウィノナ・ライダーのニーナ、アンソニー・ホプキンスのヘルシング教授もいいが、個人的には酔いどれシンガー・ソングライターのトム・ウェイツが狂気のレンフィールドを演じてくれたことが嬉しい（ヴィクトリア朝の精神病院の描写不気味です）。肝心のドラキュラ伯爵がちと迫力不足だが、伯爵の過去から同情的な人物（原作と違う点）として描かれているので、これは良しとしましょう。美術で日本人の石岡瑛子がオスカー衣装デザイン賞を受賞。唯一A級の吸血鬼映画の新古典。

㉔『フロム・ダスク・ティル・ドーン』

（**1996　ロバート・ロドリゲス監督**）

吸血鬼の巣くう場末のバーに立て籠もって、銀行強盗（ジョージ・クルーニー&クエンティン・タランティーノ）と信仰を捨てた牧師一家が吸血鬼軍団と戦闘を繰り広げるという、ジョン・カーペンター監督の『要塞警察』の趣もあり。バーにある出来合いのもので吸血鬼と戦

うのがいい。聖水をコンドームに詰めて手投げ弾にするとか、ショットガンと鉄棒を組み合わせて十字架にするとか。戦い方が愉快・痛快。脇役のタランティーノが脚本も兼任、特殊メイク達人のトム・サヴィーニが不良バイカー役で出ているところも通人には嬉しい配役。

㉕『ドラキュリアン』(1987)

ユニヴァーサル・モンスター総進撃（ドラキュラ、フランケン、狼男、半魚人）vs.怪物オタク少年団という80年代色に染まった賑々しい趣向のホラー・コメディ（──ん、恐怖喜劇？　この表現おかしいか？)。モンスどども、それぞれの性質・属性を再現。

㉖『ドラキュリア』(2000　ウエス・クレイブン総指揮)

正統派吸血鬼ストーリーとアクションの混成。2000年に及ぶ吸血鬼の淵源（正体）が、解明されるのは、吸血鬼映画史上でも初めてではないか『サイレント・パートナー』で知る人ぞ知るのカナダの名優クリストファー・プラマーがヘルシングを演じているのを発見。出だしはA級ムードだが、すぐにB級アクションに移行。不死身の吸血鬼の殺し方に新手あり。その抹殺方法が正体と直結しているのがいい。話の整合性に納得がいく、今時珍しい吸血鬼映画。製作のクレイブンは『スクリーム』の人。

㉗『ストレイン　沈黙のエクリプス』(ギレルモ・デル・トロ総指揮　TVシリーズ)

寄生虫とウィルス感染のかたちでヴァンパイアが登場。ハッカーがネットをダウン、原爆も炸裂してNYは大混乱に。この異常事態に、CDC（疾病予防管理センター）上級研究員、ユダヤ人教授、女性ハッカー、メキシコ人のチンピラ、害虫駆除職員──が、ヴァンパイア・

ハンターとして立ち向かう。彼らの武器は、薬品、銀の剣、銀の爆弾、紫外線爆弾、熱核爆弾——これらで、ウィルス、寄生虫、不死者、大蝙蝠型と変容するヴァンパイアと対決する。時代も、中世ヨーロッパの寒村、ヴィクトリア朝ロンドン、ナチ収容所、現代を自在に往来し、飽きさせない。そして、なんと言っても、ユダヤ人教授とナチの上級ヴァンパイアの因縁の対決の意外な決着に快哉を叫びたい。ポリティカル・フィクションの要素もあり、現在のコロナ禍を予見しているような21世紀ヴァンパイア映画の決定版。

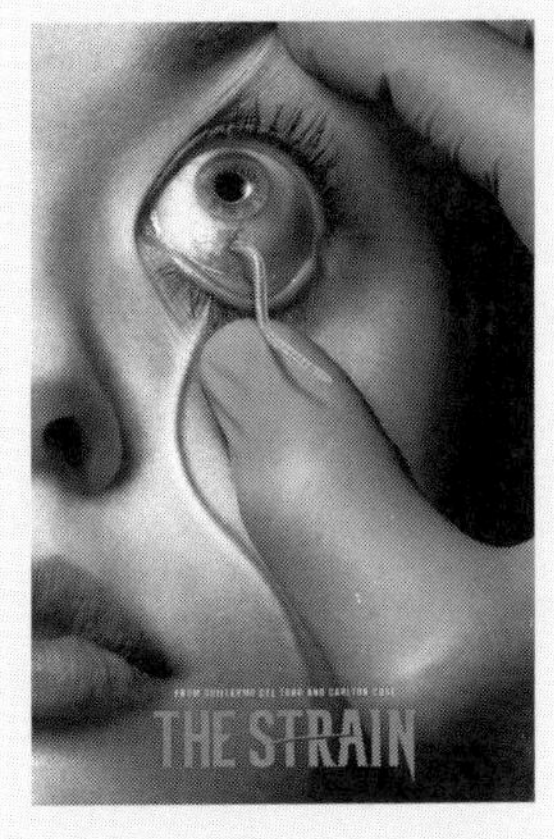

㉘『鮮血の処女狩り』(1970 ハマー)

処女の生血風呂に入ったというハンガリー王国に実在した連続殺人鬼「血の伯爵夫人」の異名を持つバートリ・エリジェーベトをモデルにした作品。従って原題の『ドラキュラ伯爵夫人』というのは、譬えに過ぎない。この伯爵夫人は吸血鬼のモデルと言われているが、咬みつき吸血行為もしないので、これは吸血鬼映画ではない。イングリット・ピットが初老の伯爵夫人と生血で若返った偽の娘を熱演。初老のほうはメイクで演じるのだが、予備知識があっても同一人物とは思えないところにピットの演技者としての底力を痛感。史実通りなら、もっと残虐行為をしているはず(鉄の処女とか)なのだが、注目の生血風呂のシーンもアッサリ。ハマーさん、もっと気合入れろよ、醜い処女狩り婆あを熱演してくれたピットさんに悪いだろが。

㉙『血ぬられた墓標』(1961 伊)

監督のマリオ・バーヴァはゴーゴリの吸血鬼小説『ヴィー』の映画化を望んでいたが複数の脚本家たちによって、原型をとどめない

別作品に（仔細に観ると矛盾点・混乱、多々あり）。さらにアメリカAIP公開時に、残虐場面・官能場面等カットされる。見損なったぞ、コーマン師匠。これはイタリア語完全版で観るべき。ホラー界でカラーのゴア・フィルムが趨勢となる中。ユニヴァーサルのゴシック調モノクロを採用。絵画的シーン。360度パン、広角レンズ、オリジナルの撮影機材等を使い映画技法の粋を見せる。

絶叫クイーンの称号を持つバーバラ・スティールの美しい顔に鉄の処女仮面で穴が開くシーンが怖い。私は美女の顔面崩壊に弱いのだ。『東海道四谷怪談』のお岩さんとか。ハマー・ホラーの『蛇女の脅怖』とか。「絶叫クイーン」もギャーギャー叫んでます。

㉚『女吸血鬼』（1959　中川信夫監督　日本・新東宝）

本作は日本初の本格吸血鬼映画であり、迫力ある吸血鬼を演じた天知茂も日本で初めての吸血鬼俳優となる。一方でタイトルロールにある女性の吸血鬼は登場せず、題名と内容が合致しない作品となっている。――「天知、三原、和田、池内という新東宝スタア陣の競演と、かつて『一寸法師』で主演をした和久井勉が怪奇味を添えての出演は自信を持っていただける配役です。充分売ってください」「演出は、さきに『怪談かさねが渕』、『憲兵と幽霊』など、同系列の映画で好評を博した中川信夫監督です。怪奇、怪談映画を撮っては日本一の定評のある、中川監督作品であることを大きく売ってください」「“怪奇と色気”を強力に売って頂きますが、これも従来の誇張されたグロテスクではなく、特撮や照明による技術面が生む怪しいムードを謳ってください」――とは、新東宝の大蔵貢社長の弁。一寸法師（ドワーフ）役者の名前まで主演者として出してくれ

るなんて、大蔵社長、わかってるじゃないの。

㉛『花嫁吸血魔』(1960 新東宝)

その大蔵社長の言うことを聞かなかった(結婚・引退した)池内淳子が、離婚後、新東宝に復帰した際、不本意な毛むくじゃらの吸血魔をやらされたと噂された罰ゲーム映画。しかし、大蔵社長は、上述のようにビッグ・ハートの持ち主である。残されている宣伝資料には、清純派の池内が殻を破って本格女優復帰を果たすことが強調されているのだった。

㉜『恐れ知らずの吸血鬼殺しども』(邦題紛らわしいので拙訳)
(1967 ロマン・ポランスキー監督)

吸血鬼映画のパロディと言われているが、吸血鬼ハンターが間抜けというだけで後続作と比べるとパロディ度はさほどでもない。(特典映像の吸血鬼講義のほうが、よほどパロディらしい——例えば、アラブ系の吸血鬼にユダヤ教の六芒星を突き付けても怒り狂うだけだトカ)ただ、吸血鬼一族の集う舞踏会に紛れ込んだ吸血鬼ハンターたちが鏡に映ることで正体がバレてしまうという通常の吸血鬼映画とは真逆のシーンは吸血鬼映画史に残る名場面だと思う。にしても、出演している若き日のポランスキーやシャロン・テートのその後の悲惨な人生(マンソン・ファミリーの惨殺やアノ醜聞事件等)を想うと、なんだか切なくなってくる。——それはともかく、『反撥』や『ローズマリーの赤ちゃん』で、スリラー、ホラーのいい作品を残しているポランスキー監督、吸血鬼に関しては、何で「笑い」に舵を切ってしまったのだろう? 半端に笑いを取るより、純正ホラーにしたほうがいい作品になったと思うぞ。

㉝『処女の生血』(1974 アンディ・ウォーホール監修)

フリーセックス&ウーマンリブの風潮があった時代(つまり処女なんて希少)なので、当時の若者ファンの間では、非処女の血を吸って悶

絶、嘔吐するウド・キアに爆笑したものです。史上最弱のヴァンパイアとして記憶されるキャラ。ポランスキーもチョイ役で出演（あんな事件があった後に、これに出るか？）。尚、監修のウォーホール自身も日光アレルギーで、蒼ざめた顔に赤鼻、銀髪の鬘を被っていたことから、面倒を見ていたヴェルベット・アンダーグラウンドのルー・リードらによってドラキュラとシンデレラを合わせた造語「ドレラ」と呼ばれたていた（追悼アルバムのタイトルにしてます）。ウォーホール師匠、自分で脆弱吸血鬼役やったらよかったのでは？。

SONG FOR DRELLA／LOU REED・JOHN CALE

㉞『スペースバンパイア』（1985　トビー・フーパー監督　英）

イギリス制作のSFホラー映画。原作はコリン・ウィルソンのSF小説。当時のSFXの粋を集めて作り上げた作品である。フーパー（監督）ダン・オバノン（脚本）やヘンリー・マンシーニ（音楽）などの著名なアメリカのスタッフが参加したが、制作も舞台もイギリスなので、BBC制作のテレビドラマをハマーが映画化したSFホラー《クオーターマス博士》シリーズに近い感触の作品。宇宙からロンドンに飛来したヴァンパイアは、女型、リヴィング・デッド、コウモリ型と形態を変えるが、血液でなく「生命エネルギー」を吸い取る《吸精鬼》として描かれる。イギリス空軍の軍人や死学（タナトロジスト）教授らが応戦す

るが、対抗手段が相も変らぬ心臓杭打ちだけというのは曲がない。英軍はヴァンパイアを疫病と見做し、核兵器で殲滅しようとするが、それも果たせず、話の焦点が定まらぬまま、エンディングを迎えてしまう。ただ、コウモリ（傘）型の宇宙船の造形はカッコよかった。

㉟『死霊伝説』（1979　トビー・フーパー監督 劇場公開版より72分長いテレビ・ムーヴィー完全版187分）

スティーブン・キングの『呪われた町』が原作。『シーラ号の謎』や『戦争のはらわた』他のジャンル映画での好演により私の世代には信頼感抜群のジェームズ・メイソンがヴァンパイア・マスターの従者（骨董屋）役で出てくるので、それだけで安心して観られる。吸血鬼はノスフェラトゥ・タイプ。モダン・ホラーの時代の吸血鬼物というのは、これが最初なのではないかな？　私自身はこれが「モダン」だとは全然思わないのだが（持論略）。尚、ラリー・コーエンが監督をした『新・死霊伝説』（87）はキング原作の登場人物とは無関係な非公式続編。また、『死霊伝説 セーラムズ・ロット』（2004）という、本作のリメイクもある。

㊱『Masquerade 仮面舞踏会』（1961　TVM）

ボリス・カーロフが案内役を務めるテレビ・スリラー番組（原作陣がすごいです）のエピソード（第43話）。本書収録のヘンリー・カットナー『ヘンショーの吸血鬼』が原作。原作に忠実に作ってあるが、後

THRILLER〈1960-62〉

Masquerade〈1961〉

に『奥様は魔女』のサマンサを演じるエリザベス・モンゴメリーが出てくることによって作品の性質に勘づく通人がいるかもしれない。原作を読んでから観ること。

㊲『呪いの館　血を吸う眼』（1971　東宝）☞吸血鬼ハンターK参照

岸田森！　何といっても岸田森に吸血鬼をやらせた配役に尽きる。東宝の名プロデューサー田中文雄製作。

㊳『吸血地獄』（1968　円谷プロ　TBS　『怪奇大作戦』第6話）

出てくる女吸血鬼は四谷怪談のお岩さん的顔面崩壊で、吸血鬼の容貌としては最も怖い部類。3年後に『血を吸う眼』で最恐吸血鬼を演じた岸田森がSRI（科捜研）捜査官として出てきて「吸血鬼なんているわけねーだろ」と笑い飛ばすシーンには、こっちも笑った。実録的ナレーションも入って、基本、刑事物の建付け。大分の旅館協賛の出張大作戦。

㊴『咬みつきたい』（1991　金子修介監督）

緒形拳がいちばん合わない役をやりたいということから始まった企画らしい。確かに合っていないと思う。共演の天本英世のほうが……と思っていると、終盤コメディ調が突如、社会派ドラマに変貌、これは緒形拳に合ってる。半沢直樹だろ、これ。テレビカメラに映らないドラキュラ属性を生かしている点については、京極対談参照。

㊵『ヴァンパイア・ダイアリーズ』（2009-17　TVシリーズ）

ティーネイジ・ラヴ＋ヴァンパイアということで、特に惹かれる要素はなく、私は二話で挫折した。「世につまらんものはない」と豪

語する京極夏彦は意地になって最後まで観たそうだ。

㊶『怪談　吸血鬼紫検校』（1979　東京12ch　『日本名作怪談劇場』）

この怪談劇場、日活ロマンポルノ出身の女優さんが出ているので、吸血の際に着物の襟をはだけて乳房もろ出しで咬みつく。70年代って、洋の東西を問わず、ポルノでなくても、お茶の間で乳首まで見せていたんですねえ。フリーセックスの風潮が世界を席巻した性的におおらかな時代だったと今にして思う。最近では『True Blood』が唯一エロス路線を過剰に引き継いでいるが。にしても、吾輩の目は乳房よりも女吸血鬼の長すぎる牙のほうが気になった。あれじゃ、血ィ吸うどころか、口も閉じられませんて！

㊷『髑髏検校』（1982　『フジ時代劇スペシャル』）

横溝正史の『吸血鬼ドラキュラ』の翻案が原作　田村正和主演　京極堂は観る価値ありと言う。私は未見。

㊸『なぜかドラキュラ』（1984-5　『日テレ月曜スター劇場』）

タモリ主演。京極堂はまた観たいと言っているが、ソフト化ならず、私は未見。

㊹『ドラキュラ神戸に現る　悪魔は女を美しくする』
（1979『土曜ワイド劇場』ABC　2時間）

岡田眞澄主演。菊地秀行先生は、岡田眞澄の吸血鬼の顔が、ホラー・ファンの間で話題になったと教えてくれたが、残されている写真を見る限り牙がやけに長い二枚目吸血鬼……あ、怖い写真もありました。あらすじは、岡田のドラキュラが岸本加世子をストーキングして怪奇現象多発の果てに意外なトンデモ展開に……うーん、岡田眞澄さんの芝居脚本を書いた私としては未見なのが悔やまれる。

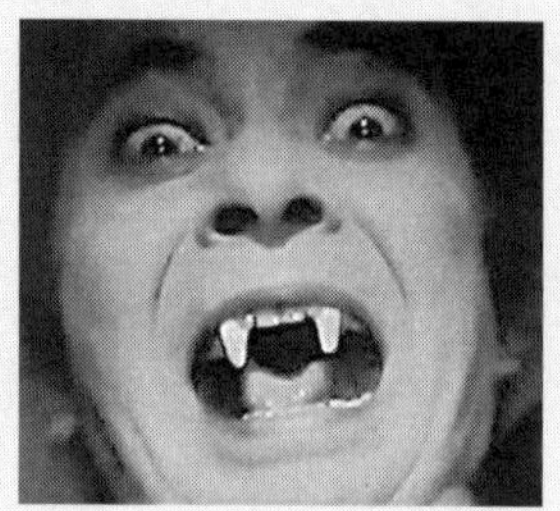

㊺『怪しの海』（1978　中川信夫監督　関西テレビ『日曜恐怖シリーズ』田村正和主演）

中川監督の悪い面が出てしまった。吸血鬼の巣が同監督の『地獄』みたいにチャチいのだ。同シリーズの山岸涼子原作のエピソードを観てみたい。

㊻『吸血鬼の絶叫』（1973　円谷英二監修　冨田勲音楽　フジ・テレビ『恐怖劇場アンバランス』第11話）

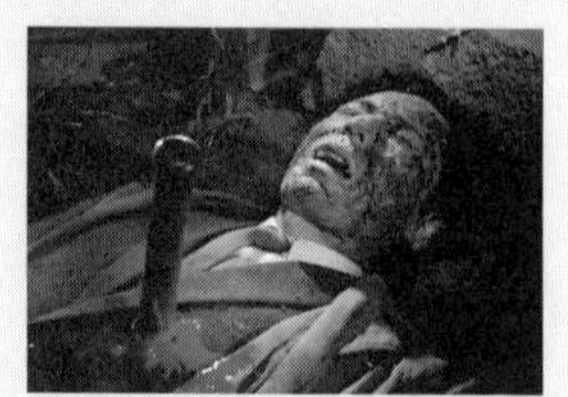

出稼ぎ外国人労働者ドラキュラが日本にやってきて、安眠中の死人を、おせっかいにも起こしてしまう。それから和製吸血鬼が夜の街の徘徊を始めるも、クラブのママさんに「ヘンな人」とか言われて、蠟燭の炎だけで退散。吸血鬼は弱っちい（吸血鬼が「絶

叫クイーン」というのは唯一無二か？）が、ネット等で揶揄されるほどヒドクないぞ。「らしく」撮っているということで言えば、和製テレビの吸血鬼物としては良作の部類。さすが、円谷プロ。尚、番組の案内役は当初「メフィスト」＝天本英世が予定されていたが、青島幸男に変更された。誰が決めたんだ、それ？　お陰で、天本死神博士が、カーロフやヴィンセント・プライス・クラスの「怪奇役者」になるチャンスを逸したじゃないか！

㊼『妖婆　死棺の呪い』（1967　露）

原作はゴーゴリの『ヴィー』だが、吸血行為はない。ホラー映画としてはファンから珍重されている。

㊽『ヴァンプ』（1986）

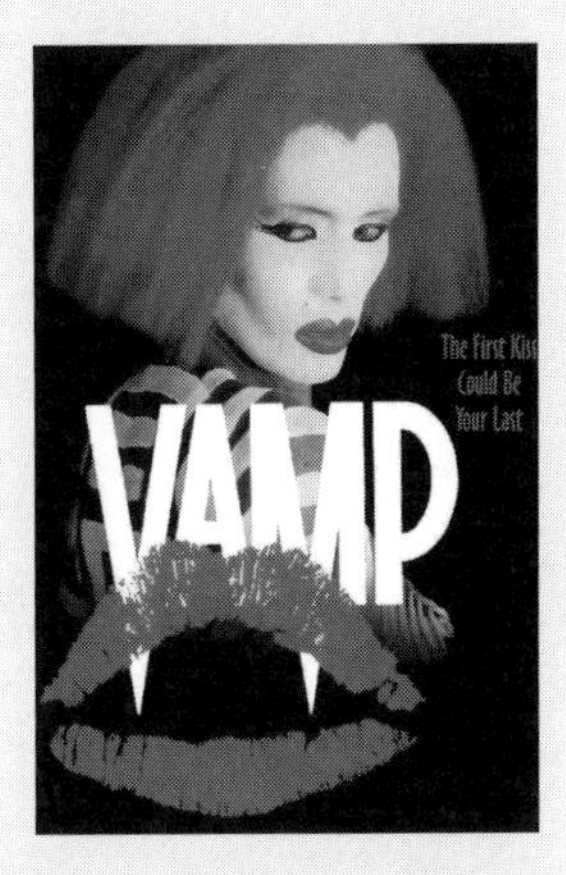

80年代らしいチャラいコメディ仕立てだが、歌手・モデル（179cm）・女優で、アンディ・ウォーホール（ここでもドレラ出てきます）のミューズでもあったグレイス・ジョーンズが存在感抜群の吸血娼館の元締めの役を務めるところにのみ大量加点を投じたい。赤く染めた髪に黒人なのに白塗りの異様なメイク。エスノ・テクノな音楽もいい。衣装もさすがウォーホール仕込みだけあって奇抜且つVery Coool。後発のアン・ライス原作、アリーヤ主演の『クイーン・オブ・ザ・ヴァンパイア』と主役を交換していればなぁ。ひょっとして、黒人女性史上初の主役ヴァンパイアはこの人かも。

㊾『ドラキュラの御子息』（1952　ジョン・ギリング監督　英）

看板に偽りあり。ベラ・ルゴシは世界征服を企むマッドサイエンティストの役で最初のほうにちょっと出てくる。だが、主役は吉本

新喜劇に出てくるような婆さん（実は男優）で怪ロボットとドタバタ喜劇を繰り広げる。英国製なので、イーリング・コメディに近い感触。しかし、後にハマーで『妖女ゴーゴン』や『吸血ゾンビ』、『蛇女の脅怖』を撮るギリング監督が、こんなモノを撮っていたとは。

㊿『吸血ゾンビ』（**1966　英　ハマー**）

前記ギリング監督作。ブードゥー由来のゾンビ映画。特殊メイクが凄くて、日本では長らくスティル写真のみで、修行の足らないホラー初心者を恐怖のどん底に陥れた。『London After Midnight』と同じような都市伝説的映画。は？　吸血？　ゾンビさんたち、苦役させられるだけで、人も喰ってなかったかと。

51『吸血鬼サーカス団』（**1972 ハマー**）

知り合いの作家が、また観たいと言っていた。ハマー末期の作品なので、エロと残虐度が強いが、綺麗に撮ったシークェンスもある。

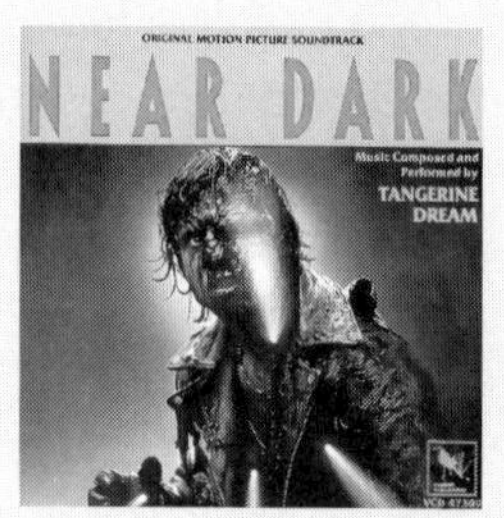

52『ニア・ダーク　月夜の出来事』（**1987**）

ただの不良集団暴走映画に吸血鬼の味付けかと思っていたが、ドイツのロック・バンド、タンジェリン・ドリームの音楽は、まあよかった。

53『ロストボーイ』（**1987**）

若き日のキーファー・サザーランドがパンク・ヴァンパイアの役で出てる。ホラー・オタク少年探偵団の活躍を描く作。彼らが持っているコミック雑誌のタイトルはロック・バンド、ヴァンパイア・

エブリウェア！　の命名由来となった。尚、本編中で用いられた“vamp-out”という単語は、吸血鬼を題材としたテレビドラマ『バフィー〜恋する十字架〜』でも用いられた。結構後進に影響を与えているんですね。

㊹－㊻『ブレイド』三部作（1998〜2004）

マーベル・コミックが原作。黒人のハーフ・ヴァンパイアが吸血鬼ハンターとなって剣を振り回す人気シリーズ。テレビ化もされている（2006）。これが受けたのなら、『キャプテン・クロノス』のリメイクを望みたい。

㊼－㊿『アンダーワールド』シリーズ（2003〜16）

ケイト・ベッキンセイルが孤独なヴァンパイアの処刑人として狼族などと戦う。現代の映画界には「絶叫クイーン」など必要としない。女性が強いのだ。ジェイミー・リー・カーティスも強くなってるし。5本も作られている人気作。

㉜『フライトナイト』(1985)

『猿の惑星』で猿博士を演じたロディ・マクドウォールが、怪奇役者(ヴィンセント・プライスがモデル)のニセ・吸血鬼ハンターとして登場。従ってコメディ・タッチなのだが、特撮が当時としてはよくできていた。

㉝『ブラッドレイン　血塗られた第三帝国』(2010　米独)

ナチスに肌露出度過剰の女ハーフ・ヴァンパイアが挑む。となれば、当然、ラスボスはアノお方かと期待するも、これからという時に、アッサリ終わる。続編はアメリカの西部開拓時代なんだと。いいネタの無駄遣い。私はこのネタで『怪物團殺害事件』というのを書いているからいいけど。

㉞『渇き』(2009　パク・チャヌク監督　韓国)

『オールド・ボーイ』の監督の吸血鬼映画ということで期待して観た。のっけから、神父のヘミングウェイのある名作短編を思わせる「反信仰」的台詞が出てきてのけ反る。韓国、キリスト教徒人口比率(日本1%に対し韓国29.2%で仏教を上回っている)から、吸血鬼映画に向いているかも。で、お話は、メサイア症候群の神父が、宣教師ばかりが罹患するエマニュエル・ウイルスの治験を志願する。そして、治験者500人中唯一の生還者として戻った神父は、何とヴァンパイアと化してた。神父はメサイア症候群とヴァンパイアとしての血への「渇き」の相剋に苦悩を深める。そこから先は、監督自ら認めているように、エミール・ゾラの『テレーズ・ラカン』まんまの展開、三角関係のもつれからから、殺人とその隠蔽へと続いていく。なので、終盤にゴア・シー

ンや特撮があるものの、ジャンル映画と言ってよいものか迷う、韓国の社会派ドロドロ愛憎劇なのでした。この重苦しい内容で、2時間超の尺は、さすがにキツイ。エマニュエル・ウイルスとやら、どうなったんだよ？

⑮『インタビュー・ウィズ・ヴァンパイア』(1994) ☞吸血鬼ハンターK参照

菊地先生にほぼ同意。原作・脚本を担当したアン・ライスが、作中の吸血鬼にブラム・ストーカーの『吸血鬼ドラキュラ』に関して「低俗な作品、頭のイカレたアイルランド男が書いた」と言わせているのには怒りを覚えた。あんたこそ「おフランスかぶれの高慢なボーイズ・ラヴ狂い（略）……」と言い返したくなる。そうなんですよ、この映画、吸血鬼役にトム・クルーズ、ブラッド・ピット、アントニオ・バンデラスという美形男子を揃えた、ボーイズ・ラヴのムード濃厚なんです。その手のものがお好きな方にはオススメ。

⑯『クイーン・オブ・ザ・ヴァンパイア』(2002)

『インタビュー〜』の続編。主演の歌手アリーヤが飛行機事故で夭折していることから同情票を得ているが、彼女はヴァンパイアの女王をやるには華奢で迫力不足。歴代女ヴァンパイアは美人ばかりだが、もっとキツイところがあった。メイクや衣装の点でもエジプトの女王というのは陳腐。グレイス・ジョーンズのアートなストリッパーに負けている。舞台となるロック業界の描写も凡庸。

⑰『血の唇』(1970 ダン・カーティス監督)

テレビのソープオペラ『ダーク・シャドウ』が視聴率稼ぎのために、途中から吸血鬼譚へ。この映画版も同番組のカーティスが監督（吸血鬼ネタでどこまでも稼ぐ人）だが、ソープオペラ的プロットは人物描写が足りずに、一族の相関関係が摑めず。TV版のほうがいいのかも。ハマー的なゴア・シーンあり。アメリカ舞台のヴァンバイア映画はこれが初なのでは？　その意味で歴史的価値がある一篇かも。

㊽『ヴァンパイア／最期の聖戦』（1998 ジョン・カーペンター監督）

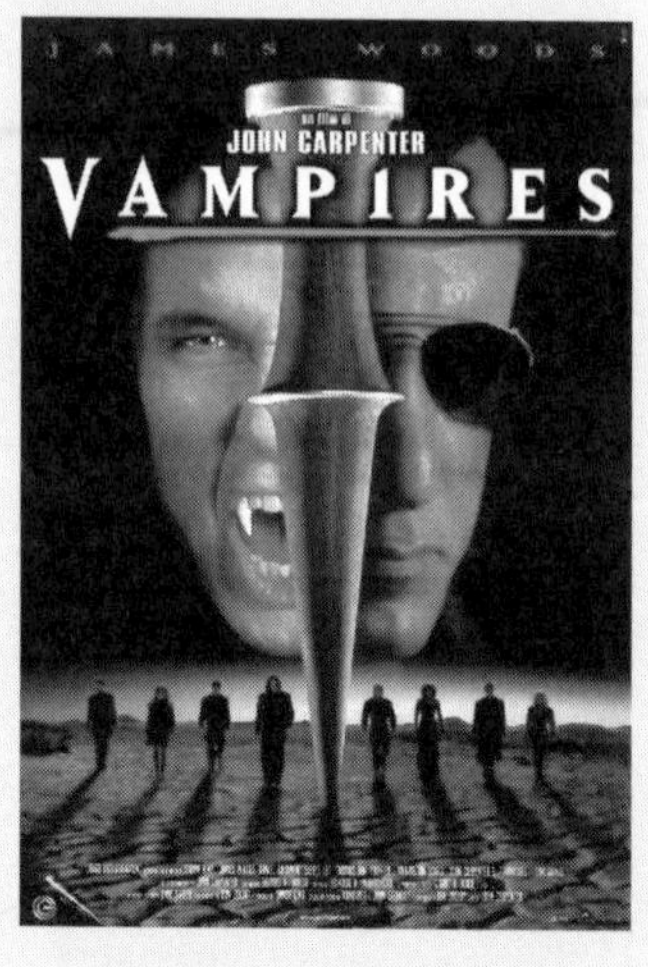

『ハロウィン』や『ザ・フォッグ』など。ホラー・ジャンルで知られるカーペンター監督だが、『要塞警察』『ニューヨーク1997』等でアクション映画の腕前も超一流であることを示している。本作もカーペンター監督が尊敬するハワード・ホークス監督の西部劇『リオ・ブラボー』からの影響が色濃い作品と評する向きもあるが、私としては、同じ西部劇でもバイオレンス志向のより強いペキンパーの『ワイルド・バンチ』に近い感触を得た。ともかくホラー・アクションとして上々の仕上がり。ヴァンパイア・ハンターのジェームズ・ウッズ（粗暴な役柄だが、この人、実はIQ180！）が、えらくカッコイイ！ 尚、作中、ヴァンパイアをオカマに見立てて、「俺のケツを咬めよ」と挑発するシーンあり。実際に尻は咬まないが。カーペンターの西部劇も見てみたい。

㊾『ダーク・シャドウ』

（2012 ティム・バートン監督
ジョニー・デップ主演）

ソープオペラ吸血鬼TVドラマ（『血の唇』として映画化）リメイクなのだが、こちらのほうは18世紀から1972年のアメリカへ舞台が移行。なので、劇中、T.レックスやカーティス・メイフィールド、カーペンターズ等の70年代の曲が流れ、アリス・クーパー

（本作がきっかけでジョニー・デップらとハリウッド・ヴァンパイアーズというスーパー・セッションを敢行）がカメオ出演でライヴをかましてくれるという70年代音楽のファンとしては嬉しいシーンの連打。また、シーツを被った子供の幽霊（悪戯）も登場、当時の高級シーツはエジプト綿で作られているので、ミイラ（幽霊）の屍衣をシーツで代用というのは、幽霊の衣として正しい選択なのかもしれない。前半は200年の幽閉から甦ったヴァンパイアが、家庭崩壊の一族とチグハグなやり取りで、笑わせてくれる（例えば、棺桶から甦ったヴァンパイアが、マクドナルドの看板のMのロゴを見て、あれはメフィストの印かと呟く等）。終盤はいよいよ、吸血鬼対魔女の戦いになるのだが、意外な連中が参戦するという面白展開に。ともかくミッシェル・ファイファー（92年に「キャットウーマン」を演じた）を始めとするイカレた一族の配役がいいです。続編を期待したくなるくらい。実際、そういうエンディングになっている。ソープオペラ、コメディ、ホラー、アクションという多ジャンルを纏め上げたバートン監督の手腕に脱帽の一篇。そしてヘンな映画ばかりに出ているジョニー・デップに「21世紀の怪奇役者」の称号を。

⑰『レスリー・ニールセンのドラキュラ』（1995）

パロディ映画の巨匠であるメル・ブルックス監督の作品。主にブラム・ストーカーの著書『吸血鬼ドラキュラ』やユニヴァーサルの『魔人ドラキュラ』、ハマー・フィルムの『吸血鬼ドラキュラ』、そしてフランシス・フォード・コッポラの『ドラキュラ』を元ネタに、ホラーの定番ドラキュラのコンセプトをコメディ化している。ドラキュラは『裸の銃を持つ男』シリーズなどコメディ映

画のヒット作に主演してきたレスリー・ニールセンが演じ、監督のブルックスはドラキュラと対決する吸血鬼ハンターのヴァン・ヘルシング役で出演した。警部補、スパイ、ドラキュラにフランケン、ヒッチコックにサイレント映画と、何でもかんでもパロディ化してしまう、お笑い職人ブルックスとニールセンには大変お世話になりました。

㉑『シャドウ・オブ・ヴァンパイア』（2000）

ムルナウの『吸血鬼ノスフェラトゥ』の主演が本物の吸血鬼だったという無理目な話。ムルナウを演じたマルコヴィッチ、ノスフェラトゥのウィレム・デフォーという個性派の配役が生きていない。

㉒『Vampire Hookers（お色気吸血鬼）』（1978　米・フィリピン）

フィリピン・ロケのグラインドハウス映画。セッツクス、ホラー、お笑い、暴力が混交して暑苦しい。ラス・メイヤーみたいな俯瞰ショットで非巨乳吸血娼婦を撮っているのはイイ。女吸血鬼ども、4Pプレイで男の精○ばかり吸って、ヴァンパイア・マスター（ユニヴァーサル末期に情けないドラキュラを演じたジョン・キャラダイン）に叱られる。このマスター意外に教養深く古典文学を語ったりする。年取ったほうが、いい感じだぞ、キャラダイン。でも、ともかく下品。これを面白く観てしまった自分が情けない。

㉓『恐怖の火星探検』（1958）

出てくるモンスは吸精獣。顔は吸血蝙蝠風。血液を含めた体液すべてを奪うが、それがどういう方法でなされるのか（痕跡がないので）

不明のまま、ただ生命エネルギーを吸うという診断。一方で、それがモンスターの仕業でなく宇宙バクテリアが原因という仮説も立てられる。日本未公開で、テレビ放映時は『火星の吸血鬼』のタイトルだったという（菊地秀行さん情報）が、判定は難しいところ。『エイリアン』の元ネタと言われているが、その説については私自身別の元ネタと思われる作品を発見しているので、半票だけ投じておく。全体のムード、プロットは先行作の『遊星よりの物体X』に近い。特典予告を見たら、煽り文句に「Thing（遊星よりの物体Xの原題）」の文字を発見した。

㉔『バンパイアキラーの謎』（1970　API=アミカス）

リー、カッシング、ヴィンセント・プライス共演の割には三者揃い踏みのシーンがない。別撮りで積極的に絡むこともない。カッシングに至っては出オチのカメオ出演。落ち目のAIPが、英国のホラー・スターを迎えて、巻き返しを図るも、ギャラが安かった(?)のか、二人とも出演には気乗り薄のご様子。失血死が出てくるようだが、ヴァンパイア映画というよりSFスリラーの趣（原題Scream and Scream again）。尚、リー、カッシング、プライスの三大怪奇スターに情けないジョン・キャラダインが加わって同じ空間を共有する『魔人館』（1983）というホラー凡作もある。怪獣映画がそうであるように、「総進撃」物、ロクなことになってません。

⑮『ヴァンパイア侍』(2005)

タイトルの通りの内容だが、日本人はおろか日系すら出てこない。出演者も香港・カンフー系で賄っているみたい。小道具の刀も出鱈目。闘技も剣術でなく、カンフーっぽい。お前ら、『キャプテン・クロノス』を正座して観ろよ。……まあ、Z級かと思いきや、途中でヴァン・ヘルシングの子孫というのが出てきて、血液分析からヴァンパイアがなぜ日光に弱いのかという「疑似科学（フリンジ・サイエンス）」的説明をしてくれるのには感心。また、四百年前の日本で吸血鬼に咬まれたヒロインが切腹（日本女性は自害のとき咽喉を突くはずで考証的におかしいが）することによって、ヴァンパイアの完全支配から免れるというアイディアも、まあいい。やはり、こうした「吸血鬼ルール」を刷新するようなところがないと、愛好家目線では、評価できないと思う。全体として強いヒロインの活躍する『キル・ビル』の低予算亜流という感じだが、案の定、付属の予告編では同作が引き合いに出されていた。期待に違わぬアルバトロス製品。

⑯『シャーロック・ホームズvs.ヴァンパイア』(2002)

ドイルの未刊のアイディアに基づく作だそうだ。南米の蝙蝠型の悪霊が修道院を跳梁、吸血鬼の存在を信じないホームズに対してワトスン医師は迷信にも「一片の真実がある」と応ずる。実際に修道院の鐘楼周辺に群生する蝙蝠を見て混乱気味のホームズ。それもそのはず、〈鐘楼のコウモリbats in the belfry〉という英語の成句には頭が混乱することを意味しているのだから。中盤まではホームズが推理作法を守っていい雰囲気だが、主にアリバイ崩しに絞った捜査も予想の範囲内、そして、吸血鬼の正体がアレじゃあ……吸血鬼というより、シャーロッキアンの参考資料向け。原タイトルの地味な『ホワイトチャペルの事件』も、『鐘楼の中の蝙蝠』とした方がよかったのでは?

⑰『サセックスの吸血鬼(The Last Vampire)』

(1992　英　グラナダTV『シャーロック・ホームズの冒険』)

ドイルはストーカーと親交があり、『吸血鬼ドラキュラ』も賞賛していた。そんなドイルの吸血鬼理解が色濃く出たホームズ譚が原作。

本作は、かなり怪奇・吸血鬼譚寄り（地域コミュニティ侵犯者としての吸血鬼）に脚色されていて原作より面白い。

⑱『John Vampire』・『Vampire! Sherlock』

『Sherlock』(BBC)の二次創作的フェイク映像らしいが詳細不明。両作ともYouTube上で観られる。音楽付き。

⑲『エンド・オブ・ザ・ワールド』（1977）

リーが出てくるが、映画解説にあるドラキュラのパロディではない。意味不明言動の異星人が意味不明終末論を語る意味不明SF。冒頭のショック・シーンはいいのだが。クリストファー卿、こんな映画にも出ていたのか。ジャケ買いして損した。

⑳『凸凹フランケンシュタインの巻』 ☞吸血鬼ハンターK参照

アボット＆コステロよりローレル＆ハーディのほうが好きなんですよ。だけど、ラストのサプライズには笑ったわ。

㉑『バンパイアの惑星』（1965　マリオ・バーヴァ監督）

これも英文タイトルにVampireの表記はあるが、ヴァンパイア映画ではない。『エイリアン』の元ネタと言われているが、確かに似ている。いったい、いくつあるんだよ、『エイリアン』の元ネタ。

㉒『トゥルーブラッド』（2008-2014　TVシリーズ）

日本人の造った人工血液で吸血鬼が人間との共存を図る社会。だが、展開がトロい。セックス場面とバイオレンス過剰なばかりで、話が停滞、二話で嫌になった。本当に悪いのは人間のほうで、ヴァンパイアから搾り取った血をVドラッグとして密売したりしている。ヴァンパイアに買われて性交した（そのシーンがまたエグイ）人間の娼婦の太ももに噛み跡が残る。また、ヴァンパイアが少女の女性器の当たりを指して、「その辺りの血が旨い」と言う。全編エロで下品なムー

ドの押し付けに食傷させられる。

⑧③『トワイライト 初恋』（2008）

ヴァンパイアと人間の恋愛は苦手なのだが、本作のティーン・カップルは互いに葛藤がある繊細な恋愛感情をうまく表現していて好感が持てる。二人が今後どうなるのかシリーズを続けて観たいと思わせる説得力ある演技と演出。第一話『初恋』の後半は、同族との対決に人狼族も絡んでくる面白展開。ヴァンパイア一家が雷鳴の轟く中での野球に興じる突飛なシーンが面白い。『24 Twenty Four』で、ジャック・バウアー最強の敵ニーナ・マイヤーズ演じたサラ・クラークがヒロインの母親役で出てくるのに驚いた。この人こそヴァンパイアを演じてほしいと思ったのだが……。

⑧④第二話『ニュームーン』（2009）ここからトワイライト・サーガ

ヴァンバイア一族に去られたヒロインと人狼族（先住民）との交流を中心に話が進む。熊ぐらいデカい巨大狼群の戦いが迫力あり。だが、普通のティーン・ラヴに比重を置いた前半は、ややもどかしい。終盤はイタリアの悪のヴァンバイア導師の許へ行き対決。話は三つ巴戦となり、やや持ち直す。

⑧⑤第三話『エクリプス』（2010）

主人公ベラが人狼族とヴァンパイア一族の間を行き来する不可解な行動により三角関係的展開に。そこに無軌道な新生ヴァンバイアが現れて、再び対決の図式が面倒なことに。終盤は善玉吸血族カレン一族+巨大人狼族vs.新生ヴァンパイア軍団の戦いに。ヒロインの人狼と吸血族の間

をふらふらする心理にイライラさせられるが、原作がベストセラーのラヴ・ファンタジー小説だから、これは良しとするか。にしても、女のほうが求めているのに吸血どころか性交さえ躊躇う吸血男子……こんな草食系な吸血鬼はかつてなかったのではないか。もはや、興味の焦点はホラーじゃなくて禁断のラヴ・ストーリーの行方に……でも、面白いから最後まで観ちゃうぞ。

㊱第四話『ブレイキング・ドーンpart1』（2011）

ほとんど、ヒロインの結婚・出産に焦点を合わせている。その点で、実はこのシリーズの本旨が恋愛メロドラマであったことが、痛いほどわかる。いろんな意味でイタイ一篇。

㊲第五話『ブレイキング・ドーンpart2』（2012）

不滅の子としてヒロインが人間とヴァンパイアのハーフを出産。その子を巡って、善玉ヴァンパイア一族vs.悪玉イタリアン・ヴァンパイア族の対決となるが、ちょっとビックリな決着に。ピースフルなエンディングなので、続編はなさそう。でも、シリーズを通して、まあ、楽しく観られました。結局マイヤーズさん、吸血鬼にならず。

㊳『ドラキュラ都へ行く』（1979） ☞吸血鬼ハンターK参照

イケ面吸血鬼の恋愛って苦手なのよね。

㊴『ドラキュラ』（1979）

ランジェラのD伯爵、特撮との組み合わせで、意外に不気味。ローレンス・オリヴィエのヘルシング教授、意外に弱い。ドナルド・プレザンスの医師、精神病院でアヘンチンキ過剰投与（『ハロウィン』でも銃乱射のアブナイ人）。レンフィールドが旨そうに虫喰っとる。

㊵『バンパイア・キス』（1988 ニコラス・ケイジ主演）

『フラッシュ・ダンス』のジェニファー・ビールズも出ている懐かしの80年代映画。コメディだが、ブラック・ユーモア（これも懐かしい

言葉だ）になっているところがイイんじゃない？

⑨1『デイブレイカー』 ☞吸血鬼ハンターK参照

吸血鬼が支配するSF世界。珈琲ショップで客が血液の含有量でクレームをつけるシーンのみ面白し。それより、ヴァンパイアの皆さん、年金や介護保険どーするんだよ。配役、ウィレム・デフォーのみ宜し。主演のイーサン・ホークって、いつも冴えない感じだぞ。

⑨2『ドラキュラ Zero』（2014）

ヴラド・ツェペシュの伝記映画として吸血鬼を描く。怖いのはドラキュラ（ヴラド三世）よりオスマン・トルコというアクション史劇。

⑨3『ヴァン・ヘルシング』（2004）

特撮アクションが見どころの『レイダース』の吸血鬼版。特撮連打で、もう、お腹いっぱい。タイトル『インディ・ジョーンズJr.』にすべし。P・カッシング教授の映画を正座して観るように。

⑨4『30デイズ・ナイト』（2007　サム・ライミ製作）

アラスカの辺境の町。緯度の関係で冬至には30日間、太陽が昇らない。その地をヴァンパイア一族が襲う。留置所等に立て籠もる保安官ご一行――という設定からわかる通りジョン・カーペンター監督の『遊星からの物体X』と『要塞警察』の合体的映画。雪景色とゴア・ゴアの対比するムードはいいが、人物描写が説明不足で、サヴァイバル・サスペンスとしては、各所でテンションが落ちる。だが男性キャラは、一人を除いて男らしくて、有能なり。話の決着の付け方も宜し。でも、これをカーペンター監督が撮ってたら、傑作になっていたかもと思う。

⑮『リーグ・オブ・レジェンド　時空を超えた戦い』(2003)

フィクション・アイコン総進撃の『レイダース』的冒険活劇。先般、物故したショーン・コネリーが冒険家アラン・クォーターメインを演じる。ドラキュラ親分代貸しとしてミーナ・ハーカーが出てくるのも嬉しいが、まあ、同趣向の次の作を観たら……。

⑯『ペニー・ドレッドフル　ナイトメア 血塗られた秘密』
(2014-16　TVシリーズ)

「ペニー・ドレッドフル」とは、19世紀末にイギリスで人気を誇った安価で低俗な大衆小説誌の通称(『スウィーニー・トッド』や史上初の牙で吸血する吸血鬼小説『吸血鬼ヴァーニー』を含む)。なので、第6話では、ヴァン・ヘルシング教授がフランケンシュタイン博士に『吸血鬼ヴァーニー』を渡し、この物語は真実であって、シリーズの登場人物たちが追いかけている謎の魔物が吸血鬼であることを告げる。

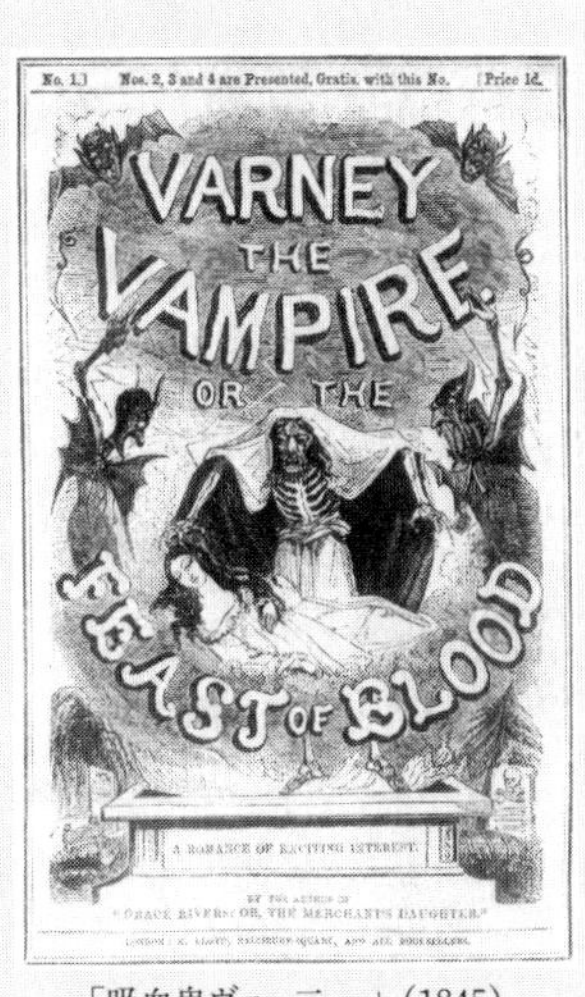

「吸血鬼ヴァーニー」(1845)

『リーグ・オブ・レジェンド』と同趣向——吸血鬼、魔女、ミーナ・ハーカー、切り裂きジャック、フランケンシュタイン博士&モンスター、ドリアン・グレイ(他にもネタバレになるから言えない有名モンスも登場。伏線もちゃんと張ってある)等がヴィクトリア朝のロンドンに共存している。だが、こちらのほうが、考証的、文学的、科学的——つまり物語の深みという点で、断然、優っている。虚構世界観共有という点で、モンスターバースの怪獣映画再生プロジェクトを想起させる。

『ダーク・シャドウ』でヴァンパイア・キラーの魔女を演じたエヴァ・グリーンが行方不明の親友ミーナを探す悪魔憑きの霊媒師役をシリアスに熱演。また、グランギニョール劇場で、『失楽園』を読み

ながら雑役をするインテリ・フランケン・モンスの悲哀に満ちた演技もいい（彼は、何とフランケン博士にお約束の「花嫁」製造を強要！）。

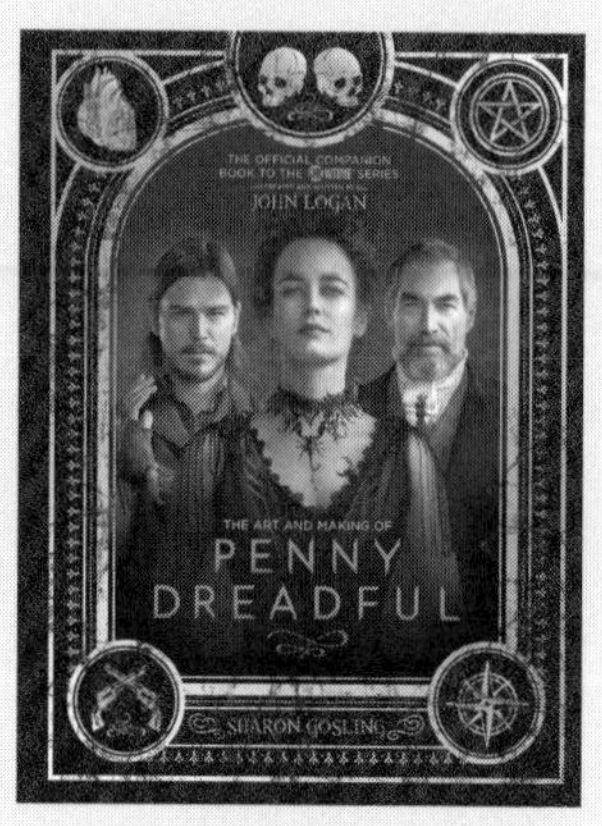

本作を観て、人類のフィクション（ミステリ・ホラー・SF）におけるイマジネーションのピークは19世紀末にあったのではという持論を再確認した。『ストレイン』と共に21世紀のヴァンパイア映像の大推奨作。今や劇場映画よりテレビのほうがいいみたい。

⑰『ヴァンプス』（2017　トルストイ原作　露）

SFXをふんだんに効果的に使っている。ヴァンパイア族の正体についてもロシア正教の神父がアッサリ説明。それに呼応して銀貨の樽爆弾などが、対ヴァンパイアの武器として使われる。ストーリーも映像も十分合格点なのに、映画サイトなどで評価が低いのはなぜなんだろう？

⑱『ダレン・シャン　若きバンパイアと奇怪なサーカス』（2009）

原作のファンからは酷評を受けた。原作のダーク・ファンタジーの「ダーク」を子供向け「ユーモア」に置き換えてしまったのが敗因と見た。監督はバンパイアより見世物（フリーク・ショウ）の方が好みのご様子。ウィレム・デフォーが吸血鬼映画に出演するのは4度目（『ハンガー』の電話ボックスの男のチョイ役もカウント）。渡辺謙も見世物一座の座長の役で出ている。日本人の役者が海外の吸血鬼映画に出るのは、これが史上初なのでは？

⑲『吸血ゴケミドロ』（1968　松竹）

おっと、これ、忘れてました。あら、珍しや、アブナイ橋は渡らない松竹が、我慢しきれずに『宇宙怪獣ギララ』(67) に続いて作った特撮ホラー。ゴケミドロは円盤に乗ってきたアメーバ状の宇宙生物。人の血を常食とするゴケミドロに寄生された者は吸血鬼と化す。タランティーノ（ここでも出てきました日本オタク）が『キル・ビル』の中で本作の「真っ赤な空」へのオマージュ演出をしております。

アニメ

⑩『吸血鬼ハンター“D”』（1999　菊地秀行原作）

画で見て初めて本シリーズがゴシック・ホラーと共にマカロニ・ウエスタンの面白さを持つことがわかった。

⑩『バンパイアハンターD』
（2002　菊地秀行『D-妖殺行』原作）

原作者の菊地先生自身が、アニメとしては、こちらのほうが出来がイイと言われている。

⑩『Vampire Hunter D : Bloodlust』
（2000）

ここでも出てきたタランティーノ絶賛のアニメ。確かに好きそう。

⑩『鬼滅の刃』（2019）

二話まで観たところで、時間切れ。母や妹を吸血鬼に殺されたことで吸血鬼ハンターになるという主人公の動機付けは『キャプテン・クロノス』が淵源か。スポ根漫画の要素も。

テレビゲーム

⑩④『Wizardry』シリーズ（Apple IIほか　1981～　サーテック）

1981年にアメリカで発表されたRPG。人気を博してPCや家庭用ゲーム機などに移植され、『ドラゴンクエスト』『ファイナルファンタジー』などのRPGに影響を与えた。『ウイザードリィ』では、実在の動物からモンスター、魔術師、忍者などが敵となって襲いかかってくるが、ヴァンパイアやヴァンパイア・ロード（領主）も第1作目から強力な敵として登場している。

⑩⑤『バンパイアハンターD』（PS　1996 ビクター　菊地秀行原作）

原作者ご本人はノーコメントだそうです。

⑩⑥『悪魔城ドラキュラ』シリーズ（PS3など　1986～　コナミ）

ヴァンパイア・ハンターの主人公が吸血鬼ドラキュラを討伐するため、数々の怪物が巣食う悪魔城内を様々な仕掛けをかいくぐりながら進んでいくホラー・アクション。ゴシック調のグラフィック・アート、ゲーム性も難度高めで楽しめる。製作スタッフは古典ホラー映画をかなり観ているようで、半魚人、ミイラ男、メデューサ、フランケンの怪物など、西洋モンスがどっさり出てくる。

⑩⑦『Vampyr ヴァンパイア』

（PS4ほか　2020　Game Source Entertainment）

1918年ロンドン。ある日突然ヴァンパイアとなった医師のジョナサン・リードが、スペイン風邪で荒廃した街の市民を救うための治療法を見つけようと奮闘。ヴァンパイアとして、治すと誓った人たちを犠牲にしなけれ

ばならないという呪いを背負いながら……。これが現在のヴァンパイア・ゲーム本命と思っているが、責了までに、🏆一個獲得。三人の血ィ吸った。

補遺

（え？ 100本超えた？）

⑩⑧『吸血鬼甦る』（1943 ベラ・ルゴシ主演　コロンビア）

リー師匠に気を取られてその後のルゴシ師匠のことを忘れていた。ユニヴァーサルからコロビアが『魔人ドラキュラ』の続編を買い取ったものという説あり（典拠不明）。だが、著作権を勘違いしたため、ルゴシの役名はテスラに変えられ、眷属として狼男も登場。ナチス空爆下の倫敦に暗躍する吸血鬼が新鮮。従って脚本段階の題は『倫敦の吸血鬼』。存外正統派のストーリーなのが嬉しい。ルゴシ師匠やれば、できるじゃないの。

⑩⑨『プラン9フロム・アウタースペース』

（1953　エド・ウッド監督）

史上最低映画とよばれる珍作。ルゴシ死去(56)の前に撮っていた未完の『吸血鬼の墓』などのカットをクズ映画に強引に挿入。これがルゴシの遺作となった。私は本作が「最低」と言われるがゆえに大好きなのだ（創作者にとって誘蛾灯のごとき作 以下持論略）。

⑩『イノセント・ブラッド』（ジョン・ランディス監督　1992年）

ホラー＆コメディ両刀使いのランディスらしい作。アルジェント、ライミらホラー大物のカメオ出演（メタでヒッチコックも！）と吸血鬼映画へのオマージュを多数確認。

⑪『ダリオ・アルジェントのドラキュラ』（2012年　3D　伊・仏・スペイン）

ん？　今更ハマー・エロティック路線を再現するかぁ？　迷いがあるのか、アルジェント。残念な作品が続いている最近の神聖恐怖皇帝……悪くはないが、「らしく」もないぞ。

⑫『I Vampiri』（1957　リッカルド・フレダ監督　マリオ・バーヴァ撮影監督）

マリオ・バーヴァが特殊効果（うまいです）等でも貢献したイタリア史上初のトーキー・ホラー映画。お話は『血の伯爵夫人』＋『フランケンシュタイン』＋『アッシャー家の崩壊』。手法はドイツ表現派＋ゴシック・ホラー＋ジャッロ映画。現物を観て驚いた。ユニヴァーサルとハマーの間を繋ぐミッシング・リンクがイタリアにあった！　世界レヴェルで古典の地位を要求できる作。

※その後フレダ監督はバーバラ・スティールを起用し、ホラー映画を撮っている。

特集上映

ユーロ・トラッシュ映画の巨匠ジェス・フランンコ（スペイン）の吸血珍作選四本まとめて面倒みます。ソルボンヌ大卒なのにエロ・グロ・猟奇・怪奇のクズ映画ばかり作り（190本）、60年代から21世紀まで長きにわたって世界を悩殺し続けた豪気な変人監督。

⑬『ドラキュラ／吸血のデアボリカ』（1970）

フランコ監督、吸血映画製作のきっかけは、『ドラキュラの花嫁』

を観たことだそうで、「トラッシュ」期待目線で観ると、拍子抜けするほど、まともな建付け。ストーカーの『吸血鬼ドラキュラ』に忠実、ハマーまんまの映像表現。配役も伯爵（C・リー）、ヘルシング（H・ロム『ピンク・パンサー』の上司の人）、レンフィールド（K・キンスキー リメイク版『ノスフェラトゥ』の人、本人は騙されての出演と主張）と豪華。この作の出来が監督の実力なのか、豪華お膳立ての賜物なのか不明。

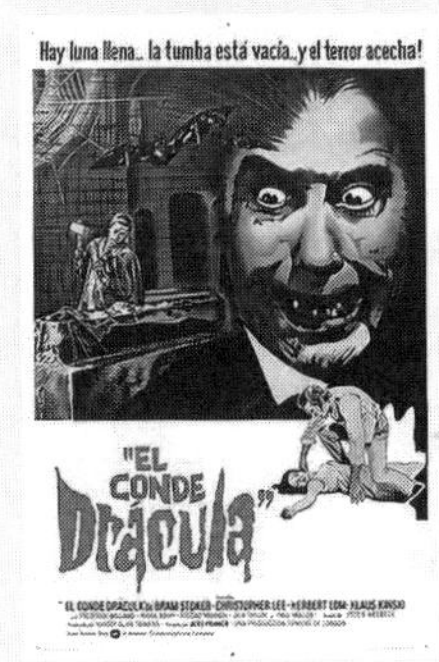

⑭『三大怪人（ドラキュラ・フランケン・狼男）・史上最大の決戦』（1972）

アップショットの執拗な多用に強迫観念系監督（ハーシェル・G・ルイス、ラス・メイヤーとか）の作家性を想起させるが、実は大した意味はない模様。エド・ウッドみたいなチープさだが、笑ってツッコミ入れたくなるような無邪気さもない。意味不明な筋でフランコ「難解作」とする解説もあるし、ドライヤーの『ヴァンパイア』に似たムード……と言おうと思ったが、やめた。こりゃ、大学映画研究会のインテリ映画通さんたちをテキトーに引っ掛けるエクスプロイテーションだろ。

⑮『吸血処女イレーナ〜鮮血のエクスタシー　ヘア無修正完全版』（1973）

本編、エロ90% 吸血10%、これが特典収録の別カットに入れ替えると、あーら不思議、エロ60% 吸血40%に。そうなんです、本編では、主人公の女吸血鬼、女性器・男性器から精液・血液を吸うのだが、特典の差し替え別カットでは、すべて首筋から吸血しているのだ。なので、フランコ師匠の意図は——最初はヘア丸出し程度の吸

血鬼映画を作ろうとしたが、やっぱり、こんな半端じゃトラッシュ巨匠の名折れだ、エロに徹すべえ——というのが私の推測。え？　話？　忘れもしない夜中の四時にスクリーンのエンド・マークに向かって「はあ？」と声に出して叫びましたよ。美メロの音楽とヘアしか脳に残らない師匠の気まぐれポルノ版映像ポエム。特典映像まで観て検証してしまった自分がいたわしい。

⑯『キラー・バービーズ VS. 怪人ドラキュラ』(2002)

　スペインのセクシー・ガール率いるロック・バント対ハゲのドラキュラ（こいつ、日中散々活動しているのに突然「夜明けが！」と言って苦悶する間抜け）。ハゲを連れてくるトランシルバニア文化庁の女役人（共産主義者）が笑える。ヒトラー、ニーチェ、ゴッホ等の超人与太話あり。トラッシュ・キッチュも、ここまでくれば、ポップと化すのか？

　結論　四作も観てしまったのだから、私の負け。フランコ師匠の勝ち。向精神薬（トラッシュ）常用者向け。癖になるので濫用注意。

※Thanx for Hideyuki Kikuchi, Natsuhiko Kyogoku, Masanobu Fukugasako(Editor)

〈初出一覧〉

†「吸血鬼」 ジョン・ポリドリ／平井呈一訳……『怪奇幻想の文学I 真紅の法悦』（新人物往来社／一九六九年）
†「ヘンショーの吸血鬼」 ヘンリー・カットナー／浅倉久志訳……『怪奇と幻想1 吸血鬼と魔女』（角川文庫／一九七五年）
†「吸血鬼の歯」 ローラン・トポール／榊原晃三訳……『リュシエンヌに薔薇を』（早川書房／一九七二年）
†「疲弊した漂着船船長の事件——安楽椅子探偵」
レイフ・マグレガー／植草昌実訳……本書のために新訳
†「おしゃぶりスージー」 ジェフ・ゲルブ／夏来健次訳……『震える血』（祥伝社文庫／二〇〇〇年）
†「吸血機伝説」 ロジャー・ゼラズニイ／中村融訳……『影が行く——ホラーSF傑作選』（創元SF文庫／二〇〇〇年）
†「紫女」 井原西鶴／須永朝彦訳……『書物の王国〈12〉吸血鬼』（国書刊行会／一九九八年）
†「夢魔で逢えたら」 山口雅也……『ミッドナイツ《狂騒の八〇年代》作品集成』（講談社／二〇一九年）
†「頭の大きな毛のないコウモリ」 澤村伊智……書き下ろし
†「ここを出たら」 新井素子……『イン・ザ・ヘブン』（新潮社／二〇一三年） 雑誌掲載としては『yom yom Vol.24（二〇一二年春号）』
†「吸血鬼ハンター D-岬のセイレーン」 菊地秀行……書き下ろし
†「啼く吸血鬼」 丸尾末広……『ハライソ 笑う吸血鬼2』（秋田書店／二〇〇四年） 雑誌掲載としては『'01ヤングチャンピオン七月五日増刊号』

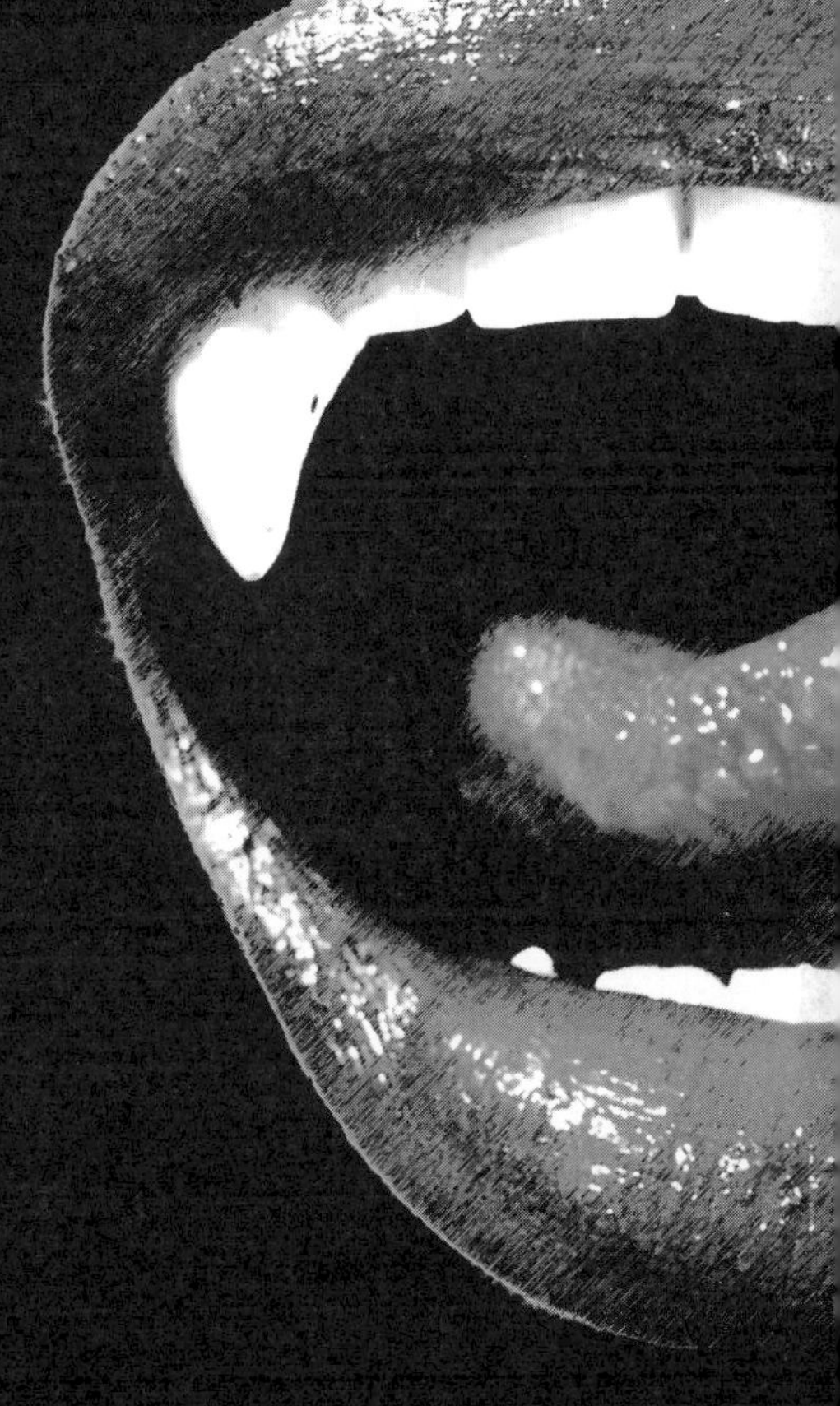

甘美で痛いキス

吸血鬼コンピレーション

2021年3月10日　初版発行

総指揮
山口雅也

著者
山口雅也
新井素子　菊地秀行　京極夏彦　澤村伊智
浅倉久志　植草昌実　榊原晃三　須永朝彦
中村 融　夏来健次　平井呈一
ジェフ・ゲルブ　ジョン・ポリドリ
ヘンリー・カットナー　レイフ・マグレガー
ロジャー・ゼラズニイ　ローラン・トポール

デザイン　組版
坂野公一＋島﨑肇則（welle design）

写真
Abobe stock　PPS 通信社　Shutterstock.com

発行所
二見書房
東京都千代田区神田三崎町 2-18-11
電話　03-3515-2311（営業）
　　　03-3515-2313（編集）
振替　00170-4-2639

印刷
株式会社堀内印刷所

製本
株式会社村上製本所

ISBN978-4-576-21017-9

https://www.futami.co.jp

山口雅也 総指揮

YAMAGUCHI MASAYA

甘美で痛いキス

吸血鬼コンピレーション

VAMPIRE

A SWEET AND PAINFUL KISS

×

菊地秀行

KIKUCHI HIDEYUKI

二見書房